spoken
french
in review

BASED ON MODERN AUTHORS

by Quentin M. Hope

Indiana University

THE MACMILLAN COMPANY, *New York*
COLLIER-MACMILLAN LIMITED, *London*

ACKNOWLEDGMENTS

Librairie Gallimard for "Quartier libre," "Déjeuner du matin," "Le Chat et l'oiseau," "Le Cancre," "L'Addition," and "L'Accent grave" by Jacques Prévert; and for selections from *Les Contes du chat perché* by Marcel Aymé.

Monsieur Billaudot Girard for the selections from *A louer meublé* by Gabriel d'Hervilliez.

Editions Bernard Grasset for the selections from *Ondine, L'Apollon de Bellac,* and *La Folle de Chaillot* by Jean Giraudoux.

La Table Ronde for the selections from *L'Hurluberlu, Ornifle,* and *Le Bal des voleurs* by Jean Anouilh.

Librairie Hachette for the selections from *Les Carnets du Major Thompson* by Pierre Daninos.

Illustrated by Annemarie Mahler.

Tenth Printing, 1967

Library of Congress catalog card number: 63-8809

The Macmillan Company, New York
Collier-Macmillan Canada, Ltd., Toronto, Ontario

Printed in the United States of America

PREFACE

THE PURPOSE of this book is to expand the student's competence and fluency in speaking, writing, and understanding French. It has been specifically planned to attract and hold the student's interest (for he will have trouble learning if he is not interested) while it leads him through a series of pattern drills and other exercises carefully designed to develop his skill in the actual use of the language.

Each chapter begins with a short text drawn from a modern French author and written in colloquial French. Chosen from the realm of humor, satire, farce, and fantasy, these texts are lively, stimulating, and easy to talk about. They are short enough for intensive study, and they include many examples of the vocabulary and sentence structures drilled in the exercises.

These exercises consist largely of oral pattern practice. Each exercise drills one or two closely connected points of grammar. The student uses short, natural speech groups, and he has plenty of opportunity to repeat the form in different phrases, so that its use becomes automatic and habitual. Interest is maintained by arranging the phrases in many of the exercises in a meaningful sequence, so that the student is communicating while he drills. When drilling, the student should cover the correct answer given in the right-hand column. This answer is provided so that he may have an immediate check on whether his response is correct or not. An incorrect response repeated throughout an exercise and not corrected until the student comes to class can do active harm, forming the wrong habit instead of the right one. Each chapter also includes a suggested composition topic related to the text and designed to give the student practice in using the French he has learned. Occasional review chapters provide exercises that automatically recapitulate the important new words, expressions, and grammatical points.

Taken as a whole, the exercises constitute a rather complete review of the standard topics of French grammar. Most students will find the exercises self-explanatory, but a paragraph number and heading are indicated so that the students who wish to check the point of grammar drilled may do so in the appendix at the back of the book. The appendix may also be used for review, and in checking compositions. To avoid the difficulty which students usually have in finding what they are looking for in a grammatical appendix, the arrangement is alphabetical, from ADJECTIVES to VERB TABLES. A set of abbreviations referring to the various sections of the appendix is designed for use in correcting compositions.

Developed and tested at Indiana University over a period of three years, the book has been arranged to permit the utmost flexibility in use. It can serve as the main text in any French class beyond the elementary level, Lessons 1 to 23 being covered in the first semester, and Lessons 24 to 46 in the second. In classes which emphasize mainly reading, it can serve as an auxiliary text for conversation and grammar review, using either the first or the second part, depending on the ability and preparation of the students. Since major points of grammar are drilled several times throughout the text, it is possible to omit certain chapters or groups of chapters, and still include a review of major structures. The book can be used primarily for conversation with emphasis on the texts, or primarily for grammar with emphasis upon the exercises, compositions, and grammar appendix.

The texts included are all drawn from modern French authors. In narrative passages the *passé simple* has been changed to the *passé composé*. There are several omissions, and perhaps a half-dozen places where a commoner expression replaces a rarer one. Otherwise the texts appear as they were written. They are not merely colloquial and amusing, but also have a certain literary or sociological significance. The characteristics which many of them share—the sense of the ridiculous, irreverence towards authority, freedom from sentimentality, a wry awareness of man's foibles combined with a pervasive gaiety—are typical of an important aspect of French literature and of the French mind. From Daninos' immensely popular caricature of French ways one can learn what many Frenchmen think is typical and amusing about the behavior of their compatriots. Prévert's significance likewise lies as much in his popularity as in what he has to say. His poems, with their revolt against bourgeois conformity and discipline and their exuberant celebration of youth and freedom, belong to the mass culture of modern France. Anouilh and Giraudoux also have something to contribute to the composite view of French traits which arises from this book, but they are even more interesting for the way in which they present their themes, for their brilliance, and their sophistication. Even the authors that are without any literary pretensions—Gabriel d'Hervilliez and Marcel Aymé—deserve attention for their techniques as well as for their content. *A louer meublé* uses the most time-honored devices of farce: raciness, rudimentary and transparent characters, paradox, parallelism, and comic props, while the pithy, humorous, and ironic stories of *Les Contes du chat perché* show how beast-fable verges towards the dramatic form, derives comic effect from incongruities, and breathes new life into commonplace figures by the simplicity and inventiveness of its narrative.

Individual instructors will, of course, decide what emphasis to put on this aspect of the book. Class discussion of such topics should be encouraged. It reminds students that learning a language involves more than the memorization of words and structures, and prepares them for a more advanced study of literature and civilization.

I owe a debt of gratitude to the many friends and colleagues who have read this text and taught it for their helpful suggestions. I want to thank in particular Françoise Grassin, Gilberte Van Treese, and Monique Hyde.

Quentin M. Hope

Bloomington, Indiana

CONTENTS

spoken
french
in review

QUARTIER LIBRE[1]

1

Jacques Prévert

LES POÈMES de Jacques Prévert sont écrits dans un français familier°, et sont en général amusants et faciles à lire. Il aime les jeux de mots°, les enfants, les animaux, la fantaisie, l'amour, la liberté. Il aime se moquer de tout ce qui symbolise la contrainte° : les prêtres, les maîtres d'école, les hommes d'état, les militaires. Même la ponctuation lui semble une contrainte inutile°. Voici un de ses poèmes les plus courts:

> J'ai mis mon képi° dans la cage
> et je suis sorti avec l'oiseau° sur la tête
> Alors
> on ne salue° plus [2]
> a demandé le commandant°
> Non
> on ne salue plus
> a répondu l'oiseau
> Ah bon
> excusez-moi je croyais qu'on saluait
> a dit le commandant
> Vous êtes tout excusé tout le monde peut se tromper°
> a dit l'oiseau.

VOCABULAIRE

familier colloquial
jeu de mots pun, wordplay
la contrainte constraint
inutile useless

le képi French military cap
un oiseau a bird
saluer to salute
le commandant the major
tout le monde peut se tromper
    anyone can make a mistake

[1] *Quartier libre*—a military pass; in the navy, liberty. *Donner quartier libre à quelqu'un* means to let him do what he wants to do.
[2] This question is used as a reprimand. *Cf.* Have you given up saluting?

3

QUESTIONNAIRE

1. Quelle sorte de poèmes Prévert écrit-il?
2. Qu'est-ce qu'il aime?
3. De qui se moque-t-il?
4. Qu'est-ce que ces personnes dont il se moque symbolisent?
5. Quelle semble être son opinion de la ponctuation?
6. Celui qui parle dans ce poème, où a-t-il mis son képi?
7. Croyez-vous qu'il aime son uniforme? Pourquoi pas?
8. Qu'est-ce qui montre qu'il aime la liberté, d'abord la sienne, mais aussi celle des autres?
9. Qu'est-ce qui montre que l'oiseau dans ce poème n'est pas un oiseau ordinaire?
10. Qu'est-ce que celui qui parle a négligé de faire quand il a croisé (*passed*) le commandant?
11. Quelle remarque le commandant lui a-t-il faite?
12. Qui a répondu pour lui?
13. Quelle réponse?
14. Quelle réponse inattendue (*unexpected*) le commandant a-t-il faite?
15. L'oiseau est-il poli avec le commandant?

ETUDE DE MOTS

1. *se moquer de* — to make fun of
   Je m'en moque. — I don't care.
   Mais, vous vous moquez! — You're joking!
   Vous vous moquez du monde! — You're joking!
   C'est se moquer du monde! — That's going too far!

2. *inutile* — useless
   Oh! c'est inutile. — It's no good (trying), there's no point in it.

3. *se tromper* — to make a mistake
   Je me suis trompé d'étage. — I got off at the wrong floor.
   Vous vous trompez. — You're wrong.
   Je me suis trompé de route. — I took the wrong road.

EXERCICES

Position of object pronouns (48B); Imperative (34A)

Dans ces exercices il faut supposer que le professeur va rencontrer une jeune fille qu'il connaît.

A. LE PROFESSEUR: Je l'invite chez moi?
    L'ÉTUDIANT: Oui, invitez-la.

1. Je la salue?   Oui, saluez-la.
2. Je lui parle?   Oui, parlez-lui.
3. Je l'accompagne?   Oui, accompagnez-la.
4. Je l'invite chez moi?   Oui, invitez-la.
5. Je lui montre l'appartement?   Oui, montrez-lui l'appartement.
6. Je lui donne ces bonbons?   Oui, donnez-lui ces bonbons.
7. Je lui offre ce verre de vin?   Oui, offrez-lui ce verre de vin.

B. LE PROFESSEUR: Je l'invite chez moi?
    L'ÉTUDIANT: Ah, non! Ne l'invitez pas.

1. Je la salue?   Ah, non! Ne la saluez pas.
2. Je lui parle?   Ah, non! Ne lui parlez pas.
3. Je l'accompagne?   Ah, non! Ne l'accompagnez pas.
4. Je l'invite chez moi?   Ah, non! Ne l'invitez pas.
5. Je lui montre l'appartement?   Ah, non! Ne lui montrez pas l'appartement.
6. Je lui donne ces bonbons?   Ah, non! Ne lui donnez pas ces bonbons.
7. Je lui offre ce verre de vin?   Ah, non! Ne lui offrez pas ce verre de vin.

Imperative (34); See present of verbs not ending in -*er* (62D)

C. LE PROFESSEUR: Je mets un disque? (*Shall I put a record on?*)
    L'ÉTUDIANT: Oui, mettez un disque.

1. Je prends son manteau?   Oui, prenez son manteau.
2. Je le mets dans l'armoire?   Oui, mettez-le dans l'armoire.
3. Je lui dis de s'asseoir?   Oui, dites-lui de s'asseoir.
4. Je fais du café?   Oui, faites du café.
5. Je sers du café?   Oui, servez du café.
6. Je bois du café?   Oui, buvez du café.
7. Je réponds à ses questions?   Oui, répondez à ses questions.
8. Je choisis un livre?   Oui, choisissez un livre.
9. Je lis des poésies?   Oui, lisez des poésies.
10. Enfin, je finis de lire?   Oui, finissez de lire.
11. Je pars avec elle?   Oui, partez avec elle.

SUJET DE COMPOSITION

Le commandant rencontre son ami le capitaine. Il lui raconte son aventure. Etonnement du capitaine. Se moque-t-on de lui? Son commandant boit-il un peu trop? etc.

DEJEUNER DU MATIN

2

Jacques Prévert

Il a mis le café
Dans la tasse°
Il a mis le lait
Dans la tasse de café
Il a mis le sucre°
Dans le café au lait
Avec la petite cuiller°
Il a tourné°
Il a bu le café au lait
Et il a reposé° la tasse
Sans me parler
Il a allumé
Une cigarette
Il a fait des ronds°
Avec la fumée°
Il a mis les cendres°
Dans le cendrier°
Sans me parler
Sans me regarder
Il s'est levé
Il a mis
Son chapeau sur sa tête
Il a mis
Son manteau de pluie°
Parce qu'il pleuvait
Et il est parti
Sous la pluie
Sans une parole
Sans me regarder
Et moi j'ai pris
Ma tête dans ma main
Et j'ai pleuré.

VOCABULAIRE

la tasse the cup	*la fumée* the smoke
le sucre the sugar	*la cendre* the ash
la cuiller ou cuillère the spoon	*le cendrier* the ashtray
tourner to stir	*le manteau de pluie* the raincoat
reposer to put down	*l'imperméable* (*m.*) the raincoat (a
un rond a ring, circle	more common expression)

QUESTIONNAIRE

1. Pourquoi a-t-on l'impression dans ce poème que c'est une femme qui parle?
2. Pourquoi a-t-on l'impression que l'homme qu'elle regarde est froid, indifférent?
3. Croyez-vous qu'elle aime cet homme? Pourquoi?
4. Comment savons-nous que l'homme n'est pas pressé pour finir son petit déjeuner?
5. Comment est-ce que le vers peint (*How does the verse depict*) la lenteur et la régularité de ses gestes? (*gestures*)
6. Qu'est-ce qu'il prend comme petit déjeuner?
7. Qu'est-ce qu'il met dans son café? (Et vous?)
8. Comment ce petit déjeuner français diffère-t-il du petit déjeuner américain?
9. Qu'est-ce qu'on fait avec une cuiller?
10. Qu'est-ce qu'on met dans un cendrier?
11. Qu'est-ce qu'il a fait après avoir bu son café?
12. Quand a-t-il fait des ronds avec la fumée?
13. Pourquoi a-t-il mis son imperméable?
14. Qu'est-ce qu'il a mis sur sa tête, un oiseau?

EXERCICES

A. Lisez le texte au présent. Observez ces différences entre le présent et le passé.

1. il a mis	il met
2. il a tourné	il tourne
3. il a bu	il boit
4. il a reposé	il repose
5. il a allumé	il allume
6. il a fait	il fait
7. il s'est levé	il se lève
8. il pleuvait	il pleut
9. il est parti	il part

10. j'ai pris   je prends
11. j'ai pleuré   je pleure

Past participle (54); Etre verbs (26)

B. LE PROFESSEUR: Je mets le café dans la tasse.
  L'ÉTUDIANT: J'ai mis le café dans la tasse.

1. Je mets le sucre dans le café.   J'ai mis le sucre dans le café.
2. Je tourne.   J'ai tourné.
3. Je bois le café.   J'ai bu le café.
4. Je repose la tasse.   J'ai reposé la tasse.
5. J'allume une cigarette.   J'ai allumé une cigarette.
6. Je me lève.   Je me suis levé.
7. Je me retourne.   Je me suis retourné.
8. Je me dirige vers la porte.   Je me suis dirigé vers la porte.
9. Je m'arrête.   Je me suis arrêté.
10. Je prends mon imperméable.   J'ai pris mon imperméable.
11. Je sors.   Je suis sorti.
12. Je pars.   Je suis parti.
13. Je vais dans la rue.   Je suis allé dans la rue.

Infinitive (35A)

C. LE PROFESSEUR: Il boit, mais il ne la regarde pas. Il boit . . .
  L'ÉTUDIANT: . . . sans la regarder.

1. Il met le sucre dans le café, mais il ne tourne pas. Il
   met le sucre dans le café . . .   sans tourner.
2. Il boit, mais il ne lui parle pas. Il boit . . .   sans lui parler.
3. Il me regarde, mais il ne sourit pas. Il me regarde . . .   sans sourire.
4. Il regarde son journal, mais il ne le lit pas. Il regarde
   son journal . . .   sans le lire.
5. Il croise le commandant, mais il ne le salue pas. Il
   croise le commandant . . .   sans le saluer.
6. Il répond en classe et il ne se trompe pas. Il répond
   en classe . . .   sans se tromper.
7. Il dit ces choses, mais il n'y croit pas. Il dit ces
   choses . . .   sans y croire.
8. Il parle et il ne s'arrête pas. Il parle . . .   sans s'arrêter.
9. Il me salue, mais il ne se lève pas. Il me salue . . . sans se lever.
10. Il part, mais il ne dit pas au revoir. Il part . . . sans dire au revoir.

SUJET DE COMPOSITION

Décrivez le petit déjeuner chez vous et le départ pour le travail.

LE CHAT ET L'OISEAU

Jacques Prévert

Un village écoute désolé°
Le chant d'un oiseau blessé°
C'est le seul oiseau du village
Et c'est le seul chat du village
Qui l'a à moitié° dévoré
Et l'oiseau cesse de chanter
Le chat cesse de ronronner°
Et de se lécher le museau°
Et le village fait à l'oiseau
De merveilleuses funérailles
Et le chat qui est invité
Marche derrière le petit cercueil° de paille°
Où l'oiseau mort est allongé°
Porté par une petite fille
Qui n'arrête pas de pleurer
Si j'avais su que cela te fasse tant de peine°
Lui fit° le chat
Je l'aurais mangé tout entier°
Et puis je t'aurais raconté
Que je l'avais vu s'envoler°
S'envoler jusqu'au bout° du monde
Là-bas où c'est tellement loin
Que jamais on n'en revient
Tu aurais eu moins de chagrin
Simplement de la tristesse°
Et des regrets
Il ne faut jamais faire
Les choses à moitié.

VOCABULAIRE

désolé unhappy, mournful
blessé wounded
à moitié half
ronronner to purr
se lécher le museau to lick one's face
  (*museau* used only for animals;
  cf. *paw* in English)
le cercueil the coffin
la paille the straw

allongé stretched out
te fasse tant de peine would make
  you feel so bad
fit said
tout entier whole, all of it, all of him
s'envoler to fly away
le bout the end
la tristesse the sadness

QUESTIONNAIRE

1. Pourquoi le village est-il désolé?
2. Qu'est-ce que le chat a fait à l'oiseau?
3. Combien de chats et d'oiseaux y a-t-il dans le village?
4. Que fait le chat après avoir à moitié dévoré l'oiseau?
5. Quand est-ce que le chat ronronne?
6. Qui participe aux funérailles de l'oiseau?
7. Où l'oiseau est-il allongé?
8. Pourquoi la petite fille pleure-t-elle?
9. Qu'est-ce que le chat aurait fait s'il avait su que cela ferait tant de peine à la petite fille?
10. Quelle histoire lui aurait-il racontée?
11. Quelles émotions ce mensonge (*lie*) aurait-il produites?
12. Le chat regrette-t-il d'avoir mangé l'oiseau? En fait-il semblant? Est-il hypocrite ou honnête?
13. Quelle est la morale que le chat tire de cette histoire? Cette morale est un proverbe connu; quelle est l'expression équivalente en anglais?

ETUDE DE MOTS

1. Note the use of prepositions *à* and *de:*
  cesser de chanter
  faire à l'oiseau des funérailles
  arrêter de pleurer
  faire de la peine à la petite fille

2. *faire de la peine* to cause sorrow. *La mort d'un ami ou d'un animal que vous avez aimé vous fait de la peine.* Contrast with *faire mal*—to hurt physically: *ma jambe me fait mal.*

3. *Si j'avais su ça, je l'aurais mangé.*   If I had known that, I would have
                                              eaten it.

   S'il avait eu faim, il aurait mangé.   If he had been hungry, he would have
                                              eaten.

   S'il avait faim, il mangerait.   If he were hungry, he would eat.
   S'il a faim, il mangera.   If he is hungry, he will eat.

EXERCICES

Partitive (52)

A. LE PROFESSEUR: De la peine. Tant.
    L'ÉTUDIANT: Tant de peine.

    LE PROFESSEUR: Des regrets. Pas.
    L'ÉTUDIANT: Pas de regrets.

1. Des oiseaux. Un grand nombre.   Un grand nombre d'oiseaux.
2. Du café. Une tasse.   Une tasse de café.
3. Du lait. Une bouteille.   Une bouteille de lait.
4. Des animaux. Pas.   Pas d'animaux.
5. Des cuillers. Une douzaine.   Une douzaine de cuillers.
6. Des cigarettes. Un paquet.   Un paquet de cigarettes.
7. Du café. Jamais.   Jamais de café.
8. Des amis. Beaucoup.   Beaucoup d'amis.
9. De la pluie. Un peu.   Un peu de pluie.
10. Des funérailles. Combien.   Combien de funérailles?
11. Du chagrin. Plus.   Plus de chagrin.
12. Des choses. Une grande quantité.   Une grande quantité de choses.

Object pronouns (44–48)

B. LE PROFESSEUR: Est-ce que la petite a eu *des chagrins?*
    L'ÉTUDIANT: Oui, elle en a eu.

    LE PROFESSEUR: Est-ce que les chats mangent *les oiseaux?*
    L'ÉTUDIANT: Oui, ils les mangent.

    LE PROFESSEUR: Est-ce que le chat aurait mangé *l'oiseau?*
    L'ÉTUDIANT: Oui, il l'aurait mangé.

1. Est-ce que le monsieur a bu *du café?*   Oui, il en a bu.
2. Est-ce qu'il y avait *du sucre?*   Oui, il y en avait.
3. Est-ce qu'il a fait *des ronds?*   Oui, il en a fait.
4. Est-ce qu'il est sorti *de la maison?*   Oui, il en est sorti.
5. Est-ce que la petite aurait eu *de la peine?*   Oui, elle en aurait eu.
6. Est-ce qu'on revient *du bout du monde?* (Ré-   Non, on n'en revient pas.
   pondez non.)

7. Est-ce qu'il a mis *son chapeau et son imper-*   Oui, il les a mis.
    méable?

8. Dans ce village, est-ce qu'on aimait *les oiseaux?*   Oui, on les aimait.

9. Est-ce qu'on avait invité *les habitants du vil-*   Oui, on les avait invités.
    lage?

10. Est-ce qu'il a allumé *sa cigarette?*   Oui, il l'a allumée.

11. Est-ce que le chat a dévoré *l'oiseau?*   Oui, il l'a dévoré.

12. Est-ce qu'on a invité *le chat?*   Oui, on l'a invité.

Object pronouns (45)

c. Traduisez. (Attention aux pronoms compléments *lui* et *l'*.)

1. I like her.   Je l'aime.
2. I invite her.   Je l'invite.
3. I answer her.   Je lui réponds.
4. I tell her.   Je lui dis.
5. I accompany her.   Je l'accompagne.

SUJET DE COMPOSITION

Dialogue entre le chat et la petite fille. Elle l'accuse. Le chat raconte son histoire. Est-ce qu'elle le croit?

LE CANCRE°

Jacques Prévert

Il dit non avec la tête
mais il dit oui avec le cœur
il dit oui à ce qu'il aime
il dit non au professeur
il est debout [1]
on le questionne
et tous les problèmes sont posés
soudain le fou rire le prend°
et il efface° tout
les chiffres et les mots
les dates et les noms
les phrases et les pièges°

et malgré les menaces du maître°
sous les huées° des enfants prodiges°
avec des craies° de toutes les couleurs
sur le tableau noir du malheur
il dessine° le visage du bonheur.

VOCABULAIRE

le cancre the dunce, the worst student in the class
le fou rire le prend he is overtaken by helpless laughter
effacer to erase
le piège the trap; trick question that traps the unwary

le maître teacher (in primary school)
la huée hooting
un enfant prodige a child prodigy; that is, good student
la craie the chalk
dessiner to draw

[1] En France l'élève se met debout pour répondre aux questions du maître.

QUESTIONNAIRE

1. Comment le cancre dit-il non?
2. Comment dit-il oui?
3. A qui ou à quoi dit-il oui?
4. A qui dit-il non?
5. Est-ce qu'il ressemble à l'oiseau dans *Quartier libre?* Est-ce que l'oiseau dit non au commandant?
6. Pourquoi est-il debout?
7. Qu'est-ce qui le prend?
8. Que fait-il ensuite?
9. Qu'est-ce qu'il y avait au tableau?
10. Que fait le maître? Que font les bons élèves?
11. Quelles craies utilise-t-il?
12. Qu'est-ce qui symbolise le malheur pour le cancre?
13. Que fait-il après avoir tout effacé?
14. Pourquoi n'aime-t-on pas ce professeur? et ces "enfants prodiges"? Pourquoi aime-t-on le cancre?
15. Croyez-vous que *Le Cancre* et *Quartier libre* ont le même thème? Quel est ce thème?

ETUDE DE MOTS

1. *Il efface tout.* — He erases everything.
   tous les problèmes — All (of) the problems. (Specific, so the article is used both in French and English.)
   toutes les couleurs — All colors. (Colors in general; the article is used in French, but not in English.)

2. *Questionner:* verb formed from *question.* Form verbs from the following nouns. (Note how final syllable denasalizes when the verbal ending is added.)

addition	addition; the bill	*additionner*	to add up
soupçon	a suspicion	*soupçonner*	to suspect
pardon	pardon	*pardonner*	to pardon
frisson	shiver	*frissonner*	to shiver
dessin	a drawing	*dessiner*	to draw
chagrin	sorrow	*chagriner*	to sorrow; vex

EXERCICES

Relative pronouns (67–68)

A. LE PROFESSEUR: J'aime la liberté.
    L'ÉTUDIANT: C'est la liberté que j'aime.

    LE PROFESSEUR: Le français m'intéresse.
    L'ÉTUDIANT: C'est le français qui m'intéresse.

1. Il écrit un problème.   C'est un problème qu'il écrit.
2. Le fou rire le prend.   C'est le fou rire qui le prend.
3. Le dessin m'amuse.   C'est le dessin qui m'amuse.
4. Je dessine un visage.   C'est un visage que je dessine.
5. Il a dévoré un oiseau.   C'est un oiseau qu'il a dévoré.

B. LE PROFESSEUR: J'aime la liberté.
    L'ÉTUDIANT: Voilà ce que j'aime.

    LE PROFESSEUR: Le français m'intéresse.
    L'ÉTUDIANT: Voilà ce qui m'intéresse.

1. Il dessine un visage.   Voilà ce qu'il dessine.
2. Ce dessin fait rire la classe.   Voilà ce qui fait rire la classe.
3. Le cancre efface les chiffres.   Voilà ce que le cancre efface.
4. Le fou rire le prend.   Voilà ce qui le prend.
5. Nous étudions le français.   Voilà ce que nous étudions.
6. Nous lisons un poème de Prévert.   Voilà ce que nous lisons.
7. Les poèmes de Prévert nous in-   Voilà ce qui nous intéresse.
   téressent.

Imparfait (32–33)

C. LE PROFESSEUR: Il met son chapeau parce qu'il pleut.
    L'ÉTUDIANT: Il a mis son chapeau parce qu'il pleuvait.

    (Use the *imparfait* for conditions; the *passé composé* for events.)

1. Voici ce qu'il fait toujours: Voici ce qu'il faisait toujours:
2. Il dit non avec la tête,   Il disait non avec la tête,
3. mais il dit oui avec le cœur.   mais il disait oui avec le cœur.
4. Il dit oui à ce qu'il aime,   Il disait oui à ce qu'il aimait,
5. il dit non au professeur.   il disait non au professeur.
6. Il est debout;   Il était debout;
7. on le questionne,   on le questionnait,
8. et tous les problèmes sont posés.   et tous les problèmes étaient posés.
9. Soudain le fou rire le prend,   Soudain le fou rire l'a pris,

10. et il efface tout . . .   et il a tout effacé . . .
11. et il dessine le visage du bonheur.   et il a dessiné le visage du bonheur.

SUJET DE COMPOSITION

Le cancre rentre à la maison, et explique ce qu'il a fait à l'école ce jour-là, ce que le maître lui a dit, etc.

L'ADDITION

5

Jacques Prévert

LE CLIENT. Garçon l'addition°!

LE GARÇON. Voilà. [*Il sort° son crayon et note.*] Vous avez . . . deux œufs durs, un veau[1], un petit pois, une asperge, un fromage avec beurre, une amande verte°, un café filtre[2], un téléphone.

LE CLIENT. Et puis des cigarettes!

LE GARÇON. C'est ça même° . . . des cigarettes . . . [*Il commence à compter.*] . . . alors ça fait. . . .

LE CLIENT. N'insistez° pas, mon ami, c'est inutile, vous ne réussirez° jamais

LE GARÇON. ! ! !

LE CLIENT. On ne vous a donc pas appris à l'école que c'est ma-thé-ma-ti-que-ment impossible d'additionner des choses d'espèce dif-férente!

LE GARÇON. ! ! !

LE CLIENT. [*Elevant la voix.*] Enfin, tout de même°, de qui se moque-t-on? . . . Il faut réellement être insensé° pour oser° essayer de tenter "d'additionner" un veau avec des cigarettes, des ciga-rettes avec un café filtre, un café filtre avec une amande verte et des œufs durs avec des petits pois, des petits pois avec un téléphone, pourquoi pas un petit pois avec un grand officier de la Légion d'honneur[3], pendant que vous y êtes°! [*Il se lève.*] Non mon ami, croyez-moi, n'insistez pas, ne vous fatiguez pas, ça ne donnerait rien°, vous entendez, rien, absolument rien . . . pas même le pourboire°!

[*Et il sort en emportant le rond de serviette° à titre gracieux.°*]

---

[1] *un veau*—an order of veal, *une asperge*—an order of asparagus, etc.

[2] *café filtre*—a cup of coffee with its individual filter, permitting the customer to brew his own coffee.

[3] *la Légion d'honneur*—the most famous honorary society in France, founded by Napoléon. People are named to it by the government. *Grand officier* is its next to highest rank.

VOCABULAIRE

l'addition (*f.*) the bill
il sort he takes out
une amande verte an order of green almonds
c'est ça même that's right
n'insistez pas don't go on, don't try
réussir to succeed
tout de même after all, anyhow

insensé mad
oser to dare
pendant que vous y êtes while you're at it
ça ne donnerait rien it would produce nothing, no results
le pourboire the tip
le rond de serviette the napkin ring
à titre gracieux gratis, as a gift

QUESTIONNAIRE

1. Que fait le garçon quand le client lui demande l'addition?
2. Qu'est-ce qu'il a eu comme hors-d'œuvre?
   Comme légumes (*vegetables*)? Comme dessert?
3. Comment savons-nous qu'il faut payer pour utiliser le téléphone?
4. Qu'est-ce que le garçon a oublié?
5. Qu'est-ce que le client lui dit quand il commence à compter?
6. Selon le client, pourquoi est-ce que le garçon ne réussira jamais à faire l'addition?
7. Qu'est-ce qui indique que le client commence à se fâcher? (*to get angry*)
8. Où trouvez-vous dans le texte une série d'infinitifs?
9. Quelle suggestion le client fait-il au garçon pour lui montrer l'absurdité de ses efforts?
10. D'ordinaire que laisse-t-on pour le garçon? Croyez-vous que le client respecte cette coutume?
11. Que fait-il quand il sort?
12. Quelle semble être l'étymologie du mot *pourboire?*

ETUDE DE MOTS

il commence à . . .
il réussit à . . .
c'est impossible de . . .
il essaie de . . .
il tente de . . .

he begins to . . .
he succeeds in . . .
it is impossible to . . .
he tries to . . .
he attempts to . . .

EXERCICES

Present participle (63–64); Avoiding dependent clauses (15C)

A. LE PROFESSEUR: *Quand on sort,* on dit au revoir.
       L'ÉTUDIANT: On dit au revoir en sortant.

1. *Quand on entre,* on dit bonjour.   On dit bonjour en entrant.
2. *Quand on lit,* on apprend.   On apprend en lisant.
3. *Quand on dort,* on rêve.   On rêve en dormant.
4. *Quand on boit,* on devient ivre.   On devient ivre en buvant.
5. *Quand on prend le train,* on arrive   On arrive bientôt en prenant le train.
   bientôt.
6. *Quand on descend l'escalier,* on va   On va vite en descendant l'escalier.
   vite.
7. *Quand on monte,* on va lentement.   On va lentement en montant.
8. *Quand on fait ses devoirs,* on fait   On fait des progrès en faisant ses de-
   des progrès.   voirs.
9. *Quand on choisit,* on se limite.   On se limite en choisissant.
10. *Quand on dit bonjour,* on se salue.   On se salue en disant bonjour.

B. LE PROFESSEUR: une histoire qui intéresse
       L'ÉTUDIANT: une histoire intéressante

1. une nouvelle qui inquiète   une nouvelle inquiétante
2. une maladie qui affaiblit   une maladie affaiblissante
3. un animal qui meurt   un animal mourant
4. une raison qui suffit   une raison suffisante
5. la page qui suit   la page suivante
6. un homme qui vit   un homme vivant

Relative pronouns (68F)

C. LE PROFESSEUR: Il pense aux problèmes.
       L'ÉTUDIANT: Voilà à quoi il pense.

1. Il note avec un crayon.   Voilà avec quoi il note.
2. Il s'appuie sur la table.   Voilà sur quoi il s'appuie.
3. Il pense à son pourboire.   Voilà à quoi il pense.

D. LE PROFESSEUR: Il a besoin de silence.
       L'ÉTUDIANT: Voilà de quoi il a besoin. (*Ou:* Voilà ce dont il a besoin.)

1. Il parle de l'addition.   Voilà de quoi il parle. *ou:*
                                      Voilà ce dont il parle.
2. Il s'agit de son repas.   Voilà de quoi il s'agit. *ou:*
                                      Voilà ce dont il s'agit.
3. Il se plaint des prix.   Voilà de quoi il se plaint. *ou:*
                                      Voilà ce dont il se plaint.

SUJET DE COMPOSITION

Vous êtes le garçon. Vous décrivez vos clients bizarres, celui qui ne dit rien (*cf.* Déjeuner du matin), celui qui ne veut pas payer, celui qui vient au restaurant avec son chat, etc.

L'ACCENT GRAVE

6

Jacques Prévert

LE PROFESSEUR. Elève Hamlet!

L'ÉLÈVE HAMLET. Hein°. . . . Quoi. . . . Pardon. . . . Qu'est ce qui se passe.
. . . Qu'est-ce qu'il y a. . . . Qu'est-ce que c'est . . . ?

LE PROFESSEUR. [*Mécontent.*] Vous ne pouvez pas répondre présent
comme tout le monde? Pas possible, vous êtes encore dans les
nuages.°

L'ÉLÈVE HAMLET. Etre ou ne pas être dans les nuages!

LE PROFESSEUR. Suffit°. Pas tant de manières°. Et conjuguez-moi le verbe
être comme tout le monde, c'est tout ce que je vous demande.

L'ÉLÈVE HAMLET. To be. . . .

LE PROFESSEUR. En français, s'il vous plaît, comme tout le monde.

L'ÉLÈVE HAMLET. Bien Monsieur. [*Il conjugue.*]

> Je suis ou je ne suis pas
> Tu es ou tu n'es pas
> Il est ou il n'est pas
> Nous sommes ou nous ne sommes pas . . .

LE PROFESSEUR. [*Excessivement mécontent.*] Mais c'est vous qui n'y êtes
pas°, mon pauvre ami!

L'ÉLÈVE HAMLET. C'est exact, monsieur le professeur,

> Je suis "où" je ne suis pas [1]
> Et, dans le fond°, hein, à la réflexion,
> Etre "où" ne pas être
> C'est peut-être aussi la question.

VOCABULAIRE

hein? huh?
le nuage the cloud
[ça] suffit that's enough
pas tant de manières stop showing off

vous n'y êtes pas you're wrong (cf.
j'y suis! I've got it!) but literally
it means "you are not there."
dans le fond after all, fundamentally

[1] I am where I am not, i.e., my mind is not here: I am not thinking of what we are
doing.

QUESTIONNAIRE

1. Quel est le vers le plus célèbre de la tragédie *Hamlet?*
2. Quel rôle l'accent grave joue-t-il dans cette histoire?
3. Quels jeux de mots y trouve-t-on?
4. Qu'est-ce qui montre que l'élève Hamlet n'écoute pas en classe?
5. Comment répond-il?
6. Où est-il selon le professeur?
7. Comment le professeur voudrait-il qu'Hamlet réponde?
8. Quelle expression le professeur emploie-t-il souvent?
9. Semble-t-il croire au conformisme?
10. Quelle remarque désobligeante fait-il à l'élève Hamlet?
11. Comment Hamlet conjugue-t-il le verbe être?
12. Qu'est-ce que le professeur lui dit?
13. Est-ce qu'Hamlet croit que le professeur a raison?
14. Où est l'élève Hamlet? Où voudrait-il être, probablement? Comment peut-on être où l'on n'est pas?
15. Quelle est la question?

ETUDE DE MOTS

Vous n'y êtes pas du tout.   You're all wrong.
C'est à la page 18.   It's on page 18.
Vous y êtes?   Have you got your place?
Vous comprenez enfin un problème difficile.
  Vous dites: Ah! J'y suis!   I've got it!

EXERCICES

Relative pronouns (67–68)

A. LE PROFESSEUR: Il pense à ce problème. Voilà le problème . . .
   L'ÉTUDIANT: auquel il pense.

   LE PROFESSEUR: Il cherche la solution de ce problème. Voilà le problème . . .
   L'ÉTUDIANT: dont il cherche la solution.

1. On parle de ce livre. Voilà le livre . . .   dont on parle.
2. On s'intéresse à cette idée. C'est une idée . . .   à laquelle on s'intéresse.
3. On s'adresse à ce bureau. C'est ce bureau . . .   auquel on s'adresse.
4. Il répond à ces questions. Voilà les questions . . .
                                                       auxquelles il répond.
5. On s'habitue à son accent. Il a un accent . . .   auquel on s'habitue.

6. Il se moque de ces idées. Il y a des idées . . .   dont il se moque.
7. Il répond à la question du maître. Quelle est
   la question . . .   à laquelle il répond?
8. Il a peur des menaces du maître. Voilà les
   menaces . . .   dont il a peur.
9. Nous lisons les poésies de Prévert. Comment
   s'appelle l'auteur . . .   dont nous lisons les poésies?

B. LE PROFESSEUR: Il répond avec impertinence. Remarquez l'impertinence . . .
   L'ÉTUDIANT: avec laquelle il répond.

   LE PROFESSEUR: Il se dispute avec ce monsieur. Voilà le monsieur . . .
   L'ÉTUDIANT: avec lequel (ou avec qui) il se dispute.

1. Il se trouvait dans cette situation.
   Voilà la situation . . .   dans laquelle il se trouvait.
2. Il vivait avec cette famille. Voilà la
   famille . . .   avec laquelle il vivait.
3. Il vivait au-dessus de cet apparte-
   ment. Voilà l'appartement . . .   au-dessus duquel il vivait.
4. Il parlait à ce monsieur. Voilà le
   monsieur . . .   à qui (ou auquel) il parlait.
5. Il parlait contre cette politique.
   Voilà la politique . . .   contre laquelle il parlait.
6. Ils se disputaient à propos de cette
   politique. Voilà la politique . . .   à propos de laquelle ils se disputaient.
7. Le monsieur a parlé à l'agent de
   police. Voilà l'agent de police . . .   auquel (ou à qui) le monsieur a
                                                      parlé.
8. Il a voulu s'échapper par l'escalier
   de service. Voilà l'escalier . . .   par lequel il a voulu s'échapper.
9. On l'a tué avec ce revolver. Voilà le
   revolver . . .   avec lequel on l'a tué.
10. Il est mort pour ses principes. Ad-
    mirons les principes . . .   pour lesquels il est mort.

SUJET DE COMPOSITION

Vous êtes un élève dans la même classe que l'élève Hamlet. Décrivez
Hamlet et le professeur à un ami, et dites-lui ce qui se passe en classe.

Review Lesson I

Révision du vocabulaire et des expressions du texte

A. Les expressions

TRADUISEZ:

1. You're all wrong.	Vous n'y êtes pas du tout.
2. I've got it!	J'y suis!
3. It wouldn't do any good, produce any result.	Ça ne donnerait rien.
4. Don't put on airs.	Pas tant de manières.

B. Le vocabulaire

TRADUISEZ:

1. to erase	effacer	8. to fly away	s'envoler
2. the trap	le piège	9. the cup	la tasse
3. the hoots	les huées	10. the spoon	la cuiller
4. to wound	blesser	11. the smoke	la fumée
5. the straw	la paille	12. the ashes	les cendres
6. to stretch out	allonger	13. colloquial	familier
7. all of it; whole	tout entier	14. the pun	le jeu de mots

REMPLACEZ LES EXPRESSIONS EN ITALIQUES PAR UN SYNONYME:

1. *avoir du succès*	réussir
2. *parler plus fort*	élever la voix
3. *ce que l'on donne au garçon*	le pourboire
4. Prenez-le *sans payer.*	à titre gracieux
5. Qu'est-ce qui *a lieu?*	se passe
6. *Quoi?*	hein?
	Qu'est-ce qu'il y a?
	Qu'est-ce que c'est?
7. *[C'est]* assez.	[Ça] suffit.
8. Le professeur est *fâché.*	mécontent
9. *En réalité,* voilà la question.	dans le fond
10. *Quand on y pense,* voilà la question.	à la réflexion
11. *les nombres*	les chiffres

25

12. *en dépit de* ses menaces   malgré
13. *le professeur dans une école primaire*   le maître
14. *ce qu'on emploie pour écrire au tableau*   la craie
15. *la face*   le visage
16. *ce qu'un chat fait quand il est content*   ronronner
17. *le visage d'un animal*   le museau
18. Après la mort, *les cérémonies d'enterrement*   les funérailles
19. *coffre où l'on met le corps d'un mort*   le cercueil
20. Je ne veux pas vous *rendre triste.*   faire de la peine
21. C'est *si* loin.   tellement
22. *le chapeau d'un militaire*   le képi
23. Tout le monde peut *tomber dans l'erreur.*   se tromper
24. *passer la langue sur* quelque chose   lécher
25. Il l'a *à demi* dévoré.   à moitié
26. *le contraire de la liberté*   la contrainte

c. **Les prépositions.** Ajoutez le verbe *parler* aux expressions suivantes. Faites
attention aux prépositions.

1. Il cesse.   Il cesse de parler.
2. Il arrête.   Il arrête de parler.
3. Il aime.   Il aime parler.
4. Il peut.   Il peut parler.
5. Il commence.   Il commence à parler.
6. C'est impossible.   C'est impossible de parler.
7. Il essaie.   Il essaie de parler.
8. Il tente.   Il tente de parler.
9. Il ose.   Il ose parler.
10. Il réussit.   Il réussit à parler.

Révision des exercices

A. Les verbes

LE PROFESSEUR : Je vais.
L'ÉTUDIANT : Nous allons. Nous sommes allés.

1. Je prends.   Nous prenons. Nous avons pris.
2. Je mets.   Nous mettons. Nous avons mis.
3. Je dis.   Nous disons. Nous avons dit.
4. Je fais.   Nous faisons. Nous avons fait.
5. Je sers.   Nous servons. Nous avons servi.
6. Je bois.   Nous buvons. Nous avons bu.
7. Je réponds.   Nous répondons. Nous avons répondu.
8. Je finis.   Nous finissons. Nous avons fini.

9. Je lis. Nous lisons. Nous avons lu.
10. Je pars. Nous partons. Nous sommes partis.
11. Je me lève. Nous nous levons. Nous nous sommes levés.

B. Le pronom complément

LE PROFESSEUR: Il a mangé *l'oiseau.*
L'ÉTUDIANT: Il l'a mangé.

1. Il répond *au maître.* Il lui répond.
2. Il aime *les oiseaux.* Il les aime.
3. Saluez *le capitaine.* Saluez-le.
4. Ne prenez pas *son manteau.* Ne le prenez pas.
5. Elle aurait eu *de la peine.* Elle en aurait eu.
6. Il a allumé *sa cigarette.* Il l'a allumée.

C. Le pronom relatif

TRADUISEZ:

1. Here is what he likes. Voici ce qu'il aime.
2. Here is the face he likes. Voici le visage qu'il aime.
3. Here is what amuses him. Voici ce qui l'amuse.
4. Here is the face which amuses him. Voici le visage qui l'amuse.
5. Here is what he is talking about. Voici ce dont il parle.
6. Here is the book he's talking about. Voici le livre dont il parle.
7. Here is what he is thinking about. Voici à quoi il pense.
8. Here is the book he's thinking about. Voici le livre auquel il pense.
9. Here is the chalk with which he draws. Voici la craie avec laquelle il dessine.
10. Here is the teacher to whom he talks. Voici le maître à qui (ou auquel) il parle.

D. L'imparfait et le passé composé

TRADUISEZ:

1. He always used to say no to the teacher, Il disait toujours non au professeur,
2. and yes to what he liked. et oui à ce qu'il aimait.
3. One day he was standing. Un jour il était debout.
4. The teacher was questioning him. Le professeur le questionnait.
5. Suddenly he put on his raincoat, Soudain il a mis son imperméable,
6. because it was raining, parce qu'il pleuvait,
7. and he left. et il est parti.

E. **Le partitif**

TRADUISEZ:

1. a cup of coffee   une tasse de café
2. never any coffee   jamais de café
3. a little coffee   un peu de café

A LOUER MEUBLÉ I

Gabriel d'Hervilliez

À LOUER MEUBLÉ est une comédie gaie de Gabriel d'Hervilliez. Deux voleurs, Jojo et Dédé, ont pénétré dans une villa pour la cambrioler°. Jojo a peur, mais Dédé se moque de lui.

JOJO. [*S'épongeant° le front°.*] Ce que j'ai peur° !

DÉDÉ. Tu me fais rigoler°. . . . Tu n'as donc pas lu l'écriteau° ?

JOJO. Quel écriteau ?

DÉDÉ. "Villa meublée à louer. . . . S'adresser à° M. Tubeuf, 78, Grande-Rue. . . ."

JOJO. Et après° ?

DÉDÉ. [*Essayant patiemment° de se faire comprendre.*] La villa est meublée. . . . Elle est à louer. . . . Le propriétaire s'appelle Tubeuf.

JOJO. Je m'en fiche°.

DÉDÉ. Moi aussi. Mais il a la gentillesse° de nous prévenir° qu'il n'habite pas ici.

JOJO. Ce n'est pas un métier° pour moi !

DÉDÉ. Alors . . . il fallait° rester chez ton notaire°.

JOJO. Je ne pouvais pas y rester et emporter la caisse°.

DÉDÉ. Evidemment !

JOJO. Mais je n'ai pas le cœur à l'ouvrage.¹

DÉDÉ. Alors . . . qu'est-ce que tu veux faire ? . . . . Travailler ?

JOJO. [*Scandalisé.*] Oh ! non. . . .

DÉDÉ. Eh bien, si tu ne veux pas travailler . . . au boulot.²

JOJO. [*Sans enthousiasme.*] Au boulot !

DÉDÉ. [*Se lève, puis s'arrête devant une photographie qu'il voit sur la table.*] Tu as vu la gueule° du vieux ? Ça doit être le propriétaire !

JOJO. Le citoyen Tubeuf. Il n'a pas l'air commode°. . . .

DÉDÉ. Allons voir les chambres. Faisons le tour du propriétaire.³

JOJO. Quel métier !

[*A ce moment on entend un coup de sonnette° !*]

¹ *Je n'ai pas le cœur à l'ouvrage.*—My heart's not in my work, i.e., I don't feel like being a robber.
² *au boulot*—let's get to work, i.e., let's start robbing the villa.
³ *Faisons le tour du propriétaire.*—This is what the host says when he is showing guests around: Let me show you around the house. Used here ironically.

VOCABULAIRE

cambrioler to ransack, burgle
éponger to mop
le front the brow
ce que j'ai peur I'm terribly frightened
rigoler to laugh (colloquial)
un écriteau a sign
s'adresser à apply to
et après? so what?
patiemment patiently
je m'en fiche I don't give a darn

la gentillesse courtesy
prévenir to warn
le métier the trade, line of work
il fallait (here) you should have
le notaire the notary (has some of the functions of a lawyer)
la caisse the cash-box
la gueule the face, mug (colloquial)
commode easy to get along with
un coup de sonnette a ring at the door

QUESTIONNAIRE

1. Pourquoi Dédé et Jojo sont-ils entrés dans la villa?
2. Quelle différence y a-t-il entre Jojo et Dédé?
3. Qu'est-ce qui montre que Jojo a peur?
4. Pourquoi Dédé n'a-t-il pas peur?
5. Quels mots lit-on sur l'écriteau?
6. Pourquoi Jojo semble-t-il un peu stupide?
7. Pourquoi est-ce que l'écriteau rassure Dédé?
8. Qu'est-ce que Jojo aurait dû faire s'il n'aimait pas son métier?
9. Où travaillait-il avant de devenir voleur? Pourquoi ne pouvait-il pas y rester?
10. Avec quelle attitude contemple-t-il le cambriolage de cette villa?
11. Quelle alternative Dédé lui suggère-t-il?
12. Qu'est-ce qui scandalise Jojo?
13. Qu'est-ce que Dédé voit sur la table?
14. Quelle remarque Jojo fait-il à propos de la photographie?
15. Qu'est-ce que Jojo et Dédé vont faire?
16. Pourquoi s'arrêtent-ils?

ETUDE DE MOTS

1. *Ce que j'ai peur!*
   Comme j'ai peur!
   Que j'ai peur!

   Ce qu'il fait froid!
   Ce que je suis fatigué!

These expressions all mean: How frightened I am!

How cold it is!
How tired I am!

2. Adjective *patient* forms adverb   *patiemment* (*emme* pronounced *amme*).
   Adjective *constant* forms adverb   *constamment*.
   Adjective *courant* forms adverb   *couramment*.
   Adjective *intelligent* forms adverb   *intelligemment*.
   Adjective *élégant* forms adverb   *élégamment*.
   Adjective *insolent* forms adverb   *insolemment*.
   Adjective *innocent* forms adverb   *innocemment*.

3. *le tour du propriétaire*   literally, the owner's trip around the house

   le tour du monde   trip around the world

EXERCICES

Familiar form (28)

A. LE PROFESSEUR: Vous emmenez votre frère.
     L'ÉTUDIANT: Tu emmènes ton frère.

1. Vous n'avez donc pas lu l'écriteau?	Tu n'as donc pas lu l'écriteau?
2. Vous me faites rigoler.	Tu me fais rigoler.
3. Qu'est-ce que vous voulez faire?	Qu'est-ce que tu veux faire?
4. Vous avez vu votre propriétaire?	Tu as vu ton propriétaire?
5. Vous buvez votre vin?	Tu bois ton vin?
6. Vous partez avec vos amis?	Tu pars avec tes amis?
7. Vous mettez votre imperméable?	Tu mets ton imperméable?
8. Vous voulez votre café maintenant?	Tu veux ton café maintenant?
9. Vous écrivez à votre mère?	Tu écris à ta mère?
10. Vous savez votre leçon?	Tu sais ta leçon?
11. Vous lisez vos livres?	Tu lis tes livres?
12. Vous vivez avec vos parents?	Tu vis avec tes parents?

B. LE PROFESSEUR: Vous vous levez? Dépêchez-vous! Je pars avec vous.
     L'ÉTUDIANT: Tu te lèves? Dépêche-toi! Je pars avec toi.

1. Vous vous endormez.	Tu t'endors.
2. Vous vous moquez du monde.	Tu te moques du monde.
3. Reposez-vous.	Repose-toi.
4. Allez vous reposer tout de suite!	Va te reposer tout de suite!
5. Ah! c'est vous?	Ah! c'est toi?
6. Je viens avec vous.	Je viens avec toi.
7. Non, couchez-vous!	Non, couche-toi.
8. Vous vous couchez, n'est-ce pas?	Tu te couches, n'est-ce pas?

9. Allez vous adresser au propriétaire!   Va t'adresser au propriétaire!
10. Vous vous êtes adressé au propriétaire?   Tu t'es adressé au propriétaire?

SUJET DE COMPOSITION

Dédé explique à Jojo toutes les raisons pourquoi il ne faut pas avoir peur.
Si Tubeuf vient ils diront qu'ils veulent louer la villa, etc.

A LOUER MEUBLÉ II

8

Gabriel d'Hervilliez

Jojo est terrorisé quand il entend le coup de sonnette. On entend une voix de dehors :

PRENTOUT. Est-ce que la villa est louée? [*Un silence.*] Peut-on visiter la villa?

JOJO. [*La voix éteinte°.*] Pas aujourd'hui.

DÉDÉ. [*Plus calme.*] Visiter la villa! Pourquoi pas? Je vais ouvrir, le temps de prendre les clés.[1] [*A Jojo.*] De la tenue°! . . . du sang-froid°! . . . du naturel! Qu'est-ce qu'on risque?

JOJO. [*Très simplement.*] La prison!
[*Dédé fait entrer monsieur et madame Prentout.*]

PRENTOUT. La villa n'est pas louée, j'espère?

DÉDÉ. [*Vivement°.*] Pas encore.

PRENTOUT. Ah! tant mieux. Ce pays plaît beaucoup à ma femme . . . et, mon Dieu! nous avons pensé. . . .

HORTENSE. [*Regardant son mari, impérative°:*] Si les conditions° nous conviennent. . . .

PRENTOUT. . . . Si les conditions nous conviennent . . . qu'il ne serait pas désagréable de passer nos vacances ici.

HORTENSE. Voulez-vous nous faire visiter°?

DÉDÉ. Avec plaisir!

HORTENSE. [*A Jojo:*] Combien avez-vous de chambres?

JOJO. [*Pris de court°.*] Combien?

DÉDÉ. [*Venant à son secours°.*] Vous allez vous rendre compte°. . . . Rien ne vaut° une bonne visite.

HORTENSE. Vous avez l'eau, le gaz, . . . l'électricité?

DÉDÉ. [*Qui n'en sait rien° lui-même.*] Vous verrez. Je ne veux rien vous dire. Il ne faut pas influencer l'amateur°.

HORTENSE. Nous allons jeter un coup d'œil° général.[2]

DÉDÉ. C'est cela. Vous n'avez pas besoin de guide et, seuls, vous pourrez mieux échanger vos impressions. Nous vous attendons.[3]

[1] Just a moment while I go get the keys.
[2] We'll take a look around.
[3] We'll wait for you.

33

VOCABULAIRE

la voix éteinte in a faint, toneless
  voice
de la tenue! behave yourself, watch
  yourself
le sang-froid nerve, courage
vivement quickly
impératif imperious
les conditions (here) the price
faire visiter to show around

pris de court taken aback
le secours help, rescue
se rendre compte to realize, to find
  out
rien ne vaut nothing is as good as
il n'en sait rien he has no idea
l'amateur (*m.*) (here) the customer
le coup d'œil the glance

QUESTIONNAIRE

1. Pourquoi Jojo est-il terrorisé?
2. Où est Prentout? Quelle question pose-t-il?
3. Comment Jojo répond-il?
4. Comment Dédé répond-il? Que dit-il à Jojo d'avoir?
5. Pourquoi les Prentout s'intéressent-ils à cette villa?
6. Qu'est-ce qui donne l'impression que Prentout est un mari timide?
7. Qu'est-ce qu'Hortense demande à Dédé et à Jojo de faire?
8. Pourquoi Jojo est-il pris de court?
9. Comment Dédé vient-il à son secours?
10. Quelles autres questions Hortense pose-t-elle?
11. Pourquoi Dédé ne peut-il pas y répondre?
12. Quelle raison donne-t-il pour ne pas répondre à ses questions?
13. Qu'est-ce qu'Hortense et son mari vont faire?
14. Quel avantage trouveront-ils, selon Dédé, à être seuls?

ETUDE DE MOTS

1. *jeter un coup d'œil*
   *Je ne trouve pas les clés; je vais
     jeter un coup d'œil dans ce tiroir.*
   Jetez un coup d'œil sur ce livre.
   *Je ne l'ai pas lu, mais j'y ai jeté un
     coup d'œil.*
   Dédé jette un coup d'œil à Jojo.

to take a look at, to glance at
I can't find the keys; I'll have a look in
  this drawer.
Have a look at this book.
I haven't read it, but I've glanced at
  it.
Dédé glances at Jojo.

2. *Vous allez vous rendre compte.*   You'll find out.
Je ne m'en rendais pas compte.   I didn't realize that.
Vous rendez-vous compte de l'heure qu'il est?   Do you realize what time it is?

Visitez le pays; c'est la meilleure façon de se rendre compte de ce qui se passe là-bas.   Visit the country; it is the best way of finding out what's happening over there.

EXERCICES

Negatives (39C); Object pronouns (44–45)

A. LE PROFESSEUR: Qu'est-ce qui terrorise Dédé?
   L'ÉTUDIANT: Rien ne le terrorise.

1. Qu'est-ce qui fait peur à Dédé?   Rien ne lui fait peur.
2. Qu'est-ce qui plaît à Hortense?   Rien ne lui plaît.
3. Qu'est-ce qui influence l'amateur?   Rien ne l'influence.
4. Qu'est-ce qui donne confiance à Jojo?   Rien ne lui donne confiance.
5. Qu'est-ce qui prouve que Dédé et Jojo ne sont pas des voleurs?   Rien ne le prouve.
6. Qu'est-ce qui scandalise Dédé?   Rien ne le scandalise.
7. Qu'est-ce qui étonne les deux voleurs?   Rien ne les étonne.
8. Qu'est-ce qui intéresse Jojo?   Rien ne l'intéresse.
9. Qu'est-ce qui explique la situation?   Rien ne l'explique.

B. LE PROFESSEUR: Qui entend le coup de sonnette?
   L'ÉTUDIANT: Personne ne l'entend.

1. Qui fait peur à Dédé?   Personne ne lui fait peur.
2. Qui plaît à Hortense?   Personne ne lui plaît.
3. Qui influence l'amateur?   Personne ne l'influence.
4. Qui donne confiance à Jojo?   Personne ne lui donne confiance.
5. Qui scandalise Dédé?   Personne ne le scandalise.
6. Qui étonne les deux voleurs?   Personne ne les étonne.
7. Qui intéresse Jojo?   Personne ne l'intéresse.
8. Qui prévient les Prentout?   Personne ne les prévient.
9. Qui explique la situation?   Personne ne l'explique.

Interrogatives (36–38)

C. Le professeur fournira quelques-unes des réponses aux exercices A et B, et l'étudiant posera la question qui aurait pu provoquer chaque réponse.

   LE PROFESSEUR: Rien ne lui fait peur.
   L'ÉTUDIANT: Qu'est-ce qui lui fait peur?

LE PROFESSEUR: Personne ne lui fait peur.
L'ÉTUDIANT: Qui lui fait peur?

SUJET DE COMPOSITION

Votre famille a loué une villa pour l'été. Décrivez la villa en utilisant le vocabulaire de la leçon: le gaz, l'eau, le propriétaire, etc.

A LOUER MEUBLÉ III

9

Gabriel d'Hervilliez

Monsieur et madame Prentout ont décidé de louer la villa si les conditions leur conviennent.

HORTENSE. Alors . . . quelles seraient vos conditions?

DÉDÉ. [*Embarrassé.*] Ah! voilà. . . . Nos conditions? . . .

    [*Dédé et Jojo se regardent, indécis°.*]

PRENTOUT. Vous aurez de bons locataires°. . . .

HORTENSE. Soigneux°. . . .

PRENTOUT. Tranquilles. . . .

HORTENSE. Honnêtes. . . .

DÉDÉ. C'est ce que nous cherchons avant tout! . . . .

HORTENSE. Alors . . . de ce côté°. . . vous pouvez être tranquilles. Mon mari est commissaire de police. . . .

    [*Jojo sent ses jambes se dérober° sous lui. Dédé le rattrape° par le col de son veston°.*]

DÉDÉ. [*La gorge sèche°.*] Ah! Monsieur est commissaire de police. . . .

JOJO. [*S'éponge fébrilement° le front.*] Ah, pour une garantie. . . .

DÉDÉ. . . . C'est une garantie![1]. . .

HORTENSE. Est-ce vous qui avez fait construire la villa?

DÉDÉ. [*Pris à l'improviste°.*] Oh! non . . . c'est notre père.

HORTENSE. Votre père est probablement . . . ce vieux monsieur. . . . Pardon! . . . ce monsieur?

    [*Elle montre la photographie.*]

DÉDÉ. Oui, madame.

HORTENSE. Il est très bien°, monsieur votre père. Vous lui ressemblez.

DÉDÉ ET JOJO. [*Ensemble.*] On nous l'a toujours dit.

HORTENSE. Mais il n'a pas l'air commode!

JOJO. [*S'épongeant.*] N'est-ce pas?

PRENTOUT. Mais alors c'est lui le propriétaire?

DÉDÉ. [*Vivement.*] Oh! non.

---

[1] *Pour une garantie . . . c'est une garantie!*—For a guarantee, that's a guarantee, all right!

PRENTOUT. Comment cela?

DÉDÉ. Il est mort . . . l'an dernier.

PRENTOUT. Oh! pardon.

DÉDÉ. Alors . . . vous comprenez . . . revoir cette maison où notre pauvre
        père a vécu°. . . . C'est plus fort que nous ² . . . l'émotion est
        trop forte . . .

JOJO. [*S'épongeant.*] Oh! oui, trop forte. . . . Je ne peux pas y rester. Il
        faut que je m'en aille!
        [*Il se lève et marche vers la porte.*]

DÉDÉ. [*Le rattrapant au passage.*³] Aussi°, nous ne venons que de temps en
        temps . . . pour aérer° un peu.

JOJO. Et nous avons décidé de la louer.

PRENTOUT. Voilà qui tombe à merveille.⁴
        [*Les Prentout décident de prendre la villa.*]

VOCABULAIRE

indécis undecided
le locataire the tenant
soigneux careful
de ce côté in that respect (literally, on that side)
se dérober to give way, to escape
rattraper (here) to grab
le col de son veston his coat-collar

la gorge sèche with a dry throat
fébrilement feverishly
à l'improviste unexpectedly
il est très bien he is a fine-looking man
vécu (*vivre*) lived
aussi and so, therefore
aérer to air out

QUESTIONNAIRE

1. Quelle a été la décision des Prentout?
2. Quelle promesse font-ils à Dédé et à Jojo?
3. Quelle est la profession de Prentout? Pourquoi Hortense le dit-elle à Dédé et à Jojo?
4. Quelle est la réaction de Jojo quand il apprend cette nouvelle? Et celle de Dédé?
5. Qu'est-ce qui montre que même Dédé a un peu peur maintenant?
6. Quelle question d'Hortense prend Dédé à l'improviste?
7. Quelle supposition Hortense fait-elle quand elle voit la photographie?

² *C'est plus fort que nous.*—It's more than we can bear.
³ *le rattrapant au passage.*—grabbing him as he goes by.
⁴ *Voilà qui tombe à merveille.*—What a happy coincidence.

8. Quelle remarque fait-elle après avoir regardé la photographie de Tubeuf?
9. Cette remarque montre-t-elle de l'esprit d'observation ou de l'originalité? Pourquoi pas?
10. Comment Dédé et Jojo y répondent-ils?
11. Quelle supposition Prentout fait-il au sujet de Tubeuf?
12. Quelle raison Dédé donne-t-il pour vouloir louer la maison?
13. L'émotion est trop forte pour Jojo aussi. Que fait-il? Quelle est en effet l'émotion qu'il ressent? (*feels*)
14. Que fait Dédé quand Jojo se dirige vers la porte?
15. Selon Dédé, quand et pourquoi Dédé et Jojo viennent-ils à la villa?

ETUDE DE MOTS

1. *Vous pouvez être tranquilles.* | Both mean: Don't worry.
Soyez tranquilles.
Comme ça vous serez tranquilles. | That way you won't have to worry.

2. *Monsieur votre père* | polite way of referring to person's father

Je travaillais pour madame votre mère. | I used to work for your mother.

Monsieur le professeur, j'ai une question. | I have a question, professor.

Voilà monsieur le maire. | There's the mayor.

3. *C'est plus fort que moi.* | I can't help it.
C'est plus fort que moi, je déteste ce type-là. | I can't help it, I hate that guy.

C'est plus fort que moi, il faut que je rie. | I can't help laughing.

4. *tomber à merveille, tomber bien, tomber juste* | to come or occur at the right time

tomber mal | to come or occur at the wrong time

LE VISITEUR FRANÇAIS: | THE FRENCH VISITOR:
Je voudrais voir un match de football. | I would like to see a football game.

L'AMÉRICAIN: Vous tombez bien, c'est aujourd'hui samedi. | THE AMERICAN: You came on the right day, today is Saturday.

A. J'arrive à Paris le dix. | I get to Paris on the tenth.

B. Moi aussi! Ça tombe bien, n'est-ce pas? | Me too! What a happy coincidence!

A. Je suis venu voir Marie. | I came to see Marie.

B. Vous tombez mal. Elle vient de sortir. | You came at the wrong time. She just left.

EXERCICES

Negatives (39C)

A. LE PROFESSEUR: Qu'est-ce que vous avez vu?
    L'ÉTUDIANT: Je n'ai rien vu. (I didn't see anything.)

    LE PROFESSEUR: Qui avez-vous vu?
    L'ÉTUDIANT: Je n'ai vu personne. (I didn't see anyone.)

1. Qu'est-ce que vous avez dit?   Je n'ai rien dit.
2. Qu'est-ce que vous avez fait?   Je n'ai rien fait.
3. Qui avez-vous rencontré?   Je n'ai rencontré personne.
4. Qu'est-ce que vous avez lu?   Je n'ai rien lu.
5. Qu'est-ce que vous avez compris?   Je n'ai rien compris.
6. Qui avez-vous attendu?   Je n'ai attendu personne.
7. Qui avez-vous entendu?   Je n'ai entendu personne.
8. Qu'est-ce que vous avez bu?   Je n'ai rien bu.
9. Qui avez-vous invité?   Je n'ai invité personne.
10. Qu'est-ce que vous avez su?   Je n'ai rien su.

B. LE PROFESSEUR: Je ne vois rien.
    L'ÉTUDIANT: Je n'ai rien vu.

1. Je ne dis rien.   Je n'ai rien dit.
2. Je n'invite personne.   Je n'ai invité personne.
3. Je ne fais rien.   Je n'ai rien fait.
4. Je ne bois rien.   Je n'ai rien bu.
5. Je ne connais personne.   Je n'ai connu personne.
6. Je ne sais rien.   Je n'ai rien su.
7. Je ne comprends rien.   Je n'ai rien compris.
8. Je n'entends personne.   Je n'ai entendu personne.
9. Je n'attends personne.   Je n'ai attendu personne.
10. Je ne lis rien.   Je n'ai rien lu.

SUJET DE COMPOSITION

Prentout et Hortense sont seuls. Prentout dit à sa femme pourquoi il se méfie de (*mistrusts*) Dédé et Jojo, mais sa femme lui dit qu'il a tort. Elle insiste pour qu'ils louent la villa.

A LOUER MEUBLÉ IV

10 ▬▬▬

Gabriel d'Hervilliez

Dédé et Jojo se font payer mille francs de loyer d'avance. Prentout les emmènera à la gare dans son automobile, mais ils veulent aussi emporter quelques "souvenirs." Ils sortent, puis reparaissent, les bras encombrés° de paquets, de pendules°, etc.

PRENTOUT. [*Levant les bras au ciel en les voyant.*] Mais vous déménagez° toutes les pendules!

DÉDÉ. Ça . . . ce sont des souvenirs. . . .

HORTENSE. Vous avez le culte des souvenirs.

DÉDÉ. [*Noblement.*] C'est notre faiblesse°.

HORTENSE. Je suis tout à fait comme vous.

PRENTOUT. Vous avez de la chance que j'aie mon auto.

HORTENSE. Et vous allez à Châteauroux?

DÉDÉ. Oui, madame. Nous avons un train à quatre heures dix-huit.

PRENTOUT. Il est quatre heures. Nous avons juste le temps.

JOJO. C'est vrai! Filons°. . . .

PRENTOUT. Eh bien . . . en voiture°. La voiture de ces messieurs est prête.[1]

DÉDÉ. Si on m'avait dit que je voyagerais . . . aujourd'hui . . . en invité° ! . . . dans l'auto du commissaire . . . je ne l'aurais pas cru.

HORTENSE. C'est l'imprévu° de la vie!

PRENTOUT. [*Se précipitant° pour les soulager° un peu.*] Je vais vous aider à déménager tout cela!

DÉDÉ. Monsieur le commissaire est trop gentil! S'il voulait seulement se charger de° la pendule qui est sur la cheminée°.

PRENTOUT. [*Prenant avec précaution la lourde pendule du salon.*] Mais avec plaisir!

JOJO. [*A part°, à Dédé:*] Tu l'emportes aussi?

DÉDÉ. Bien entendu . . . la pendule de papa!

JOJO. [*S'inclinant°.*] Au revoir, madame.

HORTENSE. [*Gracieuse et souriante.*] Au revoir, messieurs. . . . Au revoir.

[1] The gentlemen's car awaits.

41

. . . Et à bientôt, j'espère. . . . Vous serez toujours les bien-
venus° ici.

JOJO. Merci, madame . . . merci . . . mais nous n'abuserons pas. . . .
[*Prentout est sorti. On l'entend crier d'en bas°: En voiture . . .
en voiture! . . .*]

JOJO ET DÉDÉ. [*Se hâtant à leur tour°.*] Voilà, monsieur le commissaire.
. . . Voilà!

HORTENSE. [*A son mari:*] Tu ne seras pas longtemps parti?

VOIX DE PRENTOUT. La gare est à deux cents mètres . . . j'en ai pour° cinq
minutes.

HORTENSE. Je t'attends! Au revoir, messieurs.

VOIX DE DÉDÉ ET DE JOJO. Au revoir, madame . . . au revoir! . . . . A
bientôt!

VOCABULAIRE

les bras encombrés with their arms
    loaded
la pendule the clock
déménager to move out
la faiblesse the weakness
filer to hurry along (colloquial)
en voiture all aboard
en invité as a guest
l'imprévu (*m.*) the unforeseen
se précipiter to rush forward
soulager to relieve, help

se charger de to take care of
la cheminée the mantelpiece, fire-
    place
à part aside
s'incliner to bow
être le bienvenu to be a welcome visi-
    tor
d'en bas from below
à leur tour in (their) turn
j'en ai pour . . . it will take me . . .

QUESTIONNAIRE

1. Pourquoi Dédé et Jojo se font-ils payer d'avance?
2. Que fera Prentout pour les aider? Pourquoi ne partent-ils pas tout de
   suite?
3. Décrivez Dédé et Jojo quand ils reparaissent.
4. Que fait Prentout quand il les voit? Et que dit-il?
5. Selon Dédé, qu'est-ce que ce sont, ces paquets et ces pendules dont ils ont
   les bras encombrés?
6. Et Hortense, que pense-t-elle des souvenirs?
7. Pourquoi Dédé et Jojo ont-ils de la chance?
8. Combien de temps ont-ils avant le départ de leur train?

9. Que dit Prentout pour imiter un chauffeur?
10. Quelle réflexion sur l'imprévu de la vie Dédé fait-il?
11. Que fait Prentout pour les aider?
12. Qu'est-ce que Dédé lui demande de faire?
13. Pourquoi le fait-il avec précaution?
14. Que leur dit Hortense?
15. Comment Jojo répond-il?
16. Qu'est-ce qu'Hortense dit à son mari?

ETUDE DE MOTS

1. *Ils se font payer.*   They get (the Prentouts) to pay them,
                                    i.e., they get paid.

   Il se fait raser.   He gets (someone) to shave him, i.e.,
                                    he gets shaved.

   Il se fait gronder.   Someone scolds him, i.e., he gets
                                    scolded.

   Il s'est fait blesser.   Someone wounded him, i.e., he got
                                    wounded.

2. *emmener quelqu'un*   to take someone (with you)
   emporter quelque chose   to take something (with you)
   Prentout emmène Dédé à la gare. Prentout takes Dédé to the station.
   Tu emportes la pendule?   Are you taking the clock (with you)?

3. *se charger de*   to take care of, to look after, to be in
                                   charge of

   Qui va se charger de la caisse? Who's going to take care of the cash-
                                      box?

   Je m'en charge.   I'll take care of it.
   Chargez-vous-en, voulez-vous? Take care of it, will you?
   Quelle charge!   What a load, a responsibility!

EXERCICES

Negatives (39C)

A. LE PROFESSEUR: De quoi vous moquez-vous?
   L'ÉTUDIANT: Je ne me moque de rien.

   LE PROFESSEUR: De qui vous êtes-vous moqué?
   L'ÉTUDIANT: Je ne me suis moqué de personne.

1. A qui vous êtes-vous adressé?   Je ne me suis adressé à personne.
2. Avec qui sortez-vous?   Je ne sors avec personne.

3. De qui vous êtes-vous méfié?   Je ne me suis méfié de personne.
4. Près de qui vous asseyez-vous?   Je ne m'assieds près de personne.
5. De quoi ont-ils parlé?   Ils n'ont parlé de rien.
6. De quoi vous méfiez-vous?   Je ne me méfie de rien.

Future (29)

B. LE PROFESSEUR: Vous êtes toujours les bienvenus.
　　　L'ÉTUDIANT: Vous serez toujours les bienvenus.

1. Le train part bientôt.   Le train partira bientôt.
2. Vous avez juste le temps.   Vous aurez juste le temps.
3. Il faut venir nous voir.   Il faudra venir nous voir.
4. Vous venez, n'est-ce pas?   Vous viendrez, n'est-ce pas?
5. On vous voit bientôt.   On vous verra bientôt.
6. Vous n'oubliez pas?   Vous n'oublierez pas?
7. Nous vous envoyons une carte postale.   Nous vous enverrons une carte postale.
8. Vous voulez bien venir?   Vous voudrez bien venir?
9. Vous pouvez compter sur nous.   Vous pourrez compter sur nous.
10. Vous allez loin?   Vous irez loin?
11. Vous faites un long voyage?   Vous ferez un long voyage?
12. Vous savez retrouver le chemin? (*find the way back*)   Vous saurez retrouver le chemin?
13. Il vaut mieux nous téléphoner.   Il vaudra mieux nous téléphoner.
14. Mais nous sommes en retard!   Mais nous serons en retard!

SUJET DE COMPOSITION

Vous avez eu des invités (*guests*) chez vous pour le week-end. Racontez leur départ, vos adieux. Vous les emmenez à la gare.

Ah! mon Dieu!

A LOUER MEUBLÉ V

11

Gabriel d'Hervilliez

Quelques moments après le départ de monsieur Prentout, de Dédé, et de Jojo, monsieur Tubeuf entre dans sa villa. Il est tout étonné d'y voir Hortense.

TUBEUF. [*Rudement.*] Qu'est-ce que vous fichez ici° ?
HORTENSE. [*Choquée.*] Oh!
TUBEUF. Qu'est-ce que vous fichez chez moi?
HORTENSE. Chez vous? Vous êtes ivre°, mon bonhomme!
TUBEUF. Comment . . . je suis ivre?
HORTENSE. Je suis ici chez moi.
TUBEUF. Chez vous?
HORTENSE. Dans une villa que nous venons de° louer. . . .
TUBEUF. [*Les yeux ronds.*] Que vous venez de louer? A qui° ?
HORTENSE. Aux propriétaires.
TUBEUF. Au propriétaire?
HORTENSE. Ces messieurs Tubeuf. . . .
TUBEUF. Ces messieurs Tubeuf! Qu'est-ce que c'est que cette histoire° ? Il n'y a ici qu'un Tubeuf . . . et c'est moi.
HORTENSE. Vous prétendez° être le propriétaire de cette villa?
TUBEUF. Oui, madame.
HORTENSE. Vous tombez mal, monsieur!
TUBEUF. Pourquoi?
HORTENSE. Parce que les véritables propriétaires de cette villa sortent d'ici°.
  [*A ce moment les yeux d'Hortense tombent sur la photographie.*] Ah! mon Dieu! . . . .
TUBEUF. Quoi donc?
HORTENSE. Le portrait!
TUBEUF. Eh bien?
HORTENSE. Il vous ressemble!
TUBEUF. C'est assez normal. C'est moi qui ai posé. . . .
HORTENSE. Mais alors, les autres, qui étaient-ils?
TUBEUF. Ça! . . . Je ne sais pas.

HORTENSE. Que faisaient-ils ici?

TUBEUF. Je me le demande° !

HORTENSE. Ils ont dit qu'ils venaient chercher quelques souvenirs.

TUBEUF. [*Sans comprendre.*] Des souvenirs?

HORTENSE. [*Montrant la cheminée.*] La pendule!

TUBEUF. [*Regardant la cheminée vide°.*] La pendule! . . . Ma pendule!
       . . . Où est ma pendule?

HORTENSE. Ils l'ont emportée!

TUBEUF. [*Levant les bras au ciel.*] Mais on m'a cambriolé!

VOCABULAIRE

Qu'est-ce que vous fichez ici? What are you doing here?

ivre drunk

venir de . . . to have just . . .

à qui? from whom?

Qu'est-ce que c'est que cette histoire? What's this all about?

prétendre to claim, allege

sortent d'ici have just left

se demander to wonder

vide empty

QUESTIONNAIRE

1. Quand Tubeuf entre-t-il dans sa villa?
2. Pourquoi est-il étonné?
3. Que dit-il à Hortense?
4. Quelle est la réponse d'Hortense?
5. Où prétend-elle être?
6. Selon Hortense, qui sont les propriétaires? Que vient-elle de faire?
7. Quelle expression de Tubeuf exprime son étonnement?
8. Selon lui, combien de Tubeuf y a-t-il?
9. Pourquoi Hortense lui dit-elle qu'il tombe mal?
10. Qu'est-ce qui étonne Hortense?
11. Pourquoi Tubeuf trouve-t-il la ressemblance normale?
12. Qu'est-ce qu'Hortense et Tubeuf commencent à se demander?
13. Quelle découverte Tubeuf fait-il enfin? Comment la fait-il?

ETUDE DE MOTS

On m'a cambriolé!

On a emporté les pendules.

I've been robbed!

The clocks have been taken away.

On a loué la villa.   The villa has been rented.
On a ouvert les fenêtres.   The windows have been opened.

EXERCICES

Imparfait and Passé composé (32–33); Pluperfect (55)

A. Le professeur raconte l'histoire au présent, l'étudiant la répète au passé.

LE PROFESSEUR :   L'ÉTUDIANT :

1. Tubeuf entre dans sa villa.   Tubeuf est entré dans sa villa.
2. Il est étonné d'y voir Hortense.   Il a été étonné d'y voir Hortense.
3. Il lui demande ce qu'elle fait,   Il lui a demandé ce qu'elle faisait,
4. et elle lui dit qu'il est ivre,   et elle lui a dit qu'il était ivre,
5. qu'elle est chez elle,   qu'elle était chez elle,
6. dans une villa qu'elle a louée aux   dans une villa qu'elle avait louée aux
   messieurs Tubeuf.   messieurs Tubeuf.
7. Tubeuf lui répond   Tubeuf lui a répondu
8. qu'il n'y a qu'un Tubeuf,   qu'il n'y avait qu'un Tubeuf,
9. et que c'est lui.   et que c'était lui.
10. Elle lui dit qu'il tombe mal.   Elle lui a dit qu'il tombait mal.
11. Mais soudain ses yeux tombent sur   Mais soudain ses yeux sont tombés sur
    la photographie,   la photographie,
12. et elle remarque   et elle a remarqué
13. qu'elle ressemble à Tubeuf.   qu'elle ressemblait à Tubeuf.
14. Celui-ci dit que c'est normal,   Celui-ci a dit que c'était normal,
15. puisque c'est lui   puisque c'était lui
16. qui a posé.   qui avait posé.
17. Quand Tubeuf voit la cheminée,   Quand Tubeuf a vu la cheminée,
18. il se rend compte   il s'est rendu compte
19. qu'on a cambriolé sa villa.   qu'on avait cambriolé sa villa.

Stressed pronouns (69)

B. LE PROFESSEUR :   Je suis le propriétaire.
  L'ÉTUDIANT :   C'est moi qui suis le propriétaire.

1. Vous avez cambriolé ma villa?   C'est vous qui avez cambriolé ma villa?
2. Il a emporté mes pendules?   C'est lui qui a emporté mes pendules?
3. Tu as voulu la louer.   C'est toi qui as voulu la louer.
4. J'ai posé.   C'est moi qui ai posé.
5. Ils ont cambriolé la villa!   Ce sont eux qui ont cambriolé la villa!
6. Nous sommes étonnés.   C'est nous qui sommes étonnés.

7. Elle les a aidés.   C'est elle qui les a aidés.
8. Vous êtes le propriétaire?   C'est vous qui êtes le propriétaire?

SUJET DE COMPOSITION

Dédé et Jojo sont dans le train. Dédé explique à Jojo ce qui arrivera probablement quand Tubeuf trouvera Hortense dans la villa.

A LOUER MEUBLÉ VI

12

Gabriel d'Hervilliez

Prentout revient de la gare tout joyeux, mais quand il se rend compte que monsieur Tubeuf est le véritable propriétaire il est affolé°.

TUBEUF. C'est vous qui avez transporté mes pendules à la gare?

PRENTOUT. [*Reculant° prudemment.*] C'est ça qui est effrayant!

HORTENSE. Tu peux le dire!¹

TUBEUF. [*En fureur.*] Que la police n'arrête pas les voleurs . . . passe encore°! Mais qu'elle les aide à cambrioler les villas . . . ça c'est un comble°!

HORTENSE. Mon mari a cru qu'ils étaient les propriétaires. . . .

TUBEUF. Ça ne se passera pas ainsi.² . . . Vous allez m'accompagner chez le maire.

HORTENSE. [*A son mari.*] Ah! Tu travailles bien°!

PRENTOUT. [*Timidement.*] Mais c'est toi! . . .

HORTENSE. Comment . . . c'est moi?

PRENTOUT. Pouvais-je me douter°?

TUBEUF. Quand on est commissaire de police on devrait savoir discerner une fripouille° d'un honnête homme. . . .

HORTENSE. [*Dégageant° sa responsabilité.³*] Qu'on prenne un innocent pour un coupable° . . . c'est normal! Mais le contraire! . . . Non! C'est trop bête°.

PRENTOUT. [*Pour s'excuser.*] Mais, ma chérie . . . je suis en vacances. . . .

TUBEUF. Moi, dans toute cette histoire je ne vois qu'une chose! Vous avez prêté° la main au cambriolage de ma maison . . . et je vais déposer une plainte°!

PRENTOUT. Vous ne ferez pas cela!

HORTENSE. Tu vois, Alfred, dans quel pétrin° tu nous mets.

PRENTOUT. Je vais être couvert de ridicule . . . suspecté, peut-être! Je connais la police! Je suis déshonoré.

---

¹ You can say *that* again!
² *Ça ne se passera pas ainsi.*—You're not going to get away with this.
³ absolving herself from any responsibility.

51

A la fin Prentout est obligé de louer la villa à quatre mille francs par an, et de rembourser le prix des "souvenirs" que Dédé et Jojo ont emportés. La comédie se termine sur cette exclamation :

PRENTOUT. Quatre mille francs!
HORTENSE. Quatre mille francs! ! !
PRENTOUT. Et la sauce.[4]

VOCABULAIRE

affolé panic-stricken
reculer to withdraw, walk backwards
passe encore I can put up with that
le comble the last straw
tu travailles bien! you've done a *fine* job!
se douter to suspect
la fripouille the knave
dégager to free, disengage, take out of hock, out of gear

coupable guilty
bête stupid
prêter to lend
déposer une plainte to prefer a charge, lodge a complaint
dans le pétrin in a fix, in the soup (colloquial)
s'ensuivre to ensue

QUESTIONNAIRE

1. Pourquoi est-ce que Prentout est affolé?
2. Comment s'est-il fait le complice (*the accomplice*) des voleurs?
3. Que fait-il quand Tubeuf lui parle?
4. Pourquoi est-ce que Tubeuf est encore plus furieux contre Prentout qu'il ne le serait contre un autre?
5. Comment Hortense essaye-t-elle d'excuser son mari?
6. Quelle menace Tubeuf fait-il?
7. Selon Tubeuf, qu'est-ce qu'un commissaire de police devrait savoir?
8. Quelle attitude Hortense prend-elle maintenant envers Prentout? Que dit-il pour se défendre?
9. Si vous étiez accusé, voudriez-vous Hortense comme juge? Pourquoi pas?
10. Dans toute cette histoire Tubeuf ne voit qu'une seule chose. Qu'est-ce que c'est?
11. Que fera-t-il?
12. Quelle accusation Hortense fait-elle contre son mari?
13. De quoi Prentout se lamente-t-il?
14. Qu'est-ce que les Prentout sont obligés de faire à la fin?
15. Comment se termine la comédie? Quel est le sens des mots "Et la sauce!"?

[4] C'est-à-dire les querelles interminables avec sa femme qui s'ensuivront.°

ETUDE DE MOTS

1. *Ça, c'est un comble!*   That's the limit! (*ça* is for emphasis)
   Ça, c'est incroyable!   That's incredible!
   Ça, c'est trop bête!   That's too stupid for words!
   Ça, c'est une villa!   That's *some* villa!
   Ça, c'est un commissaire de police?   That's a police commissioner?

2. *Pouvais-je me douter?*   Could I suspect it? i.e., have any way of knowing that it was so?

   Moi, je m'en doutais.   I thought so.
   Qui aurait pu s'en douter?   Who would have ever suspected it?
   Je ne me doutais de rien.   I had no idea of what was going on. I suspected nothing.

EXERCICES

Partitive (52A); Present of verbs not ending in -er (62D)

A. LE PROFESSEUR: Ecrivez-vous encore (ou toujours) des compositions?
   (*Are you still writing compositions?*)
    L'ÉTUDIANT: Non, je n'écris plus de compositions.
   (*No, I don't write compositions any more.*)

1. Emportez-vous encore des souvenirs?   Non, je n'emporte plus de souvenirs.
2. Prenez-vous encore des photos?   Non, je ne prends plus de photos.
3. Lisez-vous toujours des poèmes?   Non, je ne lis plus de poèmes.
4. Voulez-vous encore du café?   Non, je ne veux plus de café.
5. Recevez-vous toujours des invités?   Non, je ne reçois plus d'invités.
6. Voyez-vous toujours les Prentout?   Non, je ne vois plus les Prentout.
7. Buvez-vous encore du cognac?   Non, je ne bois plus de cognac.
8. Servez-vous encore à cette heure?   Non, je ne sers plus.
9. Y croyez-vous toujours?   Non, je n'y crois plus.
10. Sortez-vous toujours?   Non, je ne sors plus.

B. LE PROFESSEUR: Fait-il souvent des erreurs?
    L'ÉTUDIANT: Il ne fait jamais d'erreurs. *Or for emphasis:* Jamais il ne fait d'erreurs.

1. Prenez-vous souvent des photos?   Non, je ne prends jamais de photos.
2. Avez-vous souvent reçu des invités?   Non, je n'ai jamais reçu d'invités.
3. Avez-vous souvent loué cette villa?   Non, je n'ai jamais loué cette villa.
4. Allez-vous souvent au cinéma?   Non, je ne vais jamais au cinéma.
5. Y allez-vous souvent?   Non, je n'y vais jamais.

C. LE PROFESSEUR: Vous y allez?
     L'ÉTUDIANT: Non, je n'y vais plus jamais.
                     (*No, I never go there any more.*)

1. Vous sortez?   Non, je ne sors plus jamais.
2. Vous recevez? (*entertain*)   Non, je ne reçois plus jamais.
3. Vous buvez?   Non, je ne bois plus jamais.
4. Vous voyez vos amis?   Non, je ne vois plus jamais mes amis.
5. Vous vous amusez?   Non, je ne m'amuse plus jamais.

SUJET DE COMPOSITION

Supposez que Tubeuf dépose sa plainte. Vous êtes journaliste. Vous écrivez un article satirique intitulé: Commissaire de police accusé de cambriolage.

Review Lesson II

Révision du vocabulaire et des expressions du texte

A. Les expressions

TRADUISEZ:

1. My heart isn't in my work. — Je n'ai pas le cœur à l'ouvrage.
2. You will find out, realize. — Vous allez vous rendre compte.
3. I can't help it. — C'est plus fort que moi.
4. You come at the right time. — Vous tombez bien.
5. Don't worry. — Soyez tranquille(s).
6. All aboard! — En voiture!
7. I'll take care of it, be responsible for it. — Je m'en charge.
8. He's always welcome. — Il est toujours le bienvenu.
9. It'll take me five minutes. — J'en ai pour cinq minutes.
10. What's this business all about? — Qu'est-ce que c'est que cette histoire?
11. You can say *that* again! — Tu peux le dire!
12. That's the limit! — Ça, c'est un comble!
13. to prefer a charge — déposer une plainte
14. They get paid; i.e., they get someone to pay them. — Ils se font payer.
15. I've been robbed! — On m'a cambriolé!

B. Le vocabulaire

TRADUISEZ:

1. the sign — l'écriteau
2. so what? — et après?
3. I don't give a darn. — Je m'en fiche.
4. the job, trade — le métier
5. comfortable, easy to get along with — commode
6. the behavior, good behavior — la tenue
7. undecided — indécis
8. careful — soigneux

55

9.	to slip away	se dérober
10.	the jacket	le veston
11.	to air out, ventilate	aérer
12.	the unforeseen	l'imprévu
13.	to relieve, help	soulager
14.	the mantlepiece	la cheminée
15.	to bow	s'incliner
16.	to claim, allege	prétendre
17.	to wonder	se demander
18.	panic-stricken	affolé
19.	to go backwards, draw back	reculer
20.	frightening	effrayant
21.	to suspect	se douter de
22.	guilty	coupable
23.	in trouble, in a jam	dans le pétrin

DONNEZ DES SYNONYMES POUR LES MOTS OU EXPRESSIONS EN ITALIQUES :

1.	*rire* (colloquial)	rigoler
2.	*le travail* (colloquial)	le boulot
3.	*le visage* (colloquial)	la gueule
4.	*dépêchons-nous, hâtons-nous* (colloquial)	filons
5.	*Comme* j'ai peur!	ce que
6.	*Regardez* ce livre.	jetez un coup d'œil sur
7.	*voler ce qu'il y a dans* une villa	cambrioler
8.	*informer à l'avance*	prévenir
9.	*le courage*	le sang-froid
10.	*pris de court*	pris à l'improviste
11.	venant *à son aide*	à son secours
12.	*Rien n'est aussi utile qu'*une bonne visite.	rien ne vaut
13.	*Il n'en a aucune idée.*	Il n'en sait rien.
14.	*la personne qui loue une maison*	le locataire
15.	*comme quelqu'un qui a la fièvre*	fébrilement
16.	les bras *pleins de* paquets	encombrés de
17.	*sous l'influence de l'alcool*	ivre
18.	une villa que nous *avons louée tout récemment*	venons de louer
19.	Vous avez *aidé* au cambriolage!	prêté la main

Révision des exercices

A. Les verbes

DITES AU FUTUR :

1.	il faut	il faudra
2.	nous venons	nous viendrons
3.	il vaut mieux	il vaudra mieux
4.	ils veulent	ils voudront
5.	on voit	on verra
6.	je peux	je pourrai
7.	nous envoyons	nous enverrons
8.	vous avez	vous aurez
9.	ils vont	ils iront
10.	vous faites	vous ferez
11.	nous savons	nous saurons
12.	nous sommes	nous serons

B. Emploi de la deuxième personne du singulier

RÉPÉTEZ LES PHRASES SUIVANTES À LA DEUXIÈME PERSONNE DU SINGULIER :

1.	Vous allez vous promener?	Tu vas te promener?
2.	C'est vous qui lisez ce livre?	C'est toi qui lis ce livre?
3.	Vous écrivez à votre mère?	Tu écris à ta mère?
4.	Vous vous moquez du monde!	Tu te moques du monde!
5.	Vous buvez votre vin?	Tu bois ton vin?
6.	Vous vivez avec vos parents?	Tu vis avec tes parents?

C. Les négatifs

RÉPONDEZ AU NÉGATIF :

1.	Qu'est-ce qui le prouve?	Rien ne le prouve.
2.	Qui est entré?	Personne n'est entré.
3.	Qu'est-ce que vous avez dit?	Je n'ai rien dit.
4.	Qu'est-ce que vous dites?	Je ne dis rien.
5.	Qui avez-vous invité?	Je n'ai invité personne.
6.	Qui connaissez-vous?	Je ne connais personne.
7.	A quoi pensez-vous?	Je ne pense à rien.
8.	Ecrivez-vous toujours?	Non, je n'écris plus.
9.	Ecrivez-vous toujours des compositions?	Non, je n'écris plus de compositions.
10.	Voulez-vous encore du café?	Non, je ne veux plus de café.
11.	Lisez-vous souvent?	Non, je ne lis jamais.

D. Les négatifs et le pronom complément

RÉPONDEZ AU NÉGATIF AVEC UN PRONOM COMPLÉMENT:

1. Qu'est-ce qui fait peur à Dédé?   Rien ne lui fait peur.
2. Qui arrête les voleurs?   Personne ne les arrête.
3. Qui entend le coup de sonnette?   Personne ne l'entend.

E. Les pronoms absolus (stressed pronouns)

LE PROFESSEUR: Je suis le propriétaire.
L'ÉTUDIANT: C'est moi qui suis le propriétaire.

1. J'ai posé.   C'est moi qui ai posé.
2. Tu as dit ça?   C'est toi qui as dit ça?
3. Il a cambriolé la villa?   C'est lui qui a cambriolé la villa?
4. Nous sommes étonnés.   C'est nous qui sommes étonnés.
5. Ils l'ont fait.   Ce sont eux qui l'ont fait.

F. Imparfait, passé composé et plus-que-parfait

RACONTEZ L'HISTOIRE AU PASSÉ:

1. Elle remarque soudain   Elle a remarqué soudain
2. que la photographie lui ressemble.   que la photographie lui ressemblait.
3. Tubeuf dit que c'est normal,   Tubeuf a dit que c'était normal,
4. puisque c'est lui   puisque c'était lui
5. qui a posé.   qui avait posé.
6. Quand il apprend   Quand il a appris
7. qu'on a cambriolé sa villa,   qu'on avait cambriolé sa villa,
8. il est furieux.   il était furieux.

ONDINE I

13

Jean Giraudoux

ONDINE est une pièce de Jean Giraudoux, tirée° d'une vieille légende germanique qui raconte l'amour d'une ondine° et d'un chevalier°.

Ondine a quinze ans. Elle n'a ni père ni mère; un vieux pêcheur° et sa femme l'ont adoptée.

Voici le début de la pièce:

[ACTE PREMIER: *Une cabane de pêcheurs. Orage° au dehors. Le vieil Auguste. La vieille Eugénie.*]

AUGUSTE. [*A la fenêtre.*] Que peut-elle bien faire encore au dehors dans ce noir°!

EUGÉNIE. Pourquoi t'inquiéter°? Elle voit dans la nuit.

AUGUSTE. Par cet orage!

EUGÉNIE. Comme si tu ne savais plus que la pluie ne la mouille° pas!

AUGUSTE. Nous sommes trop faibles avec elle, Eugénie. Une fille de quinze ans ne doit pas courir les forêts° à pareille heure°. Je vais parler sérieusement.

EUGÉNIE. Est-ce qu'elle ne m'aide pas dans le ménage°?

AUGUSTE. Il y a beaucoup à dire là-dessus.[1] . . .

EUGÉNIE. Que prétends°-tu encore? Elle ne lave pas les assiettes°? Elle ne cire° pas les souliers?

AUGUSTE. Justement. Je n'en sais rien.

EUGÉNIE. Elle n'est pas propre, cette assiette?

AUGUSTE. Ce n'est pas la question. Je te dis que je ne l'ai jamais vue ni laver ni cirer. . . . Toi non plus°. . . .

EUGÉNIE. Elle préfère travailler dehors. . . .

AUGUSTE. Oui, oui! Mais qu'il y ait trois assiettes ou douze, un soulier° ou trois paires, cela dure le même temps. Une minute à peine, et elle revient. Le torchon° n'a pas servi, le cirage° est intact. Mais tout est net, mais tout brille°. . . .

[1] I'm not so sure about that.

59

VOCABULAIRE

tirer to draw

une ondine a water-sprite, spirit of a
  lake or a river

le chevalier the knight

le pêcheur the fisherman

un orage a storm

dans ce noir in the dark

à pareille heure at such an hour

courir les forêts to go out in the
  woods

s'inquiéter to worry

mouiller to wet

le ménage the housework

prétendre to claim, allege

une assiette a plate

cirer to wax, polish

toi non plus neither have you

le soulier the shoe

le torchon the dish towel, rag

le cirage the shoe polish

briller to shine

QUESTIONNAIRE

1. Où Giraudoux a-t-il trouvé le sujet de cette pièce?
2. Qu'est-ce qu'elle raconte?
3. Qui est Ondine?
4. Qui sont Auguste et Eugénie?
5. Où se passe l'action? Quel temps fait-il?
6. Qu'est-ce qu'Auguste se demande?
7. Pourquoi Eugénie n'est-elle pas inquiète?
8. Qu'est-ce qu'Auguste semble avoir oublié?
9. Selon Auguste, comment Eugénie et lui ont-ils échoué (*failed*) dans leur devoir?
10. Qu'est-ce qu'Ondine ne devrait pas faire?
11. Qu'est-ce qu'Auguste va faire?
12. Que dit Eugénie pour défendre Ondine?
13. Auguste trouve-t-il que c'est un bon argument?
14. Comment est-ce qu'Ondine aide dans le ménage, selon Eugénie?
15. Qu'est-ce qu'elle montre à Auguste pour prouver qu'Ondine l'a aidée?
16. Quelle objection Auguste fait-il encore?
17. Comment Eugénie y répond-elle?
18. Quels arguments Auguste trouve-t-il encore?

ETUDE DE MOTS

1. *qu'il y ait trois assiettes ou douze*   whether there are three plates or twelve
   qu'il fasse beau, qu'il fasse mauvais   rain or shine

Qu'il vienne ou non, cela m'est indifférent.

I don't care whether he comes or not.

Qu'on y aille seul ou bien avec d'autres personnes, on est sûr de s'amuser.

Whether you go alone or with others, you are sure to have a good time.

Qu'on prenne son temps ou qu'on se hâte, on finit toujours par arriver.

Whether you hurry or take your time, you get there sooner or later.

2. *faire le ménage*   do the housework
un jeune ménage   a young couple
la ménagère   the housekeeper
déménager   to move (out)
emménager   to move (in)

EXERCICES

Adjectives (1–5)

A. LE PROFESSEUR: Ce petit bâtiment (cabane).
   L'ÉTUDIANT: Cette petite cabane.

1. ce beau chevalier. (ondine)
2. ce bon pêcheur. (ménagère)
3. ce poisson délicieux. (truite)
4. ce livre français. (pièce)
5. ce conte allemand. (légende)
6. son vieux père. (mère)
7. son verre plein. (assiette)
8. mon cher Auguste. (Eugénie)
9. mon fils adoptif. (fille)
10. ce lourd bureau. (pendule)
11. ce langage familier. (expression)
12. le tableau rond. (table)
13. son fou rire. (imprudence)
14. son sourire gracieux. (attitude)
15. ce professeur mécontent. (cliente)
16. son sentiment trop fort. (émotion)
17. son sang-froid parfait. (tenue)
18. cet écriteau blanc. (villa)
19. son haricot vert. (amande)

Pour les réponses, voir l'exercice B.

B.

1. cette belle ondine. (chevalier)
2. cette bonne ménagère. (pêcheur)

Pour les réponses, voir l'exercice A.

3. cette truite délicieuse. (poisson)
4. cette pièce française. (livre)
5. cette légende allemande. (conte)
6. sa vieille mère. (père)
7. son assiette pleine. (verre)
8. ma chère Eugénie. (Auguste)
9. ma fille adoptive. (fils)
10. cette lourde pendule. (bureau)
11. cette expression familière. (langage)
12. la table ronde. (tableau)
13. sa folle imprudence. (rire)
14. son attitude gracieuse. (sourire)
15. cette cliente mécontente. (professeur)
16. son émotion trop forte. (sentiment)
17. sa tenue parfaite. (sang-froid)
18. cette villa blanche. (écriteau)
19. son amande verte. (haricot)

SUJET DE COMPOSITION

Vous êtes une jeune fille comme les autres. Expliquez la différence entre votre vie et celle d'une ondine. Qu'est-ce qui vous arrive quand vous faites le ménage, quand vous sortez la nuit, etc.?

ONDINE II

14

Jean Giraudoux

Soudain un chevalier se présente à la porte de la cabane.

LE CHEVALIER. Je me suis permis de mettre mon cheval dans votre grange°.
Le cheval, comme chacun° sait, est la part la plus importante
du chevalier. . . . Je peux m'asseoir?

AUGUSTE. Vous êtes chez vous, seigneur°.

LE CHEVALIER. Quel orage! Depuis midi, l'eau me ruisselle° dans le cou°.
C'est ce que nous craignons le plus en armure°, nous autres
chevaliers. . . . La pluie. . . . La pluie, et une puce°.

Le chevalier s'assied. Eugénie va dans la cuisine lui préparer une truite
au bleu.[1] Ondine entre.

ONDINE. [*De la porte où elle est restée immobile.*] Comme vous êtes beau!

AUGUSTE. Que dis-tu, petite effrontée°?

ONDINE. Je dis: comme il est beau!

AUGUSTE. C'est notre fille, seigneur. Elle n'a pas d'usage°.

ONDINE. Je dis que je suis bien heureuse de savoir que les hommes sont aussi
beaux. . . . Mon cœur n'en bat plus°. . . .

AUGUSTE. Vas-tu te taire°!

ONDINE. J'en frissonne°!

AUGUSTE. Elle a quinze ans, chevalier. Excusez-la. . . .

ONDINE. Je savais bien qu'il devait y avoir une raison pour être fille. La
raison est que les hommes sont aussi beaux. . . .

AUGUSTE. Tu ennuies° notre hôte°. . . .

ONDINE. Je ne l'ennuie pas du tout. . . . Je lui plais. . . . Vois comme
il me regarde. . . . Comment t'appelles-tu?

AUGUSTE. On ne tutoie° pas un seigneur, pauvre enfant!

LE CHEVALIER. Je m'appelle Hans. . . .

[*Eugénie revient avec son plat°.*]

---

[1] *Truite au bleu*—Trout cooked alive in boiling water; said to preserve the delicacy
of the flavor better than any other cooking method, and therefore prized by gourmets.

VOCABULAIRE

la grange the barn	*mon cœur n'en bat plus* it makes my
chacun each one, every one	heart stop beating
le seigneur the lord	*se taire* to be still, quiet
ruisseler to run, trickle	*frissonner* to shiver, shudder
le cou the neck	*ennuyer* to bore, bother
l'armure (*f.*) the armor	*tutoyer* to say *tu* to
la puce the flea	*un hôte* a guest (also means host)
effronté shameless, impudent	*le plat* the dish (contents of)
avoir de l'usage to know the ways of	
society, to be well-bred	

QUESTIONNAIRE

1. Qui voit-on à la porte?
2. Qu'est-ce que le chevalier s'est permis de faire?
3. Que dit-il au sujet du cheval?
4. Que dit Auguste pour lui indiquer qu'il est le bienvenu chez eux?
5. Pourquoi le chevalier n'aime-t-il pas l'orage?
6. Les chevaliers, que pensent-ils de la pluie et des puces? Pourquoi?
7. Que fait Eugénie?
8. Que fait Ondine quand elle voit le chevalier? Que dit-elle?
9. Que dit Auguste à Ondine? Et au chevalier?
10. Quel effet la vue du chevalier a-t-elle sur Ondine?
11. Quel âge a-t-elle? Semble-t-elle avoir vu beaucoup d'hommes?
12. Elle dit qu'elle a découvert quelque chose. Qu'est-ce qu'elle a découvert?
13. Comment sait-elle qu'elle n'ennuie pas le chevalier?
14. Pourquoi ne devrait-elle pas lui dire "comment t'appelles-tu?"
15. Comment s'appelle-t-il?

ETUDE DE MOTS

1. Prepositions:

permettre de   *plaire à* (*je lui plais*)   *je suis heureux de*

2.
nous autres chevaliers	we knights
nous autres Américains	we Americans
vous autres Français	you French
nous autres étudiants	we students
vous autres professeurs	you professors

3. *J'en frissonne.*   It makes me tremble. *En* sometimes
                                        means "because of it," referring to
                                        no definite antecedent.

J'en ai la chair de poule.   It gives me goose pimples.
Ils trouvent un chevalier à la   They find a knight at the door; they
porte; ils en sont tout étonnés.   are quite astonished by this.

EXERCICES

Infinitive (35A)

A. LE PROFESSEUR: Il y a une raison. (There is a reason.)
   L'ÉTUDIANT: Il doit y avoir une raison. (There must be a reason.)

1. Il est beau.   Il doit être beau.
2. Il s'assied.   Il doit s'asseoir.
3. Elle a quinze ans.   Elle doit avoir quinze ans.
4. Elle l'ennuie.   Elle doit l'ennuyer.
5. Mais non, elle lui plaît.   Mais non, elle doit lui plaire.
6. Il s'appelle Hans.   Il doit s'appeler Hans.
7. Eugénie revient.   Eugénie doit revenir.
8. Il y a une truite sur l'assiette.   Il doit y avoir une truite sur l'assiette.
9. Le chevalier le sait.   Le chevalier doit le savoir.

Present of verbs not ending in -*er* (62D)

B. LE PROFESSEUR: Je m'assieds.
   L'ÉTUDIANT: Vous vous asseyez? Tant mieux! (ou Tant pis!)

1. Je vis dans la forêt.   Vous vivez dans la forêt? Tant mieux!
2. Je me tais.   Vous vous taisez? Tant mieux!
3. Je crains la pluie.   Vous craignez la pluie? Tant pis!
4. Je me plains du temps.   Vous vous plaignez du temps? Tant pis!
5. Je m'ennuie.   Vous vous ennuyez? Tant pis!
6. Je prépare une truite.   Vous préparez une truite? Tant mieux!
7. Je prends l'assiette.   Vous prenez l'assiette? Tant mieux!
8. Je sers la truite.   Vous servez la truite? Tant mieux!
9. Je me sens mieux.   Vous vous sentez mieux? Tant mieux!
10. Je dois sortir.   Vous devez sortir? Tant pis!
11. Je sors.   Vous sortez? Tant pis!
12. Mais je reviens.   Vous revenez? Tant mieux!

SUJET DE COMPOSITION

Auguste parle sérieusement à Ondine. Il lui dit ce qu'il faut dire, et ce qu'il ne faut pas dire, quand on rencontre un chevalier, etc.

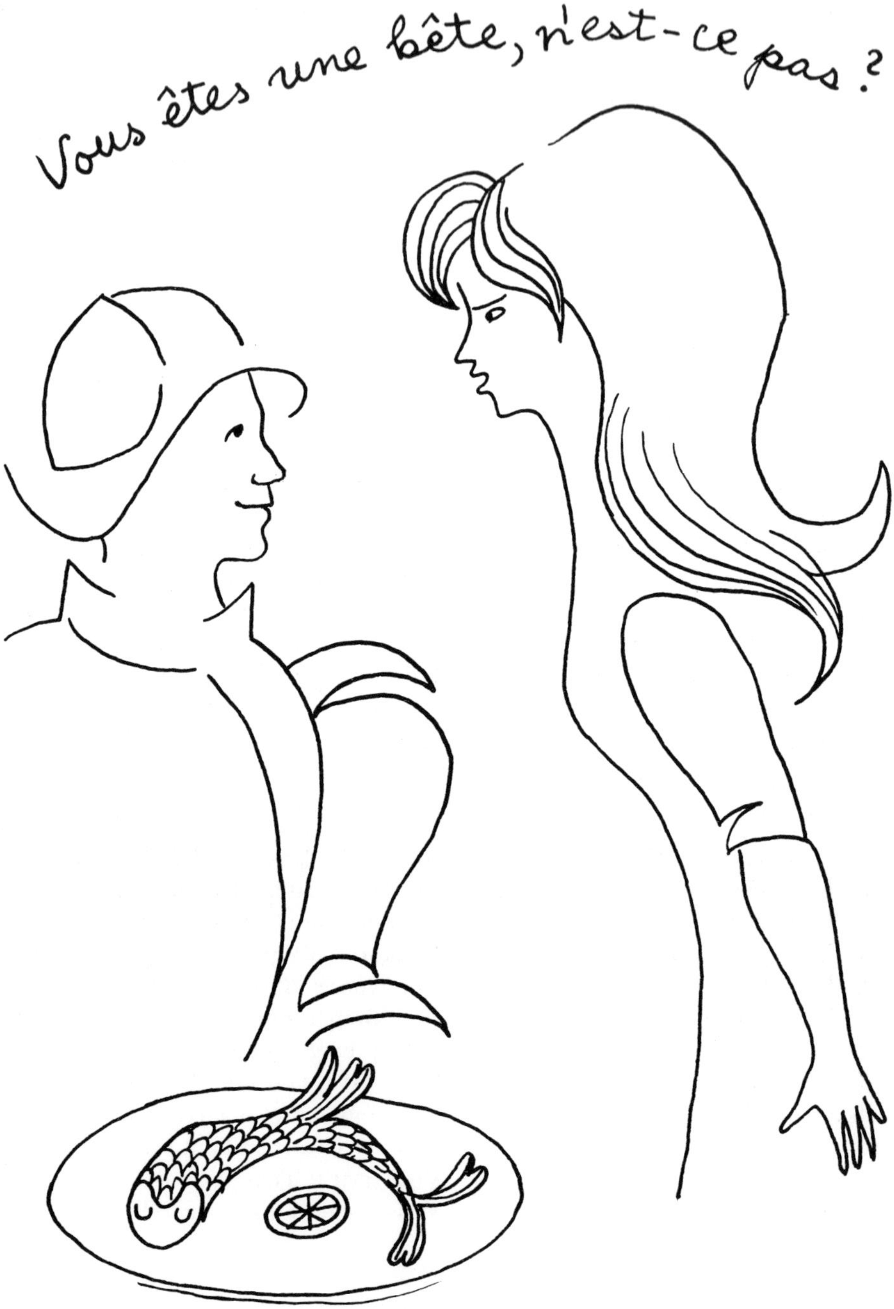
Vous êtes une bête, n'est-ce pas ?

ONDINE III

15

Jean Giraudoux

EUGÉNIE. Voici votre truite au bleu, seigneur. Mangez-la. Cela vous vaudra mieux° que d'écouter notre folle°. . . .

ONDINE. Sa truite au bleu!

LE CHEVALIER. Elle est magnifique!

ONDINE. Tu as osé° faire une truite au bleu, mère! . . .

EUGÉNIE. Tais-toi. En tout cas, elle est cuite°. . . .

ONDINE. O ma truite chérie, toi qui depuis ta naissance° nageais° vers l'eau froide!

AUGUSTE. Tu ne vas pas pleurer pour une truite!

ONDINE. Ils se disent mes parents. . . . Et ils t'ont prise. . . . Et ils t'ont jetée vive dans l'eau qui bout°!

LE CHEVALIER. C'est moi qui l'ai demandé, petite fille.

ONDINE. Vous? J'aurais dû m'en douter. . . . A vous regarder de près tout se devine°. . . . Vous êtes une bête°, n'est-ce pas?

EUGÉNIE. Excusez-nous, seigneur!

ONDINE. Vous ne comprenez rien à rien°, n'est-ce pas? C'est cela la chevalerie, c'est cela le courage! . . . Vous cherchez des géants qui n'existent point, et si un petit être vivant saute dans l'eau claire, vous le faites cuire au bleu!

LE CHEVALIER. Et je le mange, mon enfant! Et je le trouve succulent!

ONDINE. Vous allez voir comme il est succulent. . . . [*Elle jette la truite par la fenêtre.*] Mangez-le maintenant. . . . Adieu. . . .

EUGÉNIE. Où t'en vas-tu° encore, petite!

ONDINE. Il y a là, dehors, quelqu'un qui déteste les hommes et veut me dire ce qu'il sait d'eux. . . . Toujours j'ai bouché° mes oreilles, j'avais mon idée°. . . . C'est fini, je l'écoute. . . .

VOCABULAIRE

cela vous vaudra mieux it will be better for you
la folle the crazy girl
oser to dare
cuire to cook
la naissance the birth
nager to swim
il bout (*bouillir*) it boils
tout se devine it's all so obvious

deviner to guess
la bête the beast
ne rien comprendre à rien not to understand a thing
s'en aller to go away
tu t'en vas you are going away
boucher to stop up
avoir son idée to have one's own idea

QUESTIONNAIRE

1. Que dit Eugénie au chevalier au sujet de la truite?
2. Et que dit Ondine à sa mère adoptive?
3. De qui Ondine a-t-elle pitié?
4. Que dit Eugénie à Ondine pour la persuader d'accepter le fait accompli?
5. Selon Ondine, que faisait la truite depuis sa naissance?
6. Et comment la truite est-elle morte?
7. A qui Ondine en veut-elle (*to be angry at*) d'abord?
8. Qu'est-ce qu'ils ont fait de la truite?
9. Que dit le chevalier?
10. Comment Ondine lui répond-elle?
11. De quelle manière son opinion du chevalier a-t-elle changé?
12. Quelle opinion a-t-elle de sa chevalerie et de son courage?
13. Que dit-elle des géants qu'il cherche?
14. Selon Ondine, que font les chevaliers quand ils trouvent "un petit être vivant"?
15. Que fait Ondine pour punir le chevalier?
16. Qui va-t-elle retrouver dehors?
17. Qu'est-ce que cette personne va lui dire?
18. Pourquoi ne l'a-t-elle pas écoutée jusqu'à maintenant?

ETUDE DE MOTS

1. *Il nageait depuis sa naissance* (*mais maintenant il est mort*).
   He *had been swimming* since his birth (but now he is dead).

   Il nage depuis sa naissance.
   He *has been swimming* since his birth.

   Je travaillais depuis septembre.
   I had been working since September.

Il était fatigué parce que depuis le matin il traversait la forêt.	He was tired because he had been crossing the forest since morning.
2. *A vous regarder tout se devine.*	It's all so obvious now that I look at you.
A le voir, je comprends pourquoi vous ne l'aimez pas.	Now that I see him, I understand why you don't like him.
3. *Elle fait cuire la truite.*	She cooks the trout. (transitive)
La truite cuit.	The trout is cooking. (intransitive)
Elle fait la cuisine.	She cooks, i.e., does the cooking.
Similarly: *L'eau bout.*	The water boils. (intransitive)
Elle fait bouillir la truite.	She boils the trout. (transitive)

EXERCICE

Past participle (53–54); Etre verbs (26)

LE PROFESSEUR: Ils voient un chevalier.
L'ÉTUDIANT: Ils ont vu un chevalier.

1. Ils s'inquiètent.	Ils se sont inquiétés.
2. Mais la pluie ne la mouille pas.	Mais la pluie ne l'a pas mouillée.
3. Ils sont trop faibles avec elle.	Ils ont été trop faibles avec elle.
4. On ne la voit jamais ni laver ni cirer.	On ne l'a jamais vue ni laver ni cirer.
5. Une minute à peine, et elle revient.	Et elle est revenue.
6. Le torchon ne sert pas.	Il n'a pas servi.
7. Le chevalier s'assied.	Il s'est assis.
8. Ondine reste immobile.	Elle est restée immobile.
9. Eugénie va dans la cuisine.	Elle est allée dans la cuisine.
10. Ondine plaît au chevalier.	Elle a plu au chevalier.
11. Elle le tutoie.	Elle l'a tutoyé.
12. Eugénie ose faire une truite au bleu.	Elle a osé faire une truite au bleu.
13. Elle la prend.	Elle l'a prise.
14. Et elle la jette dans l'eau.	Elle l'a jetée dans l'eau.
15. Ondine doit être furieuse.	Elle a dû être furieuse.
16. Hans ne comprend rien.	Il n'a rien compris.
17. Ondine ouvre la porte.	Elle a ouvert la porte.
18. Elle sort.	Elle est sortie.
19. Le chevalier ne dit rien.	Il n'a rien dit.

20. Il ne la suit pas.   Il ne l'a pas suivie.
21. Mais à la fin elle revient.   Elle est revenue.

SUJET DE COMPOSITION

Ondine explique pourquoi elle aime les truites et pourquoi elle s'est mise
en colère contre ses parents adoptifs et contre le chevalier.

ONDINE IV

16

Jean Giraudoux

Ondine revient.

ONDINE. Moi, on m'appelle Ondine.

LE CHEVALIER. C'est un joli nom.

ONDINE. Hans et Ondine. . . . C'est ce qu'il y a de plus joli au monde comme noms, n'est-ce pas?

LE CHEVALIER. Ou Ondine et Hans.

ONDINE. Oh non! Hans d'abord. C'est le garçon. Il passe le premier. Il commande. . . . Ondine est la fille. . . . Elle est un pas° en arrière. . . . Elle se tait.

LE CHEVALIER. Elle se tait! Comment diable° s'y prend-elle°?

ONDINE. Hans la précède partout d'un pas. . . . Aux cérémonies. . . . Chez le roi. . . . Dans la vieillesse. Hans meurt le premier. . . . C'est horrible. . . . Mais Ondine le rattrape° vite. . . . Elle se tue. . . .

LE CHEVALIER. Que racontes-tu là!

ONDINE. Il y a un petit moment affreux° à passer. La minute qui suit la mort de Hans. . . . Mais ça n'est pas long. . . .

LE CHEVALIER. Heureusement cela n'engage° à rien de parler de la mort à ton âge. . . .

ONDINE. A mon âge? . . . Tuez-vous pour voir. Vous verrez si je ne me tue pas. . . .

LE CHEVALIER. Jamais je n'ai eu moins envie° de me tuer. . . .

ONDINE. Dites-moi que vous ne m'aimez pas! Vous verrez si je ne me tue pas. . . .

LE CHEVALIER. Tu m'ignorais° voilà° un quart d'heure, et tu veux mourir pour moi? Je nous croyais brouillés°, à cause de la truite?

ONDINE. Oh tant pis° pour la truite! C'est un peu bête°, les truites. Elle n'avait qu'a éviter° les hommes, si elle ne voulait pas être prise. Moi aussi je suis bête. Moi aussi je suis prise. . . .

71

VOCABULAIRE

le pas the step
comment diable how in the devil
s'y prendre to go about it
rattraper to catch up with
affreux frightful
engager to involve, commit
    (opposite of *dégager*)

avoir envie de to want to, to feel like
ignorer not to know
voilà ago
brouillés mad at each other
tant pis too bad
bête silly, stupid
éviter to avoid

QUESTIONNAIRE

1. Que dit Ondine au sujet des noms Ondine et Hans?
2. Pourquoi met-elle Hans d'abord?
3. Où est-ce que la fille doit se tenir quand elle est avec le garçon?
4. Qu'est-ce qu'elle doit faire?
5. Est-ce que Hans croit que la fille peut se taire facilement? Qu'est-ce qu'il se demande à ce sujet?
6. Où est-ce que Hans doit précéder Ondine?
7. Qu'est-ce qui est horrible?
8. Comment est-ce qu'Ondine rattraperait Hans s'il mourait?
9. Quel moment affreux y aurait-il à passer pour elle?
10. Qu'est-ce qui montre que le chevalier ne prend pas Ondine au sérieux? (*seriously*)
11. Que dit Ondine pour prouver qu'elle est sérieuse?
12. Qu'est-ce qu'il y a d'illogique dans sa suggestion?
13. Est-ce que le chevalier a envie de se tuer?
14. Qu'est-ce qu'il n'a qu'à dire s'il veut qu'Ondine se tue?
15. Pourquoi est-ce que le chevalier est étonné par l'attitude d'Ondine?
16. Quelle opinion Ondine a-t-elle des truites maintenant?
17. Qu'est-ce que la truite aurait dû faire?
18. De quelle manière est-ce qu'Ondine se compare à la truite?

ETUDE DE MOTS

1. ce qu'*il y a de plus joli*
  Qu'est-ce qu'*il y a de bon?*
  Quoi *de nouveau?*
  rien *de nouveau*
  personne *d'intéressant*

the prettiest there is
What's good?
What's new?
nothing new
no one interesting

| quelqu'un *de très bien* | a very fine person |
| quelque chose *de très intéressant* | something very interesting |

2. *comme noms* — for names

Qu'est-ce que vous voulez comme dessert?	What do you want for dessert?
Qu'est-ce que vous suivez comme cours?	What courses are you taking?
Comme professeur j'ai monsieur Dupont.	I have Mr. Dupont for professor.

3.
Comment s'y prend-elle?	How does she manage?
Il s'y prend mal.	He goes about it the wrong way.
Voilà comment je m'y suis pris.	That's how I went about it.
Comment vous y prenez-vous?	How do you go about it?

4.
Elle n'avait qu'à éviter les hommes.	All she had to do was avoid men.
Vous n'avez qu'à sonner.	All you have to do is ring; just ring.
Si vous ne voulez pas le faire, vous n'avez qu'à le dire.	If you don't want to do it, just say so.

EXERCICES

Object pronouns (44); Avoiding dependent clauses (15)

A. LE PROFESSEUR: Nous ne sommes pas brouillés.
   L'ÉTUDIANT: Vraiment? Je nous croyais brouillés, moi.

   LE PROFESSEUR: Le chevalier n'est pas encore parti.
   L'ÉTUDIANT: Vraiment? Je le croyais parti, moi.

1. Auguste n'est pas jeune.	Vraiment? Je le croyais jeune, moi.
2. La truite n'est pas assez grande.	Je la croyais grande.
3. Ondine n'est pas folle.	Je la croyais folle.
4. Le cheval n'est pas important.	Je le croyais important.
5. Il n'est pas riche.	Je le croyais riche.
6. Ondine n'est pas petite.	Je la croyais petite.
7. Comme plat, ce n'est pas très succulent.	Je le croyais succulent.
8. Ondine, ces assiettes ne sont pas propres!	Je les croyais propres.
9. Ces souliers ne sont pas cirés!	Je les croyais cirés.
10. Ce torchon n'est pas mouillé!	Je le croyais mouillé.

B. Refaites quelques phrases de l'exercice **A,** mais en suivant ce modèle.

   LE PROFESSEUR: Eugénie n'est pas vieille.
   L'ÉTUDIANT: Moi, je la trouve vieille.

Conditional (21–22)

C. LE PROFESSEUR: Il ne pleut pas. Elle sortirait . . .
    L'ÉTUDIANT: s'il pleuvait.

1. Elle ne sort pas. Ils s'inquiéteraient . . .   si elle sortait.
2. Ils n'insistent pas. Elle obéirait . . .   s'ils insistaient.
3. Elle ne les cire pas. Ils brilleraient . . .   si elle les cirait.
4. Vous n'entrez pas. Vous pourriez vous as-   si vous entriez.
seoir . . .
5. Je ne veux pas. J'irais . . .   si je voulais.
6. Il ne meurt pas. Elle se tuerait . . .   s'il mourait.
7. Elle ne se tait pas. Il serait étonné . . .   si elle se taisait.
8. Elle ne le craint pas. Elle ne dirait pas ces   si elle le craignait.
choses . . .
9. Elle ne part pas. Il serait triste . . .   si elle partait.
10. Elle ne revient pas tout de suite. Le chevalier   si elle revenait tout de suite.
serait content . . .

D. LE PROFESSEUR: Elle ne sort pas. Mais s'il pleuvait . . .
    L'ÉTUDIANT: S'il pleuvait, elle sortirait.

1. Ils ne s'inquiètent pas. Mais si elle   Si elle sortait, ils s'inquiéteraient.
sortait . . .
2. Elle n'obéit pas. Mais s'ils insis-   S'ils insistaient, elle obéirait.
taient . . .
3. Ils ne brillent pas. Mais si elle les   Si elle les cirait, ils brilleraient.
cirait . . .
4. Elles ne sont pas propres. Mais si   Si elle les lavait, elles seraient propres.
elle les lavait . . .
5. Vous ne pouvez pas vous asseoir.   Si vous entriez, vous pourriez vous as-
Mais si vous entriez . . .   seoir.
6. Vous ne savez pas nager. Mais si   Si vous habitiez ici, vous sauriez nager.
vous habitiez ici . . .
7. Nous n'allons pas. Mais si nous   Si nous voulions, nous irions.
voulions . . .
8. Il ne la fait pas cuire. Mais s'il   S'il trouvait une truite, il la ferait
trouvait une truite . . .   cuire.
9. Elle ne comprend pas les hommes.   Si elle l'écoutait, elle comprendrait les
Mais si elle l'écoutait . . .   hommes.
10. Elle ne se tue pas. Mais s'il mou-   S'il mourait, elle se tuerait.
rait . . .

SUJET DE COMPOSITION

Ondine va trouver la personne "qui déteste les hommes," mais au lieu de l'écouter, c'est elle qui parle, comme toujours. Elle lui dit ce qu'une femme devrait faire quand elle aime un homme.

ONDINE V

17

Jean Giraudoux

Le chevalier demande Ondine en mariage à son père adoptif, Auguste.

AUGUSTE. Seigneur, vous nous demandez Ondine. C'est un honneur pour nous. Mais nous vous donnerions ce qui n'est pas à nous. . . . .

LE CHEVALIER. Tu soupçonnes° quels sont ses parents?

AUGUSTE. Il ne s'agit pas° de parents. C'est justement qu'avec Ondine, la question des parents est vaine. Si nous n'avions pas adopté Ondine, elle aurait trouvé sans nous le moyen° de grandir, de vivre. Elle n'a jamais eu besoin de nos caresses, Ondine, mais dès qu'il pleut, impossible de la retenir° à la maison. Elle n'a jamais eu besoin de lit, mais combien de fois l'avons-nous surprise endormie sur le lac. La nature d'Ondine est la nature même : il y a de grandes forces autour d'Ondine! [1]

LE CHEVALIER. Où veux-tu en venir°? Que je la demande en mariage au lac?

AUGUSTE. Ne plaisantez° pas!

LE CHEVALIER. Que tous les lacs du monde soient mes beaux-pères°, les fleuves° mes belles-mères, j'accepte avec joie. Je suis très bien avec° la nature.

AUGUSTE. Méfiez-vous°! C'est vrai que la nature n'aime pas se mettre en colère contre l'homme. Elle a un préjugé° en sa faveur. Elle est fière° d'une belle maison, d'une belle barque°, comme un chien de son collier°. Mais si l'homme a déplu° une fois à la nature, il est perdu!

LE CHEVALIER. Et je lui déplairais en épousant Ondine? Vous ne lui avez pas déplu, vous, en l'adoptant? Donnez-moi Ondine, mes amis!

Hans épouse Ondine. Mais Auguste avait raison; ce mariage d'un homme avec une ondine finit tragiquement.

[1] Ondine's nature is nature itself; there are great forces around her (the forces of nature).

VOCABULAIRE

soupçonner to suspect
il s'agit de it's a question of
trouver le moyen to find a way
retenir to hold back
Où veux-tu en venir? What are you getting at?
plaisanter to joke
le beau-père the father-in-law
le fleuve the river

je suis très bien avec I am on good terms with
se méfier to be suspicious, to watch out
le préjugé the prejudice
fier proud
la barque the boat, bark
le collier the collar, (necklace)
déplaire à to displease

QUESTIONNAIRE

1. Quelle demande Hans fait-il à Auguste?
2. Pourquoi Auguste ne veut-il pas lui donner Ondine?
3. Qu'est-ce que Hans lui demande ensuite?
4. Que dit Auguste au sujet des parents d'Ondine?
5. Qu'est-ce qu'Ondine aurait fait, s'ils ne l'avaient pas adoptée?
6. Qu'est-ce qui montre son indépendance?
7. Qu'est-ce qu'elle fait quand il pleut? Où dort-elle?
8. Quelle est sa nature?
9. A qui donc faudrait-il la demander en mariage, selon le chevalier?
10. Qu'est-ce que le chevalier accepte avec joie? Pourquoi?
11. Selon Auguste, quelle est l'attitude de la nature envers l'homme?
12. De quoi est-elle fière?
13. Mais qu'est-ce qui arrive si l'homme lui déplaît?
14. Pourquoi est-ce que le chevalier croit qu'il ne déplairait pas à la nature en épousant Ondine?
15. Qu'est-ce qui montre qu'Auguste avait raison?

ETUDE DE MOTS

1. *le moyen* — the way
   Il trouve toujours le moyen de m'agacer. — He always knows how to annoy me.
   Il a trouvé le moyen de réussir. — He has found out how to succeed.
   Il n'y a pas moyen. — There isn't any way.
   Il n'y a pas moyen de le comprendre. — It's incomprehensible.
   Il en a les moyens. — He has the money (for it), the means.

2. *Où veux-tu en venir?*	What are you getting at?
J'en viens à me demander si	The whole thing makes me wonder if ....
Ils en sont venus aux coups.	They came to blows.

EXERCICES *

Adjectives (1–5); Partitive (52C)

A. LE PROFESSEUR: Il y a des forces autour d'Ondine. (grand)
   L'ÉTUDIANT: Il y a de grandes forces autour d'Ondine.

1. Il y a des lacs dans la région. (beaux)
2. Il y a des barques sur le lac. (belles)
3. Ce sont des pêcheurs. (vieux)
4. Ils attrapent des poissons. (gros)
5. Il y a des moments à passer sur le lac. (mauvais)
6. Des orages s'élèvent soudain. (vilains)
7. Il y a des montagnes dans la région. (hautes)
8. On y voit des cabanes isolées. (petites)
9. On peut y faire des promenades. (longues)
10. On y fait des repas. (bons)
11. Maintenant des routes traversent la forêt. (nouvelles)
12. Où trouve-t-on des régions si pittoresques? (autres)

B. LE PROFESSEUR: une belle ondine; mon cher ami.
   L'ÉTUDIANT: de belles⏝ondines; mes chers⏝amis.

1. une belle histoire.	de belles⏝histoires.
2. mon petit oiseau.	mes petits⏝oiseaux.
3. une belle asperge.	de belles⏝asperges.
4. ce grand officier.	ces grands⏝officiers.
5. cet écriteau magnifique.	ces⏝écriteaux magnifiques.
6. une bonne année.	de bonnes⏝années.
7. un autre invité.	d'autres⏝invités.
8. ma nouvelle assiette.	mes nouvelles⏝assiettes.
9. notre hôte distingué.	nos⏝hôtes distingués.
10. mon pauvre enfant.	mes pauvres⏝enfants.
11. ma truite chérie.	mes truites chéries.
12. un petit être vivant.	de petits⏝êtres vivants.

Conditional (21–22)

C. LE PROFESSEUR: Le chevalier épouse Ondine. Il déplaît à la nature.
   L'ÉTUDIANT: Si le chevalier épousait Ondine, il déplairait à la nature.

Notez que les phrases de la colonne de gauche expriment *ce qui arrive.*
Les phrases de la colonne de droite expriment *ce qui arriverait si* . . .

CE QUI ARRIVE—WHAT HAPPENS	CE QUI ARRIVERAIT SI . . . —WHAT WOULD HAPPEN IF . . .
1. Auguste l'appelle. Elle revient.	Si Auguste l'appelait, elle reviendrait.
2. Il craint la pluie. Il le dit.	S'il craignait la pluie, il le dirait.
3. Elle a vingt ans. Elle sait répondre.	Si elle avait vingt ans, elle saurait répondre.
4. Elle est jolie. Elle lui plaît.	Si elle était jolie, elle lui plairait.
5. Il meurt. Ondine se tue.	S'il mourait, Ondine se tuerait.

D. LE PROFESSEUR: Le chevalier a épousé Ondine. Il a déplu à la nature.
L'ÉTUDIANT: Si le chevalier avait épousé Ondine, il aurait déplu à la nature.

CE QUI EST ARRIVÉ—WHAT HAPPENED	CE QUI SERAIT ARRIVÉ SI . . . —WHAT WOULD HAVE HAPPENED IF . . .
1. Ondine a écouté. Elle a compris.	Si Ondine avait écouté, elle aurait compris.
2. Il est parti. Elle a pleuré.	S'il était parti, elle aurait pleuré.
3. Elle les a cirés. Ils ont brillé.	Si elle les avait cirés, ils auraient brillé.
4. Elle a osé faire une truite. Ondine s'est mise en colère.	Si elle avait osé faire une truite, Ondine se serait mise en colère.
5. Ils ont insisté. Elle a obéi.	S'ils avaient insisté, elle aurait obéi.
6. On me l'a dit. Je ne l'ai pas cru.	Si on me l'avait dit, je ne l'aurais pas cru.

Cet exercice peut se continuer en mettant les phrases de la colonne de gauche dans l'exercice C au passé.

7. Auguste l'a appelée. Elle est revenue.	Si Auguste l'avait appelée, elle serait revenue.

SUJET DE COMPOSITION

Imaginez la fin tragique de la légende. Quelle doit être la vie d'une ondine à la cour? Que veut-elle faire?

Review Lesson III

Révision du vocabulaire et des expressions du texte

A. Les expressions

TRADUISEZ:

1. I knew there must be a reason. — Je savais (bien) qu'il devait y avoir une raison.
2. I should have suspected it. — J'aurais dû m'en douter.
3. He wants to tell me what he knows about them. — Il veut me dire ce qu'il sait d'eux.
4. It doesn't take long. — Ça n'est pas long.
5. They call me Ondine. — On m'appelle Ondine.
6. It's all over. — C'est fini.
7. What are you getting at? — Où voulez-vous en venir?
8. That's the prettiest thing there is. — C'est ce qu'il y a de plus joli.
9. Something pretty. — Quelque chose de joli.
10. I think it's delicious. — Je le trouve succulent (ou délicieux).
11. I thought we were angry at each other. — Je nous croyais brouillés.
12. we Americans — nous autres Américains
13. There isn't any way. — Il n'y a pas moyen.
14. What do you have by way of meat? — Qu'est-ce que vous avez comme viande?
15. That's what courage is. — C'est cela le courage.

B. Les impératifs

TRADUISEZ:

1. Be quiet. (familiar) — Tais-toi.
2. Kill yourself. — Tuez-vous.
3. Excuse her. — Excusez-la.
4. Eat it. — Mangez-le, ou mangez-la.
5. Be careful, watch out. — Méfiez-vous.

80

c. Les verbes réfléchis

TRADUISEZ:

1. She keeps quiet.	Elle se tait.
2. She kills herself.	Elle se tue.
3. Why worry? (familiar form)	Pourquoi t'inquiéter?
4. What's your name? (familiar form)	Comment t'appelles-tu?
5. They say they are my parents.	Ils se disent mes parents.
6. I took the liberty of . . . (i.e., I allowed myself to)	Je me suis permis de . . .
7. to get angry	se mettre en colère, ou se fâcher
8. to go about it	s'y prendre

d. Le vocabulaire

TRADUISEZ:

1. to wet	mouiller
2. to trickle	ruisseler
3. to shiver	frissonner
4. to bore, bother	ennuyer
5. to cook	cuire
6. to catch up with	rattraper
7. to avoid	éviter
8. to hold back	retenir
9. to joke	plaisanter
10. a father-in-law	un beau-père
11. a prejudice	un préjugé
12. proud	fier

REMPLACEZ LES EXPRESSIONS EN ITALIQUES PAR UN SYNONYME:

1. Nous *avons peur de* la pluie.	craignons
2. Elle *a eu le courage* de faire une truite au bleu.	a osé
3. *Ondine* est une *œuvre dramatique*.	pièce
4. Ondine *est orpheline*.	n'a ni père ni mère
5. Nous sommes trop *indulgents* avec elle.	faibles
6. Vous êtes *dans votre maison*.	chez vous
7. Vous êtes *un animal*.	une bête
8. quelqu'un qui *n'aime pas* les hommes	déteste
9. J'ai *mis mes deux mains sur* mes oreilles.	bouché
10. Il *ne veut pas* se tuer.	n'a pas envie de
11. Tu *ne me connaissais pas*.	m'ignorais
12. *Il y a* un quart d'heure.	Voilà

13. C'est un peu *stupide*, les truites.   bête
14. *Tout ce qu'elle devait faire c'était d'*éviter les   Elle n'avait qu'à
hommes.
15. Ce qui n'est pas *le nôtre*.   à nous
16. *Tu te doutes de* l'identité de ses parents.   Tu soupçonnes
17. *Il n'est pas question de* parents.   Il ne s'agit pas de
18. *quand il commence à pleuvoir*   dès qu'il pleut
19. La nature n'ose pas *se fâcher*.   se mettre en colère
20. C'est un moment *horrible* à passer.   affreux

RÉPONDEZ PAR UN MOT OU DEUX AUX QUESTIONS SUIVANTES :

1. Qu'est-ce qu'il faut laver après le repas?   les assiettes
2. Avec quoi essuie-t-on (*wipe*) les assiettes?   avec un torchon
3. Comment Ondine aide-t-elle Eugénie?   dans le ménage
4. La pluie mise à part (*apart from the rain*) que   une puce
craignent les chevaliers?
5. Où le chevalier a-t-il mis son cheval?   dans la grange
6. Que faisait la truite depuis sa naissance?   elle nageait
7. Où Ondine se tiendra-t-elle quand elle accompagnera   un pas en arrière
Hans aux cérémonies?
8. Qu'est-ce qu'un chien porte autour du cou?   un collier

Révision des exercices

A. Les verbes

LE PROFESSEUR : Je vais.
L'ÉTUDIANT :   1. Vous allez.   2. Vous êtes allé.

1. Je vis.   Vous vivez. Vous avez vécu.
2. Je me tais.   Vous vous taisez. Vous vous êtes tu.
3. Je crains.   Vous craignez. Vous avez craint.
4. Je sers.   Vous servez. Vous avez servi.
5. Je me sens.   Vous vous sentez. Vous vous êtes senti.
6. Je dois.   Vous devez. Vous avez dû.
7. Je reviens.   Vous revenez. Vous êtes revenu.
8. Je vois.   Vous voyez. Vous avez vu.
9. Je m'assieds.   Vous vous asseyez. Vous vous êtes assis.
10. Je plais.   Vous plaisez. Vous avez plu.
11. Je comprends.   Vous comprenez. Vous avez compris.
12. Je sors.   Vous sortez. Vous êtes sorti.
13. J'ouvre.   Vous ouvrez. Vous avez ouvert.

B. Les adjectifs

TRADUISEZ :

1. I thought she was old.	Je la croyais vieille.
2. I thought he was old.	Je le croyais vieux.
3. There are little birds.	Il y a de petits oiseaux.
4. There are big lakes.	Il y a de grands lacs.
5. There are isolated cabins.	Il y a des cabanes isolées.
6. my adopted daughter	ma fille adoptive
7. these German legends	ces légendes allemandes

c. Le conditionnel

Joignez ensemble les phrases suivantes pour former des phrases condition-
nelles d'après le modèle anglais. Mais notez que les temps du verbe dans la
phrase introduite par *si* (*the if-clause*) ne sont pas toujours les mêmes en français qu'en anglais.

1. Elle sort. Ils s'inquiètent.
   If she went out, they would worry.

   Si elle sortait, ils s'inquiéteraient.

2. Elle part. Il est triste.
   If she left, he would be sad.

   Si elle partait, il serait triste.

3. Elle les cire. Ils brillent.
   If she would wax them, they would
   shine.

   Si elle les cirait, ils brilleraient. (En
   français on n'emploie jamais le conditionnel dans la phrase introduite
   par *si*.)

4. Il entre. Il peut s'asseoir.
   If he would go in, he could sit
   down.

   S'il entrait, il pourrait s'asseoir.

5. Elle a écouté. Elle a compris.
   If she had listened, she would have
   understood.

   Si elle avait écouté, elle aurait compris.

6. Il est entré. Il s'est assis.
   If he had gone in, he would have
   sat down.

   S'il était entré, il se serait assis.

7. Elle l'a évité. Elle n'a pas été prise.
   If she avoided him, she would not
   have been caught.

   Si elle l'avait évité, elle n'aurait pas
   été prise. (En français il faut employer le plus-que-parfait ici.)

8. Ils ont insisté. Elle a obéi.
   If they insisted, she would have
   obeyed.

   S'ils avaient insisté, elle aurait obéi.

L'HURLUBERLU[1] I

18

Jean Anouilh

DANS L'HURLUBERLU de Jean Anouilh, un général en retraite°
enseigne° le courage à son fils Toto, un garçon de douze ans.

LE GÉNÉRAL. Il te fait peur, le fils du laitier°?

TOTO. Oui.

LE GÉNÉRAL. Et qu'est-ce que tu fais, quand tu as peur?

TOTO. Je me sauve°.

LE GÉNÉRAL. Dans quelle direction?

TOTO. Par derrière°.

LE GÉNÉRAL. Ecoute-moi bien, ce n'est pas difficile. La prochaine fois,
    quand tu auras peur, au lieu de te sauver par-derrière, sauve-
    toi par-devant°. Devant ou derrière, qu'est-ce que ça peut bien
    te faire° à toi, pourvu que° tu coures? . . . Seulement,
    comme ça, c'est lui qui aura peur. Il n'y a pas d'autre secret.
    Au combat, tout le monde a peur. La seule différence est dans
    la direction qu'on prend pour courir.

TOTO. Et s'il n'a pas peur?

LE GÉNÉRAL. Si tu cours vite, il aura sûrement peur. Tu sais ce que c'est
    que du mininistafia?[2]

TOTO. Non.

LE GÉNÉRAL. Je vais t'en donner un morceau. [*Il va fouiller° dans le tiroir
    de son bureau et finit par trouver un morceau de buvard°
    rouge.*] Tiens! Ça fera l'affaire°. Il n'est plus d'aussi bonne
    qualité que celui d'avant-guerre°, mais ça agit° quand même.
    Voilà. Je ne t'en donne pas un grand morceau. Le mininistafia
    se fait rare° de nos jours°. Il faut l'économiser. Quand tu sens
    que tu vas avoir peur, tu en croques° un tout petit bout°.

[1] *Un hurluberlu* is an excitable person who is always going off in all directions. The
general is *un hurluberlu.* The play was presented on Broadway under the title *The
Fighting Cock.*

[2] a made-up word; a magic word for a magic substance.

VOCABULAIRE

en retraite in retirement
enseigner to teach
le laitier the dairyman
se sauver to run away
par derrière behind; the back way
par devant the front way; ahead
qu'est-ce que ça peut (bien) te faire?
    what do you care?
pourvu que provided that

fouiller to search, rummage
le buvard the blotting-paper
faire l'affaire to do the trick
d'avant-guerre prewar
agir to work, take effect
se faire rare to get scarce
de nos jours nowadays
croquer to munch
un bout a bit, a little

QUESTIONNAIRE

1. Que fait le général dans cette scène?
2. Qui fait peur à Toto?
3. Qu'est-ce qu'il fait quand il a peur?
4. Qu'est-ce que Toto devrait faire au lieu de se sauver par derrière?
5. Comment le général essaye-t-il de persuader Toto qu'il est aussi facile de se sauver par-devant que par-derrière?
6. Au combat quelle est la différence entre les "braves" et les "lâches" (*cowards*)?
7. Quelle objection Toto fait-il? Comment le général y répond-il?
8. Qu'est-ce que c'est que le mininistafia?
9. Que fait le général pour le trouver?
10. Quelle vertu le mininistafia a-t-il?
11. Pourquoi ne lui en donne-t-il qu'un petit bout?
12. De quelle qualité est-il?
13. Que fait-on quand on a peur?
14. Le général semble-t-il croire que les hommes et les choses de notre époque valent ceux d'autrefois? Justifiez votre réponse.

ETUDE DE MOTS

Il finit par trouver.	He finally finds.
Il finit par ne plus avoir peur.	At the end he isn't frightened any more.
J'ai fini par comprendre.	I finally understood.
Dites donc, vous finirez par m'agacer.	(If you keep that up) I'm going to get irritated.
Il finit par l'épouser.	He finally marries her.

EXERCICES

Demonstrative pronouns (24)

A. LE PROFESSEUR : Préférez-vous le buvard d'avant-guerre ou le buvard
d'aujourd'hui?

L'ÉTUDIANT : Je préfère celui d'avant-guerre.

1. Croyez-vous au système du général,   Je crois à celui du général.
   ou au système de son fils?
2. Suivez-vous l'exemple du général,   Je suis celui du général.
   ou l'exemple de son fils?
3. Aimez-vous mieux le fils du général,   J'aime mieux celui du général.
   ou le fils du laitier?
4. Suivez-vous le conseil de votre   Je suis celui de mon père.
   père, ou le conseil de votre mère?
5. Craignez-vous l'examen du mi-semestre,   Je crains celui du mi-semestre.
   ou l'examen de la fin du semestre?

Object pronouns (44, 46, 47A); Negatives (40)

B. LE PROFESSEUR : N'admets pas *que tu as peur.*

L'ÉTUDIANT : Il dit de ne pas l'admettre.

1. Ne prends pas *cette direction-là.*   Il dit de ne pas la prendre.
2. Ne fouille pas *dans ce tiroir.*   Il dit de ne pas y fouiller.
3. Ne donne pas *de mininistafia au fils*   Il dit de ne pas lui en donner.
   du laitier.
4. N'oublie pas *ce que je te dis.*   Il dit de ne pas l'oublier.
5. Ne va pas *dans la forêt.*   Il dit de ne pas y aller.
6. Ne déplais pas *à ta maman.*   Il dit de ne pas lui déplaire.
7. Ne mens jamais *à ton papa.*   Il dit de ne jamais lui mentir.
8. Ne croque pas *de chocolat entre*   Il dit de ne pas en croquer.
   les repas.
9. Ne tutoie plus *les domestiques.*   Il dit de ne plus les tutoyer.
10. Ne néglige pas *tes leçons.*   Il dit de ne pas les négliger.

SUJET DE COMPOSITION

Toto explique à sa sœur, Marie-Christine, comment il a appris à ne
pas avoir peur. Qu'est-ce qui arrivera la prochaine fois qu'il verra le fils du
laitier?

L'HURLUBERLU II

19

Jean Anouilh

Toto prend le "mininistafia" et demande:

TOTO. Et je l'avale° ?

LE GÉNÉRAL. Oui.

TOTO. Maman dira que c'est sale°.

LE GÉNÉRAL. Les femmes ne comprennent pas grand-chose° aux histoires de mininistafia. Il vaudra mieux° ne pas lui en parler.

TOTO. Et si elle me dit: "Qu'est-ce que tu as dans la bouche?"

LE GÉNÉRAL. Tu avales d'abord, et tu lui réponds: "Rien."

TOTO. Ça sera un mensonge°. La dernière fois que tu m'as expliqué l'honneur, tu m'as dit que l'honneur commandait de ne pas mentir.

LE GÉNÉRAL. Oui. Mais quand il s'agit d'une question d'honneur, précisément, on prend ça sur soi [1] et on ment quand même°. Bon Dieu, que tout est difficile! Dépêche-toi de grandir. Je t'expliquerai. Mais désormais°, puisque tu ne risques plus rien, maintenant que tu as du mininistafia, sauve-toi par-devant!

[*Entre le curé°.*]

LE GÉNÉRAL. Bonjour, Monsieur le Curé!

LE CURÉ. Mon général, il est cinq heures!

LE GÉNÉRAL. [*A Toto:*] Laisse-nous, fiston°. Nous avons, Monsieur le Curé et moi, à discuter de graves questions paroissiales°.

LE CURÉ. [*A Toto:*] Toi, je t'attends ce soir avec ta leçon de catéchisme, sue° cette fois! Et si tu bafouilles° encore, gare à° tes fesses°! [*Toto le regarde calmement en face, mange un morceau de mininistafia et sort dignement°.*]

---

[1] You make your mind up to do it, you take the responsibility for it.

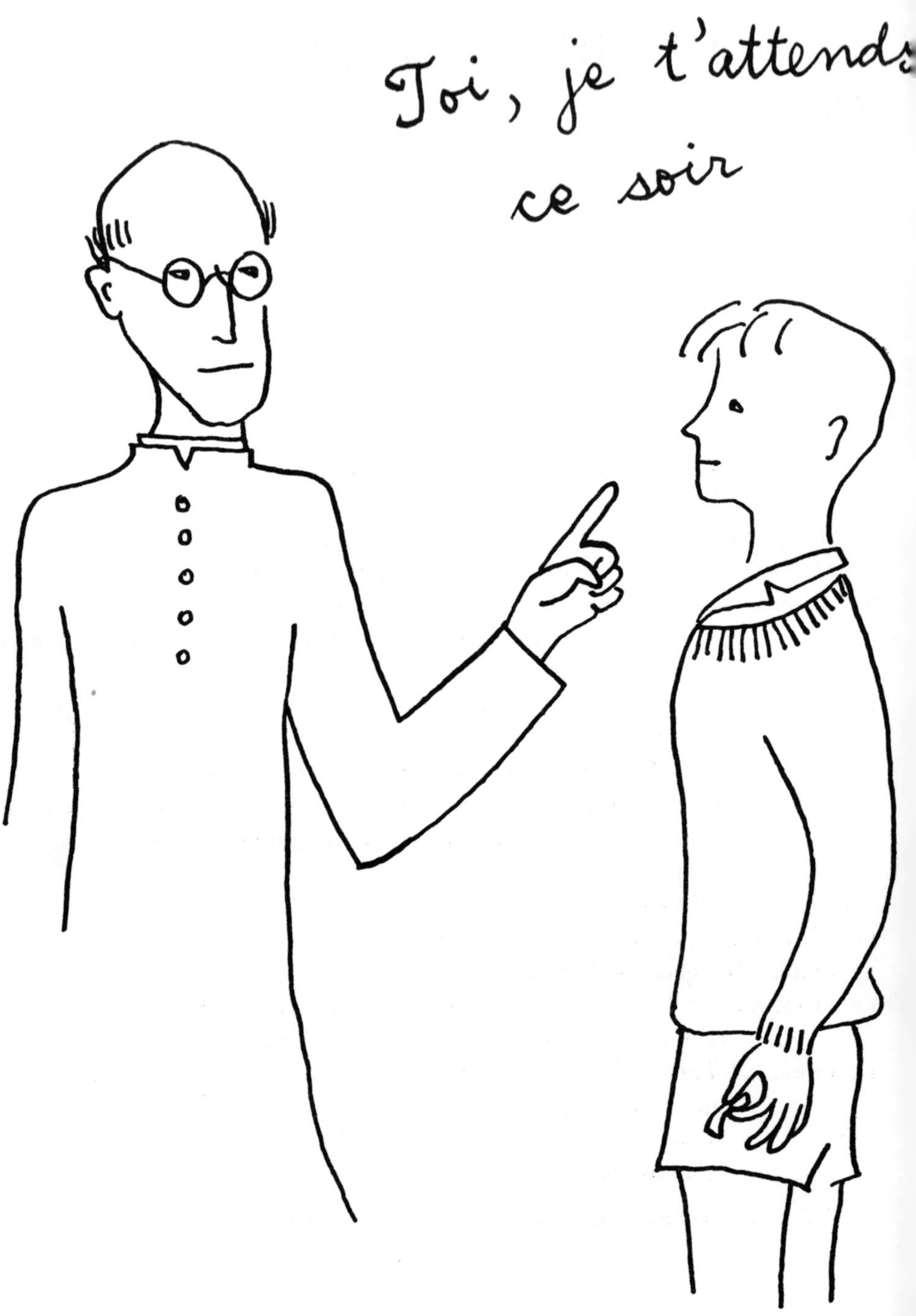
Toi, je t'attends
ce soir

VOCABULAIRE

avaler to swallow
sale dirty
pas grand-chose not much
il vaut mieux it is better
le mensonge the lie
quand même anyhow
désormais henceforth
le curé the priest
fiston son, kid (colloquial)

paroissial concerning the parish
su known
bafouiller to stammer, to talk nonsense
gare à watch out for
les fesses the bottom, the behind, the
   buttocks
[*la fessée* the spanking]
dignement with dignity; worthily

QUESTIONNAIRE

1. Pourquoi Toto hésite-t-il à avaler le morceau de buvard?
2. Pourquoi le général dit-il de ne pas en parler à sa maman?
3. Mais, selon Toto, quelle question lui posera-t-elle?
4. Selon le général, comment est-ce que Toto devrait répondre?
5. Quelle objection Toto fait-il? Comment le général semble-t-il se contredire? (*to contradict himself*)
6. Mais dans les questions d'honneur, que fait-on quand même?
7. Quand est-ce que le général expliquera tout ça à Toto?
8. Qu'est-ce que Toto doit faire désormais? Pourquoi?
9. Pourquoi le général dit-il à Toto de s'en aller?
10. Quelle recommandation le curé fait-il à Toto? Et quelle menace?
11. Comment Toto accueille-t-il (*greet*) cette menace?
12. Pourquoi n'a-t-il pas peur du curé?

ETUDE DE MOTS

1. *Elles ne comprennent pas grand-chose à ces histoires.*
   They don't understand much about these matters.
Je n'y comprends rien.
   I don't understand anything about it.
Je ne comprends rien à la philosophie.
   I don't understand anything about philosophy.

2. *pas grand-chose*
   not much
Qu'est-ce que vous avez mangé? Pas grand-chose.
   What did you eat? Not much.
Qu'est-ce qu'il y a comme vins? Pas grand-chose.
   What is there in the way of wine? Not much.

EXERCICES

Future (30)

A. LE PROFESSEUR: Toto va grandir. Quand est-ce que le général expliquera?

L'ÉTUDIANT: Quand Toto *aura grandi*. (Literally: When Toto will have grown up. In English this thought would be expressed by the phrase: After Toto has grown up, or when Toto has grown up.)

1. Le curé va arriver. Quand est-ce que Toto s'en ira?

   Quand le curé sera arrivé.

2. Toto va avaler le buvard. Quand est-ce qu'il aura du courage?

   Quand il aura avalé le buvard.

3. Toto va battre le fils du laitier. Quand est-ce qu'il sera fier?

   Quand il aura battu le fils du laitier.

4. Toto va se battre. Pourquoi sera-t-il fier?

   Parce qu'il se sera battu.

5. Toto va partir. Quand est-ce que le curé et le général commenceront leur conversation?

   Quand Toto sera parti.

6. Toto va étudier son catéchisme. Quand fera-t-il sa communion?

   Quand il aura étudié son catéchisme.

7. Il va apprendre toutes les réponses. Pourquoi répondra-t-il bien?

   Parce qu'il aura appris toutes les réponses.

8. Il va réussir aux examens. Quand passera-t-il dans la classe supérieure?

   Quand il aura réussi aux examens.

9. Son père va le lui expliquer. Quand comprendra-t-il?

   Quand son père le lui aura expliqué.

10. Il va revenir de l'école. Quand est-ce qu'ils reprendront leur conversation?

    Quand il sera revenu de l'école.

B. Repeat some of the above examples using the words *lorsque* (when) and *dès que* (as soon as) instead of *quand*. Some of the examples may also be answered with the expression *à partir du moment où* (literally, beginning at the moment when).

Prepositions (58)

C. LE PROFESSEUR: Tu grandis.   Dépêche-toi . . .

L'ÉTUDIANT: Dépêche-toi de grandir.

1. Je ne mens pas.
   L'honneur commande . . .   de ne pas mentir.

2. Je ne comprends pas.
   Pouvez-vous m'aider . . .   à comprendre?

3. Le fils du laitier se bat.
   Il aime . . .   se battre.
4. Toto avait peur.
   Il cesse . . .   d'avoir peur.
5. Le général et le curé discutent.
   Ils ont de graves questions . . . à discuter.
6. Toto fait ses devoirs.
   Il a beaucoup de devoirs . . .   à faire.
7. Toto reste calme.
   Son père l'a persuadé . . .   de rester calme.
8. Toto n'en parle pas.
   Il vaut mieux . . .   ne pas en parler.
9. Toto comprend son père.
   Il commence . . .   à le comprendre.
10. Le général comprend Toto.
    Il essaye . . .   de le comprendre.

SUJET DE COMPOSITION

Scène entre le général et sa femme. Elle est mécontente. Toto s'est battu avec le fils du laitier; de plus, il ne fait pas ses devoirs. Comment le général répond-il?

ORNIFLE I

20

Jean Anouilh

ORNIFLE est une comédie de Jean Anouilh. Ornifle est un
Don Juan très égoïste. Fabrice, un étudiant en médecine, est son fils naturel°.
Ils ne se sont jamais rencontrés. Fabrice arrive chez Ornifle, se présente,
et révèle son identité. Ornifle demeure calme jusqu'à ce que Fabrice dise:

FABRICE. Je suis venu pour vous tuer.

ORNIFLE. [*Sursaute°.*] Vous voulez rire° ?

FABRICE. [*Toujours calme.*] Non. Si vous croyez que c'est drôle d'avoir à
tuer quelqu'un! Seulement voilà.[1] Je l'ai juré°. A dix ans. Et
j'ai l'habitude de tenir ma parole°. . . .

ORNIFLE. [*Marche sur lui, furieux.*] Mais bougre de galopin°, . . . on n'a
pas le droit de venir faire des scènes pareilles chez les gens° !
C'est ridicule, d'abord° ! J'ai séduit° votre maman. Bon.[2] Elle
a eu un enfant. Bon. Mais enfin il y a vingt-cinq ans de cela° !
Qu'est-ce qui vous prend[3] à tomber de la lune comme un
aérolithe au bout de vingt-cinq ans?

FABRICE. Je n'avais pas votre adresse. Je n'ai su votre nom qu'à la mort
de maman.

ORNIFLE. Et qui vous prouve d'abord que votre mère n'a pas eu d'autre
amant° que moi en vingt-cinq ans?

FABRICE. [*Doucement.*] L'honneur. Maman avait beaucoup d'honneur.
Et je vous ai déjà dit qu'elle se considérait comme mariée
devant Dieu.

ORNIFLE. [*Ricane°.*] L'honneur. . . . L'honneur. . . . C'est trop facile.

FABRICE. [*Grave et un peu comique.*] Non. C'est difficile. C'est même
bigrement° difficile, croyez-moi. Si vous vous figurez que je
n'ai pas mieux à faire dans la vie, moi, que de vous tuer!
J'allais me marier et j'ai encore des examens à passer°.

[1] *Seulement voilà.*—But this is how it is.
[2] *Bon*—O.K.; granted.
[3] *Qu'est-ce qui vous prend?*—What's got into you? By what right do you . . . ?

VOCABULAIRE

le fils naturel the illegitimate son
sursauter to leap up
vous voulez rire? are you kidding?
jurer to swear
la parole the word
bougre de galopin young scamp (a term of abuse)
chez les gens in people's houses

d'abord in the first place
séduire to seduce
de cela since then
un amant a lover
bigrement terribly (colloquial)
ricaner to snicker
passer un examen to take an exam

QUESTIONNAIRE

1. Qui est Ornifle? Quelle sorte de personne Don Juan était-il?
2. Qui est Fabrice? Que fait-il?
3. Pourquoi Ornifle sursaute-t-il?
4. Qu'est-ce que Fabrice a juré? Quelle habitude a-t-il?
5. Quelle est la réaction d'Ornifle?
6. Qu'est-ce qu'il admet?
7. Pourquoi cette scène lui semble-t-elle ridicule? D'où Fabrice semble-t-il tomber?
8. Pourquoi Fabrice n'est-il pas venu avant?
9. Quelle objection Ornifle fait-il ensuite? (Pourquoi la fait-il?)
10. Comment Fabrice sait-il que sa mère n'a pas eu d'autre amant?
11. Qu'est-ce qu'elle se considérait?
12. Quelle opinion Ornifle a-t-il de l'honneur?
13. Et Fabrice, qu'est-ce qu'il en pense?
14. A-t-il d'autres choses à faire dans la vie? Quoi, par exemple?
15. Pourquoi veut-il tuer son père?
16. Est-ce que cette scène vous semble comique ou sérieuse?

ETUDE DE MOTS

1. *Qu'est-ce qui lui prend (à faire une chose pareille)?*   What makes him (do such a thing)?
   Je ne sais pas ce qui vous prend.   I don't know what's got into you.

2. *Votre mère n'a pas eu d'autre amant que moi.*   Your mother has had no lover except me.
   N'y a-t-il pas d'autre restaurant que celui-ci?   Isn't there any other restaurant except this one?

J'ai autre chose à faire que ça.   I have other things to do besides that.
J'ai mieux à faire que ça.   I have better things than that to do.

EXERCICES

Prepositions (58); Object pronouns (44–48)

A. LE PROFESSEUR: Ornifle appelle *ses domestiques.*
   L'ÉTUDIANT: Il les appelle.

   LE PROFESSEUR: Il se hâte.
   L'ÉTUDIANT: Il se hâte de les appeler.

1. Fabrice voit *Ornifle.*   Il le voit.
   Il vient.   Il vient le voir.
2. Il est *son fils naturel.*   Il l'est.
   Ou du moins, il prétend.   Ou du moins, il prétend l'être.
3. Fabrice répond *à son père.*   Il lui répond.
   Il se dépêche.   Il se dépêche de lui répondre.
4. Ornifle fait *des plaisanteries.*   Il en fait.
   Bientôt il cesse.   Bientôt il cesse d'en faire.
5. Fabrice met *son père* en colère.   Il le met en colère.
   Il réussit.   Il réussit à le mettre en colère.
6. Ornifle parle *à son fils.*   Il lui parle.
   Il tente.   Il tente de lui parler.
7. Fabrice fait peur *à son père.*   Il lui fait peur.
   Il veut.   Il veut lui faire peur.
8. Fabrice défend *la mémoire de sa mère.* Il la défend.
   Personne ne l'aide.   Personne ne l'aide à la défendre.
9. Ornifle va *à un bal masqué.*   Il y va.
   Ou plutôt il a envie.   Ou plutôt il a envie d'y aller.
10. Ornifle persuade *son fils.*   Il le persuade.
    Ou plutôt il croit.   Ou plutôt il croit le persuader.
11. Fabrice fait une *scène.*   Il en fait une.
    Il regrette.   Il regrette d'en faire une.
12. Ornifle se défend *de ces accusations.* Il s'en défend.
    Il ne néglige pas.   Il ne néglige pas de s'en défendre.
13. Fabrice répond *à son père.*   Il lui répond.
    Il sait.   Il sait lui répondre.

Demonstrative pronouns (24)

B. LE PROFESSEUR: Préférez-vous les pièces que vous lisez ou les pièces que
                     vous voyez?
   L'ÉTUDIANT: Celles que je vois. (ou: Celles que je lis; répondez d'après
                     votre opinion personnelle.)

1. La scène entre le chevalier et Ondine   Celle entre . . .
   ou la scène entre Fabrice et Ornifle?

2. Les exercices que nous faisons mainte-   Ceux que . . .
   nant, ou les exercices que nous faisions
   hier?

3. La leçon du général ou la leçon du   Celle du . . .
   curé?

4. Le cours que vous avez suivi l'année   Celui que . . .
   dernière, ou le cours que vous suivez
   maintenant?

5. Les étudiants qui posent des questions   Ceux qui . . .
   ou les étudiants qui se taisent?

6. Les pièces qui vous amusent ou les   Celles qui . . .
   pièces qui vous instruisent?

7. Les sujets de Jacques Prévert ou les   Ceux de . . .
   sujets de Jean Giraudoux?

8. Les personnes qui vous flattent ou les   Celles qui . . .
   personnes qui vous disent la vérité?

9. Le poème dont nous parlions hier ou   Celui dont . . .
   le poème dont nous parlons mainte-
   nant?

SUJET DE COMPOSITION

Dispute entre Fabrice et sa fiancée, Marguerite. Celle-ci lui dit qu'il ne
devrait pas essayer de tuer son père.

Allons, enlevez-la cette perruque

ORNIFLE II

21

Jean Anouilh

La scène continue:

ORNIFLE. [*Lui prend le bras.*] Eh bien, mon garçon, vous allez me faire le plaisir de vous marier d'abord; ce qui est toujours une bonne chose, de passer ensuite vos examens et de ne plus penser à toutes ces fariboles°! Vous avez besoin d'argent?

FABRICE. Non.

ORNIFLE. De quoi avez-vous besoin alors?

FABRICE. [*Aussi simplement que possible.*] D'honneur. Reculez-vous, je ne veux pas vous tuer à bout portant°. Et enlevez votre perruque.¹ Je ne veux pas non plus° que vous ayez l'air ridicule, mort. Vous êtes mon père, après tout. [*Il crie soudain.*] Allons, enlevez-la cette perruque, c'est dans votre propre° interêt! Je ne peux plus attendre, moi. Vous ne voulez pas l'enlever? Eh bien, je vais vous tuer comme ça. Tant pis pour vous! Vous serez ridicule!

[*Il tire° un pistolet de sa poche, le braque° sur Ornifle et tire. Le coup ne part pas.² Il tire encore nerveusement. . . . Ornifle regarde faire sans bouger°, puis s'écroule° soudain.*]

FABRICE. [*Lui crie:*] Attendez! Je n'ai pas encore tiré! [*Il regarde son pistolet.*] Je me demande bien où sont passées les balles?³ C'est encore un coup de Marguerite!⁴

[*Il jette son pistolet, furieux, voit Ornifle inanimé par terre.*]

FABRICE. [*Murmure.*] Il n'a pas le cœur solide cet homme-là.⁵

[*Il relève Ornifle, l'étend° sur le canapé°, écoute son cœur longuement.*]

---

¹ *La perruque*—the wig. Ornifle, the frivolous fellow, was on his way to a fancy dress ball when Fabrice made his unexpected call.
² *Le coup ne part pas.*—The gun doesn't go off.
³ *Où sont passées les balles?*—What has become of the bullets?
⁴ He guesses, correctly, that his fiancée, Marguerite, took the bullets out of the gun.
⁵ *Il n'a pas le cœur solide.*—He has a weak heart.

FABRICE. Pas de doute, c'est la maladie de Bishop.[6] Il a eu de la chance
    d'avoir affaire à° un médecin. . . . Je vais lui faire une
    piqûre°.

VOCABULAIRE

[*réussir à l'examen* to pass the exam]   *tirer sur* to shoot at
[*échouer à l'examen* to fail the exam]   *braquer* to aim
la faribole the piece of nonsense   *bouger* to move, budge
les fariboles nonsense   *s'écrouler* to collapse
à bout portant point-blank   *étendre* to stretch out
non plus neither   *le canapé* the couch
propre own   *avoir affaire à* to be dealing with
tirer to take out   *la piqûre* the injection

QUESTIONNAIRE

1. Quels conseils Ornifle donne-t-il à Fabrice? Quelles questions lui pose-t-il?
2. De quoi Fabrice a-t-il besoin?
3. Pourquoi veut-il qu'Ornifle recule?
4. Pourquoi veut-il qu'Ornifle enlève sa perruque?
5. Qu'est-ce qu'il lui dit de faire? Que fait Ornifle?
6. Que fait Fabrice avec son pistolet?
7. Pourquoi Ornifle n'est-il pas tué?
8. Que fait Ornifle d'abord? Et ensuite?
9. Que dit Fabrice quand il le voit s'écrouler?
10. Qu'est-ce que les spectateurs doivent probablement se demander à ce moment-là?
11. Qu'est-ce que Fabrice se demande?
12. Pourquoi le pistolet est-il vide?
13. Que dit Fabrice quand il voit Ornifle étendu par terre?
14. Que fait-il ensuite?
15. Quel est son diagnostic?
16. Pourquoi Ornifle "a-t-il de la chance?"

ETUDE DE MOTS

1. *le coup*   This is a very useful word. Two of its
                                       meanings are included in this lesson:

---

[6] Bishop's disease; a kind of heart disease.

(*a*) *un coup de pistolet* a pistol shot
    un coup d'épée a thrust with a sword
    un coup de vent a gust of wind

(*b*) *encore un coup de Marguerite* another one of Marguerite's tricks (or deeds)

    un sale coup a dirty trick
    Quel coup! What a brilliant stroke!
    le coup de théâtre a "trick" arranged by the dramatist which surprises the audience. Fabrice's pistol being unloaded but Ornifle collapsing anyhow is an excellent *coup de théâtre.*

EXERCICES

Subjunctive (70B)

A. LE PROFESSEUR: Moi, je ne bois pas.
    L'ÉTUDIANT: Oui, mais les autres boivent.
    UN AUTRE ÉTUDIANT: Alors, il faut que je boive aussi.

1. Moi, je ne comprends pas.
    (*a*) Oui, mais les autres comprennent.
    (*b*) Alors, il faut que je comprenne aussi.

2. Moi, je n'entends rien.
    (*a*) Oui, mais les autres entendent.
    (*b*) Alors, il faut que j'entende aussi.

3. Moi, je ne me bats pas.
    (*a*) Oui, mais les autres se battent.
    (*b*) Alors, il faut que je me batte aussi.

4. Moi, je n'écris rien.
    (*a*) Oui, mais les autres écrivent.
    (*b*) Alors, il faut que j'écrive aussi.

5. Moi, je ne lis pas.
    (*a*) Oui, mais les autres lisent.
    (*b*) Alors, il faut que je lise aussi.

6. Moi, je ne mens jamais.
    (*a*) Oui, mais les autres mentent.
    (*b*) Alors, il faut que je mente aussi.

7. Moi, je ne m'en sers pas.
    (*a*) Oui, mais les autres s'en servent.
    (*b*) Alors, il faut que je m'en serve aussi.

8. Moi, je ne viens pas.
    (*a*) Oui, mais les autres viennent.
    (*b*) Alors, il faut que je vienne aussi.

9. Moi, je ne suis pas ce cours.
    (*a*) Oui, mais les autres le suivent.
    (*b*) Alors, il faut que je le suive aussi.

10. Moi, je ne ris pas.
    (*a*) Oui, mais les autres rient.
    (*b*) Alors, il faut que je rie aussi.

11. Moi, je n'y tiens pas.   (a) Oui, mais les autres y tiennent.
                                    (b) Alors, il faut que j'y tienne aussi.

12. Moi, je ne le crains pas.   (a) Oui, mais les autres le craignent.
                                    (b) Alors, il faut que je le craigne aussi.

13. Moi, je n'en reçois pas.   (a) Oui, mais les autres en reçoivent.
                                    (b) Alors, il faut que j'en reçoive aussi.

14. Moi, je ne sors pas.   (a) Oui, mais les autres sortent.
                                    (b) Alors, il faut que je sorte aussi.

15. Moi, je ne dors pas.   (a) Oui, mais les autres dorment.
                                    (b) Alors, il faut que je dorme aussi.

16. Moi, je ne pars pas.   (a) Oui, mais les autres partent.
                                    (b) Alors, il faut que je parte aussi.

17. Moi, je ne le dis pas.   (a) Oui, mais les autres le disent.
                                    (b) Alors, il faut que je le dise aussi.

18. Moi, je ne finis jamais.   (a) Oui, mais les autres finissent.
                                    (b) Alors, il faut que je finisse aussi.

B. Même exercice, mais d'après le modèle suivant :

LE PROFESSEUR :   Moi, je bois.
L'ÉTUDIANT :   Voulez-vous que je boive aussi ?

SUJET DE COMPOSITION

Racontez cette scène au passé dans le style indirect, c'est-à-dire sans citations. Apportez-y des changements, d'autres détails si vous le voulez.

ORNIFLE III

22 ▬▬▬▬▬▬▬▬▬▬▬▬▬▬▬▬▬▬▬▬▬▬▬▬▬▬▬▬▬▬▬▬▬▬

Jean Anouilh

Fabrice, qui est venu tuer son père, reste pour le soigner°. Sa fiancée, Marguerite, l'attendait en bas dans l'automobile. Il descend la chercher, mais revient bientôt, affolé°. Elle s'est sauvée°! Ornifle, qui trouve Fabrice vraiment très gentil garçon après tout, vient à son aide.

ORNIFLE. Ne t'affole donc pas, mon garçon. On voit bien que tu en es à tes débuts![1] Elle est partie parce qu'elle avait trop froid dans la voiture ou qu'elle s'ennuyait tout simplement. Les femmes ont horreur d'attendre. C'est un supplice° qu'elles nous réservent.

FABRICE. Non. C'est plus grave. Marguerite est partie pour toujours. Elle m'a laissé une lettre, sur le volant°.

ORNIFLE. Montre-moi ça. [*Il parcourt la lettre des yeux°.*] Mon pauvre garçon, elle est très gentille cette lettre: Elle te dit qu'elle te déteste. . . . Dans les vraies lettres de rupture°, on se dit qu'on restera bons amis toute sa vie et on ne se revoit jamais. Si elle te hait°, c'est qu'elle te reverra demain.

FABRICE. Non. Demain elle sera partie.

ORNIFLE. Où?

FABRICE. En Afrique du Sud!

ORNIFLE. Décidément, la situation s'embrouille°! Où as-tu été dénicher° une fille qui, à la moindre contrariété°, s'en va bouder° en Afrique du Sud?

FABRICE. Son père ne voulait pas que je l'épouse. Il l'envoie passer deux ans chez son oncle qui est établi° là-bas. Il lui a pris son billet°. Mais Marguerite m'aimait. Elle devait° se sauver° de chez elle plutôt que d'obéir. Nous nous serions cachés un an: le temps° qu'elle soit majeure°. . . .

ORNIFLE. [*Ravi°.*] Plus de doute. C'est bien mon fils![2] J'ai enlevé° comme ça une demi-douzaine de jeunes filles que je devais épouser un an plus tard.

[1] It's easy to see that you are just beginning, i.e., that you don't know anything about women.
[2] He's my son, all right!

101

VOCABULAIRE

soigner to take care of
affolé panic-stricken
se sauver to run off
le supplice the torture
le volant the steering wheel
parcourir des yeux to glance through
la rupture the breaking off (of a
    friendship, a love affair)
haïr to hate
s'embrouiller to get confused
dénicher to discover (colloquial)

la contrariété the vexation
bouder to pout
établi settled
prendre un billet to buy a ticket
elle devait she was supposed to
se sauver to run away
le temps de . . . time enough to . . .
majeur of age
ravi delighted
enlever to abduct, carry away

QUESTIONNAIRE

1. Pourquoi Fabrice reste-t-il?
2. Où était Marguerite? Qu'a-t-elle fait?
3. Ornifle croit-il que Fabrice connaît bien les femmes?
4. Comment Ornifle explique-t-il le départ de Marguerite?
5. Qu'est-ce les femmes n'aiment pas faire? Quel est le supplice qu'elles réservent aux hommes?
6. Pourquoi Fabrice croit-il que Marguerite est partie pour toujours?
7. Que dit Marguerite dans sa lettre?
8. Selon Ornifle, pourquoi est-ce que ce n'est pas une vraie lettre de rupture?
9. Qu'est-ce qu'Ornifle est étonné d'apprendre?
10. Quelle question pose-il à Fabrice?
11. Pourquoi le père de Marguerite lui avait-il pris un billet pour l'Afrique du Sud?
12. Qu'est-ce qu'elle devait y faire?
13. Qu'est-ce qu'elle allait faire plutôt que d'obéir à son père?
14. Qu'est qu'ils auraient fait pendant un an? Pourquoi un an et pas deux?
15. Pourquoi Ornifle est-il certain maintenant que Fabrice est son fils?
16. Fabrice semble-t-il vraiment être un Don Juan comme son père?

ETUDE DE MOTS

1. *le temps qu'elle soit majeure*
   Le temps de prendre mes livres et je suis prêt.

long enough for her to come of age
I'll be ready as soon as I get my books.

Vos serez long? Non—le temps de m'habiller.	Will you take long? No—only as long as it takes me to get dressed.
Le temps de prendre son passeport et on part.	As soon as you get your passport you leave.
le temps de prendre les clefs	as soon as I get the keys

2. *Plus de doute!* — There's no more doubt about it!
   Plus de vin! — There's no more wine!
   Encore du vin! — More wine!
   Plus d'étudiants! — No more students!
   Il y a plus d'étudiants que l'année dernière. — There are more students than last year.

3. *La situation s'embrouille.* — The situation is getting confused.
   Tout cela vous embrouille? — Does all that get you mixed up?
   Je me suis embrouillé. — I got mixed up.

4. Note idiomatic omission of article:
   Il le trouve très gentil garçon. — He thinks he's a very nice boy.
   Ils restent bons amis. — They remain good friends.

EXERCICES

Demonstrative pronouns (24)

A. LE PROFESSEUR: Voici deux livres. Lequel préférez-vous?
L'ÉTUDIANT: Celui-là. (ou: Celui-ci.)

LE PROFESSEUR: Le livre que j'ai à la main?
L'ÉTUDIANT: Oui, celui que vous avez à la main.

1. Voici les quatre pièces que nous avons lues. Laquelle était la plus facile? — Celle-là.
   La pièce que nous avons lue au début? — Oui, celle que nous avons lue au début.

2. Voici une liste de mots. Lesquels comprenez-vous? — Ceux-là.
   Les mots que nous avons souvent répétés? — Oui, ceux que nous avons souvent répétés.

3. Voici des expressions difficiles. Lesquelles ignorez-vous? — Celles-là.
   Les expressions que nous n'avons pas répétées? — Oui, celles que nous n'avons pas répétées.

4. Voici les auteurs que nous avons lus. Lequel vous plaît? — Celui-là.
   L'auteur que vous connaissez le mieux? — Oui, celui que je connais le mieux.

Subjunctive (70–71)

B. LE PROFESSEUR :   Vous savez la réponse. Je le veux.

L'ÉTUDIANT :   Je veux que vous sachiez la réponse.

Notez qu'il y a, dans cet exercice, des expressions qui ne sont pas suivies du subjonctif.

1. Fabrice est médecin. Ornifle a de la chance.

   Ornifle a de la chance que Fabrice soit médecin.

2. Fabrice est médecin. Ornifle ne le sait pas.

   Ornifle ne sait pas que Fabrice est médecin.

3. Fabrice lui fait une piqûre. Il a fallu.

   Il a fallu que Fabrice lui fasse une piqûre.

4. Fabrice peut le guérir. Je doute.

   Je doute que Fabrice puisse le guérir.

5. Fabrice pourra le guérir. Je crois.

   Je crois que Fabrice pourra le guérir.

6. Fabrice veut le guérir. Ça m'étonne.

   Ça m'étonne que Fabrice veuille le guérir.

7. Fabrice a fait des études de médecine. Ornifle a de la chance.

   Ornifle a de la chance que Fabrice ait fait des études de médecine.

8. Maintenant Fabrice et Ornifle sont réconciliés. C'est étonnant.

   C'est étonnant qu'ils soient réconciliés.

9. Ils peuvent se comprendre. Je suis content.

   Je suis content qu'ils puissent se comprendre.

10. Il n'y a pas de balles dans le pistolet. Il est vrai.

    Il est vrai qu'il n'y a pas de balles dans le pistolet.

11. Il n'y a pas de balles dans le pistolet. C'est heureux.

    C'est heureux qu'il n'y ait pas de balles dans le pistolet.

12. Fabrice va chercher Marguerite. Il le faut.

    Il faut que Fabrice aille chercher Marguerite.

SUJET DE COMPOSITION

Ecrivez un monologue pour Marguerite qui attend dans l'automobile. Elle s'impatiente. Elle écrit la lettre. Elle s'en ira. Où? En Afrique du Nord?

ORNIFLE IV

23

Jean Anouilh

Ornifle fait venir Marguerite. Il voudrait la réconcilier avec Fabrice.

FABRICE. Marguerite. . . .

MARGUERITE. [*Recule°.*] Ne me touche pas! Tu ne me toucheras plus jamais! Tes mains d'assassin me font horreur°. . . .

FABRICE. [*Gémit°.*] Mais puisque je n'ai pas tué mon père! . . .

MARGUERITE. [*Hausse les épaules°.*] Je le sais bien que tu ne l'as pas tué, ton père, j'avais enlevé les balles du pistolet! Mais tu as préféré le faire et risquer de me perdre. Entre lui et moi c'est lui que tu as choisi! C'est ça que je ne pourrai jamais te pardonner. . . . Demain à cette heure-ci je serai dans l'avion°, toute seule, le cœur brisé°. J'essaierai de dormir. Je ne le pourrai pas. D'ailleurs, l'avion capotera° peut-être. . . .

FABRICE. [*Crie, se tordant les mains°:*] Marguerite!

MARGUERITE. [*Lointaine déjà.*[1]] Les autres hurleront° de peur. Pas moi. Après tout ce que j'aurai souffert, cela m'apparaîtra comme une délivrance. Je sourirai, étonnant tout le monde par mon calme. . . . Malheureusement, il n'y aura pas de survivants et on ne pourra pas venir te dire: "Au moment où l'avion piquait° vers les flots° sombres, elle souriait." J'aurais voulu que cette vision empoisonne à jamais ta vie! Adieu, Fabrice! [*Elle sort très noble.*]

FABRICE. [*Se redresse° et hurle, se précipitant°:*] Marguerite!

ORNIFLE. N'aie pas peur. C'est la salle de bain.[2] Elle va revenir. . . . Sont-ils bêtes! Et dire que° c'est ça l'amour.

Marguerite revient et tout finit bien.

---

[1] Already in another world.
[2] Marguerite ruins her grand exit by going out the wrong door.

Adieu, Fabrice !

VOCABULAIRE

reculer to draw back
faire horreur to horrify
gémir to moan
hausser les épaules to shrug one's shoulders
un avion an airplane
briser to break
capoter to crash

se tordre les mains to wring one's hands
hurler to yell
piquer to dive, go down
les flots the billows
se redresser to stand up, straighten up
se précipiter to rush forward
dire que . . . ! to think that . . . !

QUESTIONNAIRE

1. Pourquoi Ornifle fait-il venir Marguerite?
2. Pourquoi recule-t-elle? Qu'est-ce qui lui fait horreur?
3. Comment Fabrice s'excuse-t-il?
4. Pourquoi Marguerite sait-elle que Fabrice n'a pas tué son père?
5. Pourquoi est-elle fâchée? (*angry*)
6. Qu'est-ce qu'elle "ne pourra jamais pardonner"?
7. Où sera-t-elle demain? Qu'est-ce qu'elle y fera?
8. Pourquoi Fabrice se tord-il les mains?
9. Que feront les autres dans l'avion?
10. Quelle sera l'attitude de Marguerite?
11. Comment étonnera-t-elle tout le monde?
12. Pourquoi Fabrice ne saura-t-il pas ce qui s'est passé?
13. Qu'est-ce que Marguerite aurait voulu?
14. Qu'est-ce qu'il y a de mélodramatique dans cette scène imaginaire?
15. Que fait Fabrice quand Marguerite sort?
16. Qu'est-ce qui gâte (*ruins*) sa sortie?
17. Quelle opinion Ornifle a-t-il de ces jeunes gens? Et vous?

ETUDE DE MOTS

1. *Il a des mains d'assassin.* — He has hands like an assassin.
Il a des yeux de lynx. — He has eyes like a lynx (lynx-eyes).
Il a une tête de boxeur. — He has a head like a boxer.
Elle a des jambes de ballerine. — She has legs like a ballerina.

2. *Dire que c'est ça l'amour!*   To think that *that* is love!
   Dire qu'il y a deux heures il voulait   To think that just two hours ago he
   le tuer!   wanted to kill him!
   Dire que c'est vous mon père!   To think that *you* are my father!

EXERCICES

Future (30)

A. LE PROFESSEUR: Si elle va en avion, elle aura peur.
    L'ÉTUDIANT: Quand elle ira en avion, elle aura peur.
    LE PROFESSEUR: Quand elle arrivera, il sera content.
    L'ÉTUDIANT: Si elle arrive, il sera content.

1. Si elle part, il sera fâché.   Quand elle partira, il sera fâché.
2. Si tu as peur, tu prendras ça.   Quand tu auras peur, tu prendras ça.
3. Quand elle reviendra, il faudra lui   Si elle revient, il faudra lui parler.
   parler.
4. Si elle est calme, il pourra lui   Quand elle sera calme, il pourra lui
   parler.   parler.
5. Quand il verra le fils du laitier,   S'il voit le fils du laitier, Toto courra.
   Toto courra.
6. Si l'avion capote, les passagers   Quand l'avion capotera, les passagers
   hurleront.   hurleront.
7. Elle pourra sortir, si elle veut.   Elle pourra sortir, quand elle voudra.
8. Ornifle sourira, s'il se rappelle   Ornifle sourira, quand il se rappellera
   cette scène.   cette scène.
9. Fabrice sera étonné, quand elle ap-   Fabrice sera étonné, si elle apparaît.
   paraîtra.
10. Il y aura une scène touchante,   Il y aura une scène touchante, s'ils se
   quand ils se réconcilieront.   réconcilient.

Imperative (34)

B. LE PROFESSEUR: Il ne faut pas avoir peur.
    L'ÉTUDIANT: N'ayez pas peur. (ou: N'aie pas peur.)

1. Il faut le savoir.   Sachez-le.
2. Il faut être prudent.   Soyez prudent.
3. Il faut avoir du courage.   Ayez du courage.
4. Il faut en avoir.   Ayez-en.
5. Quel beau film! Il faut le voir.   Voyez-le.
6. Mais il faut y être à l'heure.   Soyez-y à l'heure.
7. Et il faut savoir le programme.   Sachez le programme.

8. Il faut avoir la patience d'attendre.   Ayez la patience d'attendre.
9. Il faut emmener les enfants.   Emmenez les enfants.
10. Il faut le leur expliquer.   Expliquez-le-leur.

SUJET DE COMPOSITION

Racontez un voyage dangereux que vous avez fait par avion. Il y a eu un atterrissage forcé (*a forced landing*). Qu'est-ce qui est arrivé?

Review Lesson IV

Révision du vocabulaire et des expressions du texte

A. Les expressions

TRADUISEZ :

1. What difference does it make to you? — Qu'est-ce que ça peut (bien) te faire?
2. That will do the trick. — Ça fera l'affaire.
3. Are you joking? — Vous voulez rire?
4. He strides up to him (menacingly). — Il marche sur lui.
5. What's got into you? — Qu'est-ce qui vous prend?
6. The gun (shot) doesn't go off. — Le coup ne part pas.
7. He has a weak heart. — Il n'a pas le cœur solide.
8. He is just beginning (in life, in business, in affairs of the heart). — Il en est à ses débuts.
9. to glance through, or up and down — parcourir des yeux
10. He bought her her ticket. — Il lui a pris son billet.
11. She was supposed to run away. — Elle devait se sauver.
12. No more doubt about it! — Plus de doute!
13. He's my son, all right! — C'est bien mon fils!
14. She shrugs her shoulders. — Elle hausse les épaules.
15. He wrings his hands. — Il se tord les mains.
16. And to think that that's what love is! — Et dire que c'est ça l'amour!

B. Le vocabulaire

TRADUISEZ :

1. provided that — pourvu que
2. the blotter — le buvard
3. a tiny bit — un tout petit bout
4. to swallow — avaler
5. to swear — jurer
6. first of all — d'abord

110

7. the lover — l'amant
8. to take an exam — passer un examen
9. point-blank — à bout portant
10. the wig — la perruque
11. to aim, point something at — braquer (quelque chose sur)
12. to move — bouger
13. to shoot at — tirer sur
14. to stretch out — étendre
15. to deal with (someone) — avoir affaire à (quelqu'un)
16. an injection — une piqûre
17. to get bored — s'ennuyer
18. the steering wheel — le volant
19. to pout, to sulk — bouder
20. settled — établi
21. of age — majeur
22. to moan — gémir
23. the bullet — la balle
24. the rescue, the release — la délivrance
25. an airplane — un avion
26. to crash (said of an airplane) — capoter

REMPLACEZ LES EXPRESSIONS EN ITALIQUES PAR UN SYNONYME.

1. un général *qui s'est retiré du service* — en retraite
2. Il lui *apprend* le courage. — enseigne
3. Dans un combat, il veut *s'échapper.* — se sauver
4. Il *cherche (en remuant des objets)* dans le tiroir. — fouille
5. Le mininistafia *devient difficile à trouver.* — se fait rare
6. Ça *produit un effet.* — agit
7. *malgré cela* — quand même
8. *à notre époque* — de nos jours
9. *manger quelque chose qui fait un bruit quand on le mange, un biscuit par exemple* — croquer
10. *discours contraire à la vérité* — le mensonge
11. *pas propre* — sale
12. Elles ne comprennent *pas beaucoup.* — pas grand-chose
13. *à partir de ce moment* — désormais
14. *Il trouve enfin.* — Il finit par trouver.
15. *parler d'une façon incohérente* — bredouiller
16. Si tu fais des erreurs, *prends garde!* — gare à toi!
17. J'ai l'habitude de *garder mes promesses.* — tenir ma parole
18. *le bâtard* — le fils naturel
19. *amusant* — drôle

20. des scènes *comme celle-ci*   pareilles
21. Ne pense plus à *ces choses frivoles.*   ces fariboles
22. Soudain Ornifle *parle très haut.*   crie
23. Soudain Ornifle *tombe par terre.*   s'écroule
24. Il l'étend sur *un sofa.*   un canapé
25. *Il s'occupe de sa santé.*   Il le soigne.
26. Les femmes *détestent* attendre.   ont horreur d'
27. *la torture*   le supplice
28. une bouteille que *je garde pour vous*   je vous réserve
29. *la division entre deux amis, deux amants*   la rupture
30. Elle *ne t'aime pas, te déteste.*   te hait
31. *se compliquer*   s'embrouiller
32. *trouver*   dénicher
33. *le mécontentement, l'obstacle*   la contrariété
34. Elle devait se sauver *de sa maison.*   de chez elle
35. *très heureux*   ravi
36. *cassé*   brisé

Révision des exercices

A. Le pronom démonstratif

TRADUISEZ :

Ce buvard est meilleur que . . .

1. that one   celui-là
2. the general's   celui du général
3. the kind they made before the war   celui d'avant-guerre
4. the one you have   celui que vous avez
5. He who runs away . . .   Celui qui se sauve . . .
6. What plays? Anouilh's?   Quelles pièces? Celles d'Anouilh?
7. People who like his plays . . .   Ceux qui aiment ses pièces . . .
8. Marguerite is the one he loves.   Marguerite est celle qu'il aime.
9. These are the hard expressions.   Celles-ci sont les expressions difficiles.
10. not those   pas celles-là
11. the ones in the book   celles dans le livre
12. the ones we are studying   celles que nous étudions

B. Les prépositions. Ajoutez le verbe *se taire* aux expressions suivantes.
Faites attention aux prépositions.

1. Il prétend.   Il prétend se taire.
2. Il se dépêche.   Il se dépêche de se taire.
3. Il croit.   Il croit se taire.

4. Il n'a que   Il n'a qu'à se taire.
5. Il regrette.   Il regrette de se taire.
6. On l'a persuadé.   On l'a persuadé de se taire.
7. Il commence.   Il commence à se taire.

c. Le futur

TRADUISEZ :

Toto comprendra l'honneur

1. when he has grown up	quand il grandira
2. after he has grown up	quand il aura grandi
3. when he fights	quand il se battra
4. after he's fought	quand il se sera battu
5. when he's twenty years old	quand il aura vingt ans
6. when his father leaves	quand son père partira
7. after his father has left	quand son père sera parti

D. Le subjonctif

LE PROFESSEUR :   Je vais. Il faut.
L'ÉTUDIANT :   Il faut que j'aille.

Notez qu'il y a dans cet exercice des expressions qui ne sont pas suivies du subjonctif.

1. Il peut le faire. Je suis étonné.	Je suis étonné qu'il puisse le faire.
2. Il est médecin. Ornifle a de la chance.	Ornifle a de la chance qu'il soit médecin.
3. Il le dit. Je ne crois pas.	Je ne crois pas qu'il le dise.
4. Il le fera. Je doute.	Je doute qu'il le fasse.
5. Il viendra. Je suis certain.	Je suis certain qu'il viendra.
6. J'écris. Il le faut.	Il faut que j'écrive.
7. Il vient. Ça m'étonne.	Ça m'étonne qu'il vienne.
8. Il veut le faire. Je sais.	Je sais qu'il veut le faire.

E. L'impératif

LE PROFESSEUR :   Il faut le faire.
L'ÉTUDIANT :   Faites-le.

1. Il faut le savoir.	Sachez-le.
2. Il faut en avoir.	Ayez-en.
3. Il faut être à l'heure.	Soyez à l'heure.

F. L'infinitif, le pronom complément

LE PROFESSEUR :   Ne passe pas tes examens.
L'ÉTUDIANT :   Elle dit de ne pas les passer.

1. Ne tue pas ton père.	Elle dit de ne pas le tuer.

2. Ne va pas chez ton père.   Elle dit de ne pas y aller.
3. Ne prends pas ton pistolet.   Elle dit de ne pas le prendre.
4. Ne parle pas à ton père.   Elle dit de ne pas lui parler.
5. Ne dis plus ces fariboles.   Elle dit de ne plus les dire.
6. Ne fais pas de bêtises.   Elle dit de ne pas en faire.

LES CARNETS DU MAJOR THOMPSON I

24

Pierre Daninos

LE MAJOR THOMPSON est un personnage inventé par l'humoriste français, Pierre Daninos. C'est un Anglais qui demeure en France; ses carnets° sont une série d'observations sur la vie française. Ses observations sont censées° être celles d'un Anglais typique. Il dit, par exemple que les Français ne sont pas vraiment polis. C'est-à-dire qu'ils ne se conduisent pas comme des Anglais.

Voici ce qu'il dit:

A la vérité, on ne saurait considérer que des gens
> qui gesticulent en parlant,
> qui parlent en mangeant, et souvent de ce qu'ils mangent,
> qui se croient obligés de faire la cour à° votre femme,
> qui jugent incorrect d'arriver à 8 h 30 quand ils sont priés° à 8 h 30,
> qui s'embrassent en public,[1]
> qui s'embrassent entre hommes . . .
> qui essaient de passer devant les autres dans une file d'attente°,
> qui parlent de la maîtresse d'un monsieur avant de parler de sa femme,
> qui rient des pieds du Président de la République s'ils sont trop grands
>   (voire° de ceux de la Présidente),
> qui utilisent des cure-dents° à table, ce qui pourrait passer inaperçu°
>   s'ils ne se croyaient obligés de mettre leur main gauche en para-
>   vent° devant leur bouche,
> enfin qui mettent leurs habits neufs le dimanche,

on ne saurait dire que ces gens soient véritablement civilisés ou même polis, du moins° dans le sens anglais du mot, c'est-à-dire le bon°.

Je n'en prendrai pour preuve finale que leur comportement à l'égard des° femmes: quand un Anglais croise° une jolie femme dans la rue, il la voit sans la regarder et ne se retourne jamais; très souvent, quand un

---

[1] French men and women who are good friends kiss each other on both cheeks when they are saying goodbye before a prolonged absence or hello after one.

Français croise une jolie femme dans la rue, il regarde d'abord ses jambes pour voir si elle est aussi bien° qu'elle en a l'air, se retourne pour avoir une meilleure vue de la question, et, *eventually,*[2] s'aperçoit qu'il suit le même chemin qu'elle.

Polis les Français? Plutôt galants!

VOCABULAIRE

le carnet the notebook
censé supposed
faire la cour à to court, to show special attention to
priés invited
la file d'attente the waiting line
voire even
le cure-dent the toothpick

inaperçu unnoticed
en paravent (m.) as a screen
du moins at least
le bon the right one
à l'égard de with respect to
croiser to pass (in the street)
bien good-looking

QUESTIONNAIRE

1. Le major Thompson existe-t-il vraiment?
2. Que sont ses carnets?
3. Selon le Major, comment est-ce que les Français devraient se conduire?
4. Que dit-il de leur façon de parler?
5. de leur comportement à table?
6. de leurs idées sur la ponctualité?
7. de leur comportement avec les femmes?
8. de ce qu'ils font en public? dans une file d'attente?
9. de leurs sujets de conversation?
10. de ce qui les fait rire?
11. Pourquoi est-ce que leur utilisation de cure-dents ne passe pas inaperçu?
12. Comment s'habillent-ils le dimanche?
13. Quel sens du mot *poli* est le bon, selon le Major?
14. Qu'est-ce qu'il prend comme preuve finale?
15. Que fait un Anglais quand il croise une jolie femme dans la rue?
16. Pourquoi un Français regarde-t-il ses jambes?
17. Pourquoi se retourne-t-il?
18. Et de quoi s'aperçoit-il enfin?

[2] The major uses an English word from time to time.

ETUDE DE MOTS

1. *On ne saurait dire.*   One could scarcely say.
   Je ne saurais vous le dire.   I couldn't tell you.
   Sauriez-vous l'expliquer?   Could you explain it?

2. *Elle est aussi bien qu'elle en a l'air.*   She is as pretty as she seems.
   Est-il aussi poli qu'il en a l'air?   Is he as polite as he seems?
   Est-il anglais? Il en a l'air.   Is he English? He seems to be.
   Il fait plus froid qu'il n'en a l'air.   It's colder than it seems.

EXERCICES

Imperative (34A); cf. also Present (62C, D)

A. LE PROFESSEUR: Moi, je parle au Major.
     L'ÉTUDIANT: Moi aussi; parlons au Major (ou: parlons-lui).

1. Moi, je sors.   Moi aussi; sortons.
2. Moi, je descends l'escalier.   Moi aussi; descendons l'escalier.
3. Moi, je dis bonjour à la concierge.   Moi aussi; disons bonjour à la concierge.
        Ou: disons-lui bonjour.
4. Moi, je me rends chez les Taupin.   Moi aussi; rendons-nous chez les Taupin.
        Ou: rendons-nous-y.
5. Moi, je prends ce taxi.   Moi aussi; prenons ce taxi. Ou: prenons-le.
6. Moi, je change d'avis. (*change my mind*)   Moi aussi; changeons d'avis.
7. Moi, je vais à pied.   Moi aussi; allons à pied.
8. Moi, je me promène un peu.   Moi aussi; promenons-nous un peu.
9. Moi, je m'assieds sur ce banc.   Moi aussi; asseyons-nous sur ce banc.
        Ou: asseyons-nous-y.
10. Moi, je regarde cette jolie fille.   Moi aussi; regardons cette jolie fille.
         Ou: regardons-la.
11. Moi, je me retourne. (*turn around*)   Moi aussi; retournons-nous.
12. Moi, je la suis.   Moi aussi; suivons-la.
13. Moi, je lui parle.   Moi aussi; parlons-lui.
14. Moi, je finis cet exercice.   Moi aussi; finissons cet exercice.
         Ou: finissons-le.

B. Refaites quelques phrases de l'exercice A, mais en suivant ce modèle :

LE PROFESSEUR : Sortez-vous?
L'ÉTUDIANT : Oui, je sors.

LE PROFESSEUR : Descendez-vous l'escalier?
L'ÉTUDIANT : Oui, je descends l'escalier.

Object pronouns (47)

C. LE PROFESSEUR : Est-ce que les Français parlent souvent *de ce qu'ils mangent?*

L'ÉTUDIANT : Oui, ils en parlent souvent.

1. Est-ce que les Français rient *des pieds du Président*   Oui, ils en rient.
   de la République?
2. Est-ce que les Français utilisent *des cure-dents?*   Oui, ils en utilisent.
3. Est-ce que les Anglais mettent *de vieux habits le*   Oui, ils en mettent.
   dimanche?
4. Est-ce que le Major observe *des habitudes françaises*   Oui, il en observe.
   qui le choquent?
5. Est-ce que le Major parle *de la galanterie français?*   Oui, il en parle.
6. Est-ce que le Major a *des idées nettes sur ce que c'est*   Oui, il en a.
   que la politesse?
7. Est-ce que le Major vient *de l'Angleterre?*   Oui, il en vient.
8. Est-ce que le Major raconte *des anecdotes au sujet*   Oui, il en raconte.
   des Français?
9. Est-ce que les Français ont *des idées sur la ponc-*   Oui, ils en ont.
   tualité que le Major trouve illogiques?

SUJET DE COMPOSITION

Vous êtes Française (ou Français). Vous écrivez au major Thompson pour attaquer (ou pour défendre) son opinion sur le comportement des Français avec les femmes. Inventez des détails, des expériences personnelles.

LES CARNETS DU MAJOR THOMPSON II

25

Pierre Daninos

Environné d'ennemis comme l'Anglais d'eau,[1] le Français, on le comprendra aisément, demeure sur ses gardes.

Il est méfiant°.

Il naît méfiant, grandit méfiant, se marie méfiant, et meurt d'autant plus méfiant que, comme ces timides qui ont des accès d'audace, il a souvent été victime d'attaques foudroyantes de crédulité.[2]

De quoi donc se méfie le Français? *Yes, of what exactly?*

De tout.

Dès qu'il s'assied dans un restaurant, lui qui vit dans le pays où l'on mange les meilleures choses du monde, M. Taupin[3] commence par se méfier de ce qu'on va lui servir. Des huîtres, oui.

"Mais, dit-il au maître d'hôtel, sont-elles vraiment bien°? Vous me les garantissez?"

Je n'ai encore jamais entendu un maître d'hôtel répondre:

"Non, je ne vous les garantis pas!" En revanche°, il peut arriver° de l'entendre dire: "Elles sont bien . . . Mais (et là il se penche en confident° vers son client) . . . pas pour vous°, monsieur Taupin . . .", ce qui constitue, surtout si M. Taupin est accompagné, une très flatteuse consécration.[4]

D'ailleurs, M. Taupin sait très bien que, si les huîtres sont annoncées sur la carte°, c'est qu'elles sont fraîches, mais il aime qu'on le rassure.

M. Taupin se méfie même de l'eau: il demande de l'eau fraîche comme s'il existait des carafes° d'eau chaude ou polluée. Il veut du pain frais, du vin qui ne soit pas frelaté°.

"Est-ce que votre pomerol° est bien? . . . On peut y aller°? . . . Ce n'est pas de la piquette°, au moins!"

---

[1] surrounded by enemies as an Englishman is by water.

[2] all the more suspicious since, like those timid people who have sudden fits of audacity, he has often been the victim of overwhelming attacks of gullibility.

[3] M. Taupin is a friend of the major's, a typical Frenchman.

[4] *consécration:* a flattering compliment to his taste as a gourmet.

119

Que serait-ce dans un pays comme le mien [5] où se mettre à table peut être une si horrible aventure!

Ayant ainsi fait un bon petit repas, M. Taupin refait mentalement l'addition.

"Par principe," me dit-il. S'il ne trouve pas d'erreur, il semble déçu°. S'il en déniche° une, il est furieux. Après quoi, il s'en va, plus méfiant que jamais, dans la rue.

VOCABULAIRE

méfiant suspicious
bien good, all right
en revanche (f.) on the other hand
il peut arriver it can happen
en confident confidentially
pas pour vous not good enough for you
la carte the menu

la carafe the pitcher
frelater to adulterate
pomerol a red wine
on peut y aller? is it safe to order it?
la piquette cheap, sour wine
déçu disappointed
dénicher to discover, unearth (colloquial)

QUESTIONNAIRE

1. Pourquoi le Français demeure-t-il sur ses gardes?
2. Est-ce que les timides sont *toujours* timides?
3. Est-ce que les méfiants sont *toujours* méfiants?
4. De quoi donc se méfie le Français?
5. Quelle opinion le Major a-t-il de la cuisine française? Et de la cuisine anglaise?
6. De quoi M. Taupin se méfie-t-il dans le restaurant?
7. Comment le maître d'hôtel peut-il flatter M. Taupin?
8. Quelle sorte de pain, d'eau, de vin M. Taupin veut-il?
9. Que fait-il à la fin du repas?
10. Pourquoi est-il déçu quelquefois après avoir refait mentalement l'addition?
11. Et qu'est-ce qui le rend furieux?
12. En quelle humeur est-il quand il s'en va dans la rue?

ETUDE DE MOTS

1. *en confident*	literally, as a confidant, a person you can confide in
en paravent	as a screen

[5] The major is from England, a country reputed to have very bad cooking.

Je vous parle en ami.	I am talking to you as a friend.
Je vais au bal en pirate.	I am going to the dance as a pirate.

2. *Il aime qu'on le rassure.* He likes to be reassured.
Il aime qu'on le flatte. He likes to be flattered.
Il aime qu'on lui parle. He likes to be spoken to.

EXERCICES

Object pronouns (48A)

A. LE PROFESSEUR: Ces huîtres, vous me les garantissez?
L'ÉTUDIANT: Non, je ne vous les garantis pas.

1. Ce rosbif, vous me le recommandez? Non, je ne vous le recommande pas.
2. Cette carte de vin, vous me l'apportez? Non, je ne vous l'apporte pas.
3. Ah! quel garçon! Ce plat vous me le servez au moins? Non, je ne vous le sers pas.
4. Ce maître d'hôtel, vous me l'appelez? Non, je ne vous l'appelle pas.
5. Dites donc, vous ne m'avez pas dit que vous êtes garçon dans ce restaurant? Non, je ne vous l'ai pas dit.

Partitive (52); Object pronouns (47)

B. LE PROFESSEUR: Trouvez-vous des erreurs à l'addition?
L'ÉTUDIANT: Non, je ne trouve pas d'erreurs à l'addition.
UN AUTRE ÉTUDIANT: Je n'en trouve pas.

1. Y a-t-il de l'eau dans ce vin? Non, il n'y a pas d'eau dans ce vin.
Il n'y en a pas.
2. Y a-t-il des huîtres aujourd'hui? Non, il n'y a pas d'huîtres aujourd'hui.
Il n'y en a pas.
3. Sert-on du vin dans ce restaurant? Non, on ne sert pas de vin dans ce restaurant.
On n'en sert pas.
4. Prenez-vous du fromage? Non, je ne prends pas de fromage.
Je n'en prends pas.
5. Commandez-vous du dessert? Non, je ne commande pas de dessert.
Je n'en commande pas.

C. LE PROFESSEUR: Est-ce que vous avez déniché *une erreur à l'addition?*
L'ÉTUDIANT: Oui, j'en ai déniché une.

1. Est-ce qu'il a souvent été victime *d'attaques foudroyantes de crédulité?* Oui, il en a souvent été victime.

2. Est-ce qu'il se méfie *de tout ce qu'on lui sert?*

Oui, il s'en méfie.

3. Est-ce que l'on commande d'ordinaire une douzaine *d'huîtres?*

Oui, on en commande d'ordinaire une douzaine.

4. Est-ce qu'il y a beaucoup *de clients dans le restaurant à huit heures du soir?*

Oui, il y en a beaucoup.

5. Est-ce qu'il y a plusieurs *bonnes choses sur le menu?*

Oui, il y en a plusieurs.

6. Est-ce que le maître d'hôtel lui apporte une *bouteille de pomerol?*

Oui, il lui en apporte une.

7. Est-ce que M. Taupin commande une deuxième *bouteille, plus tard?*

Oui, il en commande une deuxième.

8. A la fin du repas, est-ce qu'il a l'air *d'être toujours méfiant?*

Oui, il en a l'air.

9. Est-ce que vous connaissez la fin *de l'histoire de M. Taupin dans le restaurant?*

Oui, j'en connais la fin.

SUJET DE COMPOSITION

M. Taupin vous a invité(e) à dîner dans un restaurant. Quelle impression a-t-il faite sur vous? Qu'est-ce qui est arrivé? Ne copiez pas le texte de la leçon.

LES CARNETS DU MAJOR THOMPSON III

26

Pierre Daninos

Il y a quelque temps, comme je me rendais° gare d'Austerlitz pour aller dans une petite ville du Sud-Ouest avec M. Taupin, celui-ci° m'a averti° qu'il ferait une courte halte dans une pharmacie pour acheter un médicament dont il avait besoin.

"*Too bad!* . . . Vous êtes souffrant°? ai-je demandé.

—Non, pas du tout, mais je me méfie de la nourriture° gasconne°.

—Ne pouvez-vous acheter votre médecine sur place°?

—On ne sait jamais, dans ces petites villes. . . . Je serai plus tranquille si je la prends° à Paris."

A ma grande surprise, notre taxi a dépassé plusieurs pharmacies, en lesquelles M. Taupin ne semblait pas avoir confiance. J'ai compris alors le sens de cette inscription française qui m'avait toujours laissé perplexe: En vente dans toutes les bonnes pharmacies. Celles que je venais de voir, évidemment, c'étaient les autres.

Enfin, nous nous sommes arrêtés devant la bonne. En revenant à la voiture, un petit flacon° à la main, M. Taupin m'a dit, comme pour s'excuser:

"Je me méfie plutôt° de tous ces médicaments qui ne servent stricte-ment à rien.[1] Mais ma femme, elle, y croit. . . ."

Comme nous gagnions° la gare, j'ai remarqué que M. Taupin, inquiet, jetait de temps en temps un coup d'œil sur sa montre. Il devait° se méfier de "son heure°," car il a fini par demander au chauffeur s'il avait l'heure exacte. Il a paru tranquillisé par l'heure du taxi qui ne différait pas sensible-ment° de la sienne. Mais, arrivé à la gare, il a fait une ultime° vérification dans la cour° en m'expliquant que les horloges extérieures des gares avancent toujours de trois minutes pour que les gens se pressent. M. Taupin a donc mis sa montre à l'heure de la gare moins trois minutes, plus une minute d'avance pour le principe, ce qui lui a fait perdre au moins soixante secondes.

---

[1] *Ils ne servent strictement à rien.*—They are completely useless.

Nous nous sommes dirigés ensuite vers notre train et nous nous sommes installés à deux coins-fenêtre.[2] Puis nous sommes descendus faire quelques pas° sur le quai°, mais, auparavant°, il a marqué trois places de son chapeau, de son parapluie et de mon waterproof.

"Nous ne sommes que deux, lui ai-je fait observer.

—C'est plus sûr, m'a-t-il dit, les gens sont tellement sans gêne° !"

Quant au° train, je pensais M. Taupin rassuré puisqu'il avait consulté l'indicateur°; pourtant, avisant° un employé, il lui a demandé:

"On ne change pas,[3] n'est-ce pas, vous êtes sûr?"

Et, se tournant vers moi:

"Avec ces indicateurs, je me méfie. . . ."

VOCABULAIRE

se rendre to go	*sensiblement* perceptibly
celui-ci the latter	*ultime* last
avertir to warn	*la cour* the court; here, open area in
souffrant not feeling well	front of station
la nourriture the food	*faire quelques pas* to stroll
gascon from Gascogne	*le quai* the platform
sur place on the spot, locally	*auparavant* beforehand
prendre to buy	*sans gêne* free and easy, inconsider-
le flacon the little bottle	ate
plutôt rather	*quant à* as for
gagner to reach	*un indicateur* a timetable
il devait he must have	*aviser* to catch sight of
"son heure" his time, i.e., what his	
watch said	

QUESTIONNAIRE

1. Où le Major allait-il avec M. Taupin?
2. Où se sont-ils arrêtés? Pourquoi?
3. Pourquoi M. Taupin a-t-il besoin d'un médicament?
4. Pourquoi ne l'achète-t-il pas sur place?
5. Qu'est-ce qui a surpris le Major?
6. Quelle inscription française l'avait toujours laissé perplexe?
7. Quelle supposition fait-il au sujet des pharmacies qu'ils dépassent?

[2] *coins-fenêtre*—corner seats by the window in the compartment.
[3] *On ne change pas.*—We won't have to change trains.

8. Quelle attitude M. Taupin a-t-il envers les médicaments? Et sa femme?
9. Comment le Major savait-il que M. Taupin se méfiait de "son heure"?
10. Pourquoi était-il tranquillisé par l'heure du taxi?
11. En quoi les horloges extérieures des gares diffèrent-elles des autres?
12. Qu'est-ce qui a fait perdre soixante secondes à M. Taupin?
13. Où se sont-ils installés?
14. Pourquoi sont-ils descendus?
15. Comment M. Taupin a-t-il marqué les places?
16. Pourquoi en a-t-il marqué trois?
17. Pourquoi le Major pensait-il que M. Taupin était rassuré quant au train?
18. Pourquoi ne l'était-il pas?
19. Quelle question a-t-il posée à un employé?

ETUDE DE MOTS

1. *Ils ne servent à rien.*   They are useless, they serve no purpose.
A quoi ça sert?   What good is it? What's it for?
Les règles servent à mesurer.   Rulers are used for measuring.

2. *Il devait se méfier.*   He must have been suspicious.
Il doit étonner le Major.   He must astonish the major.
Pourtant, il a dû lire l'indicateur.   Yet he must have read the timetable.
Regardez-le. Il doit être Anglais.   Look at him. He must be an English-man.

EXERCICES

Possessive pronouns (56)

A. LE PROFESSEUR: Moi, j'ai mes idées sur la politesse, et eux, . . .
    L'ÉTUDIANT: (complète la phrase) : . . . ils ont les leurs.

1. Les Français ont leurs médicaments favoris, et nous, . . .   nous avons les nôtres.
2. Vous, vous préférez votre médecine, et moi, . . .   je préfère la mienne.
3. Lui, il a sa pharmacie favorite, et sa femme . . .   elle a la sienne.
4. Sa femme a son idée sur les médicaments, et lui, . . .   il a la sienne.
5. Moi, j'ai mon restaurant favori, et toi, . . .   tu as le tien.
6. Moi, je me méfie de ma montre, et vous, . . .   vous vous méfiez de la vôtre.
7. Moi, je me méfie de mon indicateur, et vous, . . .   vous vous méfiez du vôtre.

8. Le Major croit à son système, et M.   croit au sien.
   Taupin, . . .
9. Le Major croit à ses idées, et M. Taupin, . . .   croit aux siennes.
10. Nous, nous avons nos principes et eux, . . .   ils ont les leurs.
11. Le Major parle de son dernier voyage, et M.   parle du sien.
    Taupin . . .
12. Nous, nous nous méfions quelquefois de nos   ils se méfient des leurs.
    médicaments, et eux, . . .
13. Vous, vous ôtez votre chapeau, et moi, . . .   j'ôte le mien.
14. Moi, je consulte mon indicateur, et elle, . . .   elle consulte le sien.

Partitive (51–52); Articles (12–14)

B. Le professeur dira une phrase incomplète. L'étudiant la complétera en y
ajoutant les mots *l'eau, de l'eau, d'eau,* ou *eau.*

> LE PROFESSEUR :   _____ glacée, s'il vous plaît.
> L'ÉTUDIANT :   De l'eau glacée, s'il vous plaît.

1. L'Angleterre est entourée _____.   L'Angleterre est entourée d'eau.
2. Ici on boit beaucoup _____.   Ici on boit beaucoup d'eau.
3. Les Français détestent _____ glacée.   Les Français détestent l'eau glacée.
4. Les Américains aiment _____ glacée.   Les Américains aiment l'eau gla-
                                          cée.
5. M. Taupin se méfie _____.   M. Taupin se méfie de l'eau.
6. Il demande _____.   Il demande de l'eau.
7. Il demande une carafe _____.   Il demande une carafe d'eau.
8. Il veut _____ qui soit fraîche.   Il veut de l'eau qui soit fraîche.
9. _____ n'est pas annoncée sur la carte.   L'eau n'est pas annoncée sur la
                                             carte.
10. Garçon, _____, s'il vous plaît.   Garçon, de l'eau, s'il vous plaît.
11. Moi, je prends mon vin avec _____.   Moi, je prends mon vin avec de
                                          l'eau.
12. Moi, je préfère le vin sans _____.   Moi, je préfère le vin sans eau.
13. _____ est nécessaire à la vie.   L'eau est nécessaire à la vie.
14. Tout le monde a besoin _____.   Tout le monde a besoin d'eau.
15. Il n'y a pas _____.   Il n'y a pas d'eau.

SUJET DE COMPOSITION

Décrivez les préparatifs du voyage de M. Taupin. Mme Taupin lui dit de
se dépêcher, d'écrire souvent, de ne pas faire de bêtises, etc. (Elle se méfie aussi.)

LES CARNETS DU MAJOR THOMPSON IV

27

Pierre Daninos

Quand un Anglais rencontre un autre Anglais, il lui dit: "Comment allez-vous?" et on lui répond: "Comment allez-vous?"

Quand un Français rencontre un Français, il lui dit: "Comment allez-vous?" et l'autre commence à lui donner des nouvelles de sa santé.

A première vue, la méthode britannique paraît loufoque°. Mais à la réflexion elle est peut-être plus rationnelle que la méthode française. En effet, dans le premier cas, personne n'écoute personne°. Mais dans le second, le Français n'écoute pas ce qu'on lui répond. Ou° il est en bonne santé, et la santé des autres lui importe peu; ou° il est grippé, et sa grippe seule est importante. Exemple:

"Toujours° ma sciatique°. . . .

—Ah! . . . la sciatique! Figurez-vous° que moi, c'est le long de la jambe gauche. . . . En 1951 j'avais été voir un spécialiste . . . encore un°! Vous ne savez pas ce qu'il me dit? . . ."

. . . Et le Français qui souffre, souffre davantage encore d'avoir à taire sa sciatique '54 [1] pour écouter la névrite° '51 de l'autre. . . .

S'étant ainsi enquis° de leur santé respective, de celle de leurs proches°, et des enfants (Photos? . . . Superbes! . . . Mais je vais vous montrer les miens . . .), les Français passent au: Qu'est-ce que vous devenez?

A l'encontre des° Anglais, qui ne se posent jamais une question aussi angoissante°, les Français veulent absolument savoir ce qu'ils deviennent. C'est-à-dire qu'en une minute il faut leur dire si l'on ne divorce pas, si l'on n'a pas déménagé° et surtout si l'on est . . .

. . . toujours au Crédit Lyonnais . . .

. . . ou aux Assurances Réunies . . .

. . . ou à la Compagnie des Pétroles . . .

Comme si l'interlocuteur s'étonnait de ce que l'on vous y garde aussi longtemps.[2]

[1] To have to keep quiet about the sciatica he had in '54.
[2] That is, as if he were surprised that they hadn't fired you yet.

Après cet inventaire, au cours duquel on n'a pas manqué° de se lamenter sur le mauvais sort qui vous poursuit[3] et la bonne fortune qui atteint les autres, il est d'usage de faire un rapide retour sur° la santé avec un: "Enfin, vous avez la santé, c'est le principal, allez!"

La conversation continue pendant quelques instants encore pour se terminer sur le non moins traditionnel: "Il faut que je me sauve[4]. . . . Allez, au revoir, allez!"

J'ai demandé à plusieurs autochtones° la raison de l'emploi quasi° rituel du mot "Allez!" Personne n'a pu m'éclairer° vraiment. Je pense qu'il s'agit d'une sorte de moyen de locomotion invisible sur lequel le Français aime partir en quittant un autre Français. *Really most peculiar.* . . .

VOCABULAIRE

loufoque (colloquial) crazy
personne n'écoute personne nobody listens to anyone
ou . . . ou either . . . or
toujours still
la sciatique sciatica
figurez-vous que imagine, fancy
encore un! yet another one!
la névrite neuritis
enquis enquired

les proches the relatives
à l'encontre de unlike
angoissant agonizing
déménager to move (out)
manquer de to fail to
faire un rapide retour sur come quickly back to
un autochtone a native
quasi almost
éclairer to enlighten

QUESTIONNAIRE

1. Que répond l'Anglais à la question "Comment allez-vous?"? Et le Français?
2. Pourquoi la méthode brittanique est-elle peut-être plus rationnelle?
3. Quel est l'inconvénient de la méthode française?
4. S'il est en bonne santé quel intérêt l'interlocuteur a-t-il à la santé des autres?
5. Et qu'est-ce qui l'intéresse s'il est grippé?
6. Que dit votre interlocuteur au sujet de sa sciatique à lui? (*about his own sciatica*)
7. Pourquoi celui qui souffre souffre-t-il alors davantage?
8. De quoi les deux interlocuteurs s'enquièrent-ils ensuite?
9. Qu'est-ce qu'ils se montrent l'un l'autre?
10. Quelle est la question angoissante que les Anglais ne se posent jamais?

[3] the evil fate which pursues one; (*vous* is the object pronoun form of *on*).
[4] I must be running along.

11. Qu'est-ce que les Français veulent savoir quand ils vous demandent ce que vous devenez?
12. Pourquoi la demande si on est toujours au Crédit Lyonnais, aux Assurances Réunies, semble-t-elle assez impolie au Major?
13. Sur quoi ne manque-t-on pas de se lamenter au cours de cet inventaire?
14. Comment fait-on un rapide retour sur la santé à la fin?
15. Quelle est la terminaison traditionnelle de toutes les conversations?
16. Qu'est-ce que personne n'a pu expliquer au Major?
17. Quelle explication le Major offre-t-il de l'emploi quasi rituel du mot "Allez"?

ETUDE DE MOTS

1. *Il faut que je me sauve.* — I must be running along.
   Quand il a peur il se sauve. — When he's afraid he runs away.
   Sauve qui peut! — Every man for himself!

2. *La santé des autres lui importe peu.* — The health of others matters little to him.
   Peu lui importe. — Little does he care.
   n'importe — it doesn't matter
   n'importe qui — anyone (literally, it doesn't matter who)
   n'importe quand — any time

EXERCICES

Object pronouns (44) ; Infinitive (35A)

A. LE PROFESSEUR: Dites-moi *ce que vous pensez de cette histoire.*
   L'ÉTUDIANT: Je viens de vous le dire.

1. Lisez-moi *ce passage.* — Je viens de vous le lire.
2. Expliquez-moi *la méthode britannique.* — Je viens de vous l'expliquer.
3. Dites-moi *qui est votre spécialiste.* — Je viens de vous le dire.
4. Montrez-moi donc *ces photos.* — Je viens de vous les montrer.
5. Demandez-moi donc *ce que je deviens.* — Je viens de vous le demander.
6. Ecrivez-moi *votre nouvelle adresse dans ce carnet.* — Je viens de vous l'écrire.

Present (63)

B. LE PROFESSEUR: J'ai été malade pendant deux mois. (*I was sick for two months.*)

L'ÉTUDIANT: Je suis malade depuis deux mois. (*I have been sick for two months.*)

PAST; NOT HAPPENING ANY MORE	PRESENT; STILL HAPPENING
1. J'ai travaillé au Crédit Lyonnais pendant trois ans.	Je travaille au Crédit Lyonnais depuis trois ans.
2. J'ai regardé les jolies femmes pendant ma jeunesse.	Je regarde les jolies femmes depuis ma jeunesse.
3. Il se méfiait pendant notre voyage.	Il se méfie depuis notre voyage.
4. Il a parlé pendant deux heures.	Il parle depuis deux heures.
5. J'ai été malade, hier.	Je suis malade depuis hier.
6. Il a demeuré en France en '54.	Il demeure en France depuis '54.
7. J'ai déjeuné ici il y a trois ans.	Je déjeune ici depuis trois ans.
8. Je l'ai connu au moment de la libération.	Je le connais depuis la libération.

Negatives (39C); Object pronouns (47)

C. LE PROFESSEUR: Qui parle *de la situation politique?*
  L'ÉTUDIANT: Personne n'en parle.
  LE PROFESSEUR: A quoi pensiez-vous?
  L'ÉTUDIANT: Je ne pensais à rien.

1. Qui veut déménager s'il est bien installé?	Personne ne veut déménager s'il est bien installé.
2. A qui les Anglais posent-ils *des questions personnelles?*	Ils n'en posent à personne.
3. Qui avez-vous rencontré ce matin?	Je n'ai rencontré personne.
4. Qu'est-ce que vous avez dit?	Je n'ai rien dit.
5. A qui avez-vous montré *des photographies de la famille?*	Je n'en ai montré à personne.
6. De quoi se méfie le Major?	Il ne se méfie de rien.
7. Qui avez-vous invité pour ce soir?	Je n'ai invité personne.
8. Qui s'expose volontiers à la grippe?	Personne ne s'expose volontiers à la grippe.
9. A qui avez-vous parlé *de vos affaires?*	Je n'en ai parlé à personne.
10. Qu'est-ce qui rassure M. Taupin?	Rien ne rassure M. Taupin.

SUJET DE COMPOSITION

Vous rentrez tard chez vous. Vous expliquez à votre femme (ou à votre mari) que vous avez été retenu (*detained*) par la rencontre inattendue d'une vieille connaissance qui ne voulait pas finir de parler. Détails.

LES CARNETS DU MAJOR THOMPSON V

28

Pierre Daninos

Je dois le confesser: j'ai toujours trouvé étrange l'attraction exercée sur les Français par le pas des portes. Ils ont notamment°, arrivés à cet endroit, une façon de se dire au revoir en ayant soin de ne pas° se quitter dont on chercherait en vain l'équivalent dans le Commonwealth, et sans doute dans le reste du monde. Au moment même où ils doivent se séparer après avoir causé pendant deux heures, ils trouvent une quantité de choses capitales à se dire. C'est un peu ce qui se passe avec les femmes au téléphone: il suffit qu'elles se disent "au revoir" pour trouver soudain à parler d'une foule de choses.

J'ai été plus particulièrement frappé par cette attitude le jour où, de retour° en France après une longue mission en Mésopotamie, j'ai cru être l'objet d'une hallucination; j'ai aperçu en effet mon vieil ami M. Taupin dans la position exacte où je l'avais laissé six mois auparavant: sur le seuil° de sa maison, il disait toujours° au revoir à M. Charnelet. La fréquentation du désert m'ayant accoutumé aux mirages, je n'en ai d'abord pas cru mes yeux. Discrètement, je me suis rapproché. J'ai vu alors M. Taupin reculer° de quelques pas, lever les bras en l'air et revenir d'un air menaçant sur M. Charnelet, qu'il a saisi par le revers° de son manteau et qu'il a commencé à secouer° d'avant en arrière°. Il était évident, pour un Anglais du moins, qu'ils allaient en venir aux mains°. Je m'apprêtais à° les séparer lorsque je les ai entendus éclater de rire. A ce moment, ils m'ont reconnu.

"Ma parole, cria M. Taupin, mais voilà notre major Thompson de retour! Quelle surprise!"

J'ai compris alors que mes yeux ne m'avaient pas trahi°. M. Taupin m'a invité aussitôt° à entrer chez lui et M. Charnelet, lui ayant dit une nouvelle fois° au revoir, nous a rejoints bientôt pour faire, réflexion faite°, un "petit brin de causette°".

Il était
évident, pour un
Anglais du
moins, qu'ils
allaient en
venir aux mains.

VOCABULAIRE

notamment in particular
en ayant soin de ne pas being careful
    not to
de retour back
le seuil the threshold
toujours still
reculer to step back
le revers du manteau the lapel
secouer to shake

d'avant en arrière back and forth
en venir aux mains to come to blows
s'apprêter à to get ready to
trahir to betray
aussitôt immediately
une nouvelle fois once again
réflexion faite having thought it over
un petit brin de causette a little chat

QUESTIONNAIRE

1. Selon le Major qu'est-ce qui semble exercer une attraction étrange sur les Français?
2. Qu'est-ce qu'il y a de contradictoire dans leur façon de se dire au revoir?
3. Où chercherait-on en vain l'équivalent de cela?
4. Quand trouvent-ils une quantité de choses capitales à se dire?
5. A qui ressemblent-ils alors?
6. Les femmes se disent "au revoir" au téléphone mais elles ne raccrochent pas. (*They don't hang up.*) Pourquoi pas?
7. Quand est-ce que le Major a été particulièrement frappé par cette attitude?
8. Pourquoi se croyait-il l'objet d'une hallucination?
9. Qu'est-ce qui a accoutumé le Major aux mirages?
10. Qu'est-ce que M. Taupin a fait après avoir reculé de quelques pas?
11. Par où a-t-il saisi M. Charnelet?
12. Qu'est-ce qu'il s'est mis à faire?
13. Pourquoi le Major s'apprêtait-il à séparer M. Charnelet et M. Taupin?
14. Qu'est-ce qui a rassuré le Major?
15. Le Major semble-t-il avoir oublié que les Français gesticulent beaucoup en parlant?
16. Qu'est-ce que M. Taupin a invité le Major à faire?
17. Pourquoi M. Charnelet les a-t-il rejoints?

ETUDE DE MOTS

1. *s'apprêter à*   to get ready to
  inviter à   to invite to
  trouver à . . . (dire, critiquer)   to find to (say, criticize)

2. *réflexion faite,* . . .   having thought it over, . . .
   arrivés à cet endroit, . . .   having arrived at that place, . . .
   Mon travail fini, je rentrais.   Having finished my work, I was going
                                           home.

   M. Taupin parti, Charnelet m'a   Mr. Taupin having left, Charnelet in-
   invité chez lui.   vited me to his house.

EXERCICES

Past participle (54); Agreement (11)

A. LE PROFESSEUR: Qu'est-ce que vous lisez dans ce livre?
    L'ÉTUDIANT: La même chose que j'ai lue hier.

1. Qu'est-ce que vous voyez d'intéressant   La même chose que j'ai vue hier.
   dans ce livre?
2. Qu'est-ce que vous buvez tout en lisant?   La même chose que j'ai bue hier.
3. Et qu'est-ce que vous savez maintenant?   La même chose que j'ai sue hier.

B. LE PROFESSEUR: Qu'est-ce que vous prenez en lisant?
    L'ÉTUDIANT: La même chose que j'ai prise hier.

1. Qu'est-ce que vous apprenez en   La même chose que j'ai apprise hier.
   classe?
2. Quelle règle comprenez-vous main-   La même règle que j'ai comprise hier.
   tenant?
3. Quelle note le professeur mettra-t-il   La même note qu'il a mise hier.
   à votre copie?
4. Et quelle boisson prendrez-vous pour   La même boisson que j'ai prise hier.
   vous rafraîchir après la classe?

C. LE PROFESSEUR: Qu'est-ce que vous dites quand vous me quittez?
    L'ÉTUDIANT: Je dis ce que j'ai toujours dit: (*au revoir* or *adieu* or any
                                   appropriate expression).

1. Qu'est-ce que vous voyez quand   Je vois ce que j'ai toujours vu:
   vous regardez par la fenêtre?
2. Qu'est-ce que vous faites après le   Je fais ce que j'ai toujours fait:
   dîner et avant de vous coucher?
3. Qu'est-ce que vous répétez juste   Je répète ce que j'ai toujours répété:
   avant la classe de français?
4. Qu'est-ce que vous prenez quand   Je prends ce que j'ai toujours pris:
   vous ne pouvez pas dormir?
5. Qu'est-ce que vous buvez quand   Je bois ce que j'ai toujours bu:
   vous sortez avec vos amis?

Object pronouns (46)

D. LE PROFESSEUR: Est-ce que le major Thompson demeure *en France?*
   L'ÉTUDIANT: Oui, il y demeure.

1. Est-ce que le Major fait allusion *au comportement des Français avec les femmes?*   Oui, il y fait allusion.
2. Est-ce qu'il se plaît *en France?*   Oui, il s'y plaît.
3. Aime-t-il dîner *dans ce restaurant où le maître d'hôtel connaît M. Taupin?*   Oui, il aime y dîner.
4. Peut-il s'habituer *à la façon française de dire bonjour?* (Non).   Non, il ne peut pas s'y habituer.
5. Songe-t-il *aux différences infinies entre les Français et les Anglais?*   Oui, il y songe.
6. Reste-t-il longtemps *en Mésopotamie?* (Non).   Non, il n'y reste pas longtemps.
7. M. Taupin est-il encore *sur le seuil de sa maison?*   Oui, il y est encore.
8. Le Major assiste-t-il (*witness*) *à la scène entre Taupin et Charnelet?*   Oui, il y assiste.
9. S'apprêtait-il *à les séparer?*   Oui, il s'y apprêtait.
10. Mais Taupin et Charnelet tenaient-ils (*insist on*) *à se battre?* (Non).   Non, ils n'y tenaient pas (du tout).
11. A la fin le Major est-il entré *chez M. Taupin?*   Oui, il y est entré.

SUJET DE COMPOSITION

Vous êtes M. (ou Mme) Taupin. Dites pourquoi vous préférez la conversation française à la conversation britannique (lente, ennuyeuse, coupée de longs silences).

Review Lesson V

Révision du vocabulaire et des expressions du texte

A. Les expressions

TRADUISEZ :

1. One could scarcely say. On ne saurait dire.
2. He likes to be spoken to. Il aime qu'on lui parle.
3. I'll feel easier about it. Je serai plus tranquille.
4. Are you feeling sick? Vous êtes souffrant?
5. The English meaning is the right one. Le sens anglais est le bon.
6. That clock is three minutes fast. Cette pendule avance de trois minutes.
7. There are only two of us. Nous ne sommes que deux.
8. After thinking it over . . . A la réflexion . . .
9. Little does he care. Peu lui importe.
10. They get on to the next question. Ils passent à la question suivante.
11. What have you been up to, what has become of you (these days)? Qu'est-ce que vous devenez?
12. I must be running along. Il faut que je me sauve.
13. I didn't believe my eyes. Je n'en ai pas cru mes yeux.
14. They were going to come to blows. Ils allaient en venir aux mains.
15. He's back. Il est de retour.
16. A bit of a chat. Un petit brin de causette.

B. Le vocabulaire

TRADUISEZ :

1. the notebook le carnet
2. that is to say c'est-à-dire
3. the screen le paravent
4. to surround environner
5. suspicious méfiant

136

6. the more so since   d'autant plus que
7. the headwaiter   le maître d'hôtel
8. disappointed   déçu
9. the latter (*m.*)   celui-ci
10. the medicine   le médicament
11. locally, on the spot   sur place
12. to pass by, to overtake   dépasser
13. to perplex   rendre perplexe
14. rather   plutôt
15. the station platform   le quai
16. beforehand   auparavant
17. as for   quant à
18. a timetable   un indicateur
19. the fate   le sort
20. to enlighten   éclairer
21. exert   exercer
22. the lapel   le revers du manteau
23. shake   secouer
24. betray   trahir

REMPLACEZ LES EXPRESSIONS EN ITALIQUES PAR UN
SYNONYME:

1. Il est *considéré comme étant* riche.   censé être
2. Il *fait des compliments galants* à toutes les jolies   fait la cour
   femmes.
3. Nous sommes *invités* à 8 h 30.   priés
4. Ils devraient *se comporter* comme nous.   se conduire
5. Le Major est choqué par leur *comportement.*   conduite
6. *une rangée de personnes qui attendent*   une file d'attente
7. Ils *se moquent des* pieds du Président.   rient des
8. *avoir lieu sans que l'on s'en aperçoive*   passer inaperçu
9. Ils rient du Président, *même* de la Présidente.   voire
10. Quelle est *la signification* du mot?   le sens
11. *relativement aux* femmes   à l'égard des
12. *rencontrer dans la rue en venant d'une direction*   croiser
    opposée
13. *Elle paraît (ou semble)* gentille.   a l'air (d'être)
14. *aisément*   facilement
15. Il est sujet à *des attaques soudaines* de rage.   des accès
16. Voilà une nouvelle *qui cause une émotion soudaine*   foudroyante
    et violente.
17. Il y a des huîtres sur *le menu.*   la carte

18. *du mauvais vin*   de la piquette
19. *J'allais* à la gare d'Austerlitz.   je me rendais
20. Il m'a *prévenu.*   averti
21. qu'il devait *s'arrêter quelques instants.*   faire une courte halte
22. Il se méfie de *ce que l'on mange en Gascogne.*   la nourriture gasconne
23. Où peut-on *acheter* ce médicament, ou ces billets?   prendre
24. *bouteille* (qui se ferme d'ordinaire par un bouchon   flacon
    [stopper] de verre.)
25. *Ils sont inutiles.*   Ils ne servent à rien.
26. Comme nous *atteignons* la gare . . .   gagnons
27. *Il a demandé enfin* . . .   il a fini par demander
28. *perceptiblement*   sensiblement
29. *Nous nous sommes promenés pendant quelques*   nous avons fait quel-
    minutes sur le quai.   ques pas
30. une personne *qui prend ses aises en se souciant fort* sans gêne
    peu des autres
31. Enfin, *apercevant* un employé. . . .   avisant
32. *Imaginez-vous.*   Figurez-vous.
33. *ayant posé des questions sur* leur santé respective   s'étant enquis de
34. *au contraire de*   à l'encontre de
35. Est-ce que vous avez *changé de domicile?*   déménagé
36. *Ce que l'on fait d'ordinaire c'est de* dire, "Allez, au il est d'usage de
    revoir, allez."
37. *une personne née dans la région*   un autochtone
38. *presque*   quasi
39. *le pas de la porte*   le seuil
40. *marcher en arrière*   reculer
41. *se préparer à*   s'apprêter à

Révision des exercices

A. Les verbes et les pronoms compléments

LE PROFESSEUR: Je vais *en France.*
L'ÉTUDIANT: Vous y allez.

1. Je sors *de la salle de classe.*   Vous en sortez.
2. Je descends *dans la cave.*   Vous y descendez.
3. Je me rends *chez les Thompson.*   Vous vous y rendez.
4. Je prends *ce taxi.*   Vous le prenez.
5. Je suis *ce cours.*   Vous le suivez.
6. Je finis *ces exercices.*   Vous les finissez.

B. **L'emploi de l'article**

TRADUISEZ:

1. Do you want wine?	Vous voulez du vin?
2. What kind of wine do you want?	Quelle espèce de vin voulez-vous?
3. White wine is good with oysters.	Le vin blanc est bon avec les huîtres.
4. I don't like oysters without wine.	Je n'aime pas les huîtres sans vin.
5. Bring some wine, will you?	Apportez du vin, voulez-vous?
6. A little wine.	Un peu de vin.
7. No wine for me.	Pas de vin pour moi.

C. **L'emploi du présent et du passé composé**

TRADUISEZ:

1. I lived in France during the war.	J'ai demeuré en France pendant la guerre.
2. I have been living here for two months.	Je demeure ici depuis deux mois.
3. I have been here four times.	J'ai été ici quatre fois.
4. I have been here since '54.	Je suis ici depuis '54.
5. I have known him for three months.	Je le connais depuis trois mois.
6. I knew him in 1914.	Je l'ai connu en 1914.
7. What have you been doing since your arrival?	Qu'est-ce que vous faites depuis votre arrivée?
8. What did you do yesterday?	Qu'est-ce que vous avez fait hier?

D. **Le pronom complément**

LE PROFESSEUR: Avez-vous *des huîtres?*
L'ÉTUDIANT: Oui, j'en ai.

1. Est-ce que vous me recommandez *ce rosbif?*	Oui, je vous le recommande.
2. Y a-t-il plusieurs *garçons?*	Oui, il y en a plusieurs.
3. Aimez-vous dîner *dans ce restaurant?*	Oui, j'aime y dîner.
4. M'avez-vous dit *que le maître d'hôtel était votre cousin?*	Oui, je vous l'ai dit.
5. Avez-vous commandé deux *bouteilles de ce vin rouge?*	Oui, j'en ai commandé deux.

E. **Le pronom possessif**

LE PROFESSEUR: nos amis
L'ÉTUDIANT: les nôtres

1. son médicament	le sien
2. votre montre	la vôtre
3. mon chapeau	le mien

4. ta sœur   la tienne
5. leurs principes   les leurs

F. Les négatifs

TRADUISEZ :

1. I didn't see anything.   Je n'ai rien vu.
2. I didn't see anybody.   Je n'ai vu personne.
3. Nobody's talking.   Personne ne parle.
4. Nothing's happening.   Rien n'arrive.
5. He isn't suspicious of anyone.   Il ne se méfie de personne.
6. I'm not thinking of anything.   Je ne pense à rien.

L'APOLLON DE BELLAC I

29

Jean Giraudoux

DANS L'APOLLON DE BELLAC de Jean Giraudoux, Agnès, une
jeune fille timide, cherche une situation ° comme secrétaire chez un homme
très important. Dans la salle d'attente° elle rencontre un monsieur qui
attend, lui aussi. Elle lui dit qu'elle a peur des hommes et il lui donne une
recette° infaillible pour réussir avec eux.

LE MONSIEUR. Dites-leur qu'ils sont beaux!

AGNÈS. Leur dire qu'ils sont beaux, intelligents, sensibles°?

LE MONSIEUR. Non! Qu'ils sont beaux. Pour l'intelligence et le cœur ils
    savent s'en tirer° eux-mêmes. . . .

AGNÈS. A tous? A ceux qui ont du talent, du génie? Dire à un académicien°
    qu'il est beau, jamais je n'oserai. . . .

LE MONSIEUR. Essayez voir°! A tous! Dites-le au professeur de philosophie
    et vous aurez votre diplôme. Au boucher, et il lui restera du
    filet dans sa resserre.[1] Au Président d'ici[2] et vous aurez la
    place.

AGNÈS. Cela suppose tant d'intimité° avant de trouver l'occasion de le leur
    dire! . . . Il faut attendre qu'ils soient seuls. Etre seule à seul°
    avec eux. . . .

LE MONSIEUR. Dites-leur qu'ils sont beaux en plein tramway°, en pleine
    salle d'examen, dans la boucherie comble°.

AGNÈS. Et s'ils ne sont pas beaux, qu'est-ce que je leur dis? C'est le plus
    fréquent, hélas!

LE MONSIEUR. Seriez-vous° bornée°, Agnès? Dites qu'ils sont beaux aux
    laids. . . .

AGNÈS. Ils ne le croiront pas!

LE MONSIEUR. Tous le croiront. Tous le croient d'avance°. . . . Ceux qui
    ne le croient pas, s'il s'en trouve°, sont même les plus flattés.
    Ils croient qu'ils sont laids, mais qu'il est° une femme qui peut
    les voir beaux. Ils s'accrochent à° elle. . . . Ils ne la quittent

[1] He will have some filet left for you in his store-room.
[2] of this place.

plus. Quand vous voyez une femme escortée en tous lieux d'un état-major de servants,[3] ce n'est pas tant qu'ils la trouvent belle, c'est qu'°elle leur a dit qu'ils sont beaux.

VOCABULAIRE

la situation the job
la salle d'attente the waiting room
la recette the recipe, formula
sensible sensitive
s'en tirer i.e., *se tirer d'affaire* to manage, to get by
un académicien member of French Academy, i.e., a very distinguished person
essayez voir try and see
une intimité intimacy
seul à seul alone together

en plein tramway right in the middle of the trolley
comble crowded, packed to overflowing
seriez-vous? could you be?
borné slow-witted, stupid
d'avance beforehand
s'il s'en trouve if there are any
il est there is
s'accrocher à to hang onto
c'est que it's because

QUESTIONNAIRE

1. Que fait Agnès dans la salle d'attente?
2. Quelle est son attitude envers les hommes?
3. Quelle est la recette que le monsieur lui donne?
4. Pourquoi n'est-il pas nécessaire de flatter leur cœur ou leur intelligence?
5. Avec quelle sorte d'homme Agnès hésiterait-elle à employer cette recette?
6. Qu'est-ce qui arrivera si elle l'emploie avec le professeur? Avec le boucher? Avec le Président?
7. Selon Agnès, qu'est-ce que cela suppose de dire une chose comme ça? Qu'est-ce qu'il faut attendre?
8. Selon le monsieur, où faut-il le dire?
9. Comment sont la plupart des hommes, selon Agnès?
10. Pourquoi le monsieur croit-il qu'Agnès est peut-être bornée?
11. Quelle objection Agnès fait-elle à cette recette?
12. Pourquoi est-ce que même les laids le croiront?
13. Pourquoi est-ce que certaines femmes sont entourées d'hommes?

[3] escorted everywhere by a staff of admirers.

ETUDE DE MOTS

1. *en plein tramway*	right in the middle of the trolley
en pleine rue	right in the middle of the street
en pleine salle de classe	right in the middle of the classroom
2. *Ils la trouvent belle.*	They think she's beautiful.
Je le trouve intelligent.	I think he's intelligent.
Comment trouvez-vous cette scène?	How do you like that scene?
Je trouve Agnès un peu naïve.	I think Agnès is a little naïve.
3. *Seriez-vous bornée?*	Could it be that you are a little backward? (conditional or future may express a supposition)
Il parle très bien. Serait-il Français, par hasard?	He speaks very well. Could he be a Frenchman, by any chance?
Il est absent. Serait-il malade?	He is absent. Could he be sick?

EXERCICES

Object pronouns (45, 48)

A. LE PROFESSEUR : Est-ce qu'Agnès va parler *aux académiciens?*
    L'ÉTUDIANT :   Oui, elle va leur parler.

1. Est-ce que le monsieur donne une recette *à Agnès?*	Oui, il lui donne une recette.
2. Est-ce qu'il répond *à Agnès?*	Oui, il lui répond.
3. Est-ce qu'Agnès semble plaire *au monsieur?*	Oui, elle semble lui plaire.
4. Est-ce qu'il restera du filet *au boucher?*	Oui, il lui restera du filet.
5. Est-ce qu'Agnès enlèvera la situation *à la secrétaire actuelle?*	Oui, elle lui enlèvera la situation.
6. Est-ce qu'elle saura plaire *aux présidents, aux académiciens?*	Oui, elle saura leur plaire.
7. Est-ce qu'elle dira "Que vous êtes beau!" *à ces gens-là?*	Oui, elle leur dira "Que vous êtes beau!"
8. Est-ce qu'elle obéira *au monsieur?*	Oui, elle lui obéira.
9. Est-ce que le président fera peur *à Agnès?*	Oui, il lui fera peur.
10. Mais est-ce qu'Agnès plaira *au président?*	Oui, elle lui plaira.
11. Est-ce que le président fera une demande en mariage *à Agnès?*	Oui, il lui fera une demande en mariage.
12. Est-ce qu'Agnès dira oui *au président?*	Oui, elle lui dira oui.

13. Est-ce que le président achètera un gros diamant *pour Agnès?*
Oui, il lui achètera un gros diamant.

14. Est-ce qu'il offrira du champagne *à tous les employés de son bureau?*
Oui, il leur offrira du champagne.

15. Est-ce qu'il restera encore beaucoup d'argent *au président* après ces folles dépenses?
Oui, il lui restera beaucoup d'argent.

B. LE PROFESSEUR: Le monsieur donne-t-il *la recette à Agnès?*
   L'ÉTUDIANT: Oui, il la lui donne.

1. Agnès explique-t-elle *les causes de sa timidité au monsieur?*
Oui, elle les lui explique.

2. Peut-on facilement trouver l'occasion de dire *aux académiciens qu'ils sont beaux?*
Oui, on peut facilement trouver l'occasion de le leur dire.

3. Agnès va-t-elle dire *au président de cette compagnie qu'il est beau?*
Oui, elle va le lui dire.

4. Agnès va-t-elle donner *sa recette aux autres femmes?* (Répondez non!)
Mais non, elle ne va pas la leur donner.

5. Va-t-elle expliquer *sa recette à la secrétaire actuelle?* (Répondez non!)
Mais non, elle ne va pas la lui expliquer.

6. Le boucher offrira-t-il *son meilleur filet à Agnès?*
Oui, il le lui offrira.

7. Les professeurs donnent-ils *les meilleures notes aux jeunes filles qui les flattent?* (Répondez non!)
Mais non, ils ne les leur donnent pas.

8. Mais le professeur de philosophie donnera-t-il *son diplôme à Agnès?*
Oui, il le lui donnera.

9. Est-ce qu'Agnès enlèvera *la situation à la secrétaire actuelle?*
Oui, elle la lui enlèvera.

10. Est-ce qu'elle montrera *son diamant à toutes ses amies?*
Oui, elle le leur montrera.

SUJET DE COMPOSITION

Monologue d'Agnès. C'est le jour où elle doit voir le président à propos d'une situation. Elle a peur, etc.

L'APOLLON DE BELLAC II

30

Jean Giraudoux

Agnès met sa recette en application:

AGNÈS. Que vous êtes beau!

LE PRÉSIDENT. Répétez, je vous prie!

AGNÈS. Que vous êtes beau!

LE PRÉSIDENT. Réfléchissez bien, Mademoiselle. . . . L'instant est grave. Vous êtes bien sûre que vous me trouvez beau?

AGNÈS. Je ne vous vois pas beau. Vous êtes beau.

LE PRÉSIDENT. Vous seriez prête à le redire devant témoins°? Réfléchissez. . . .

AGNÈS. A le redire. A l'affirmer. Certainement.

LE PRÉSIDENT. Merci, mon Dieu. [*Il appelle.*] Mademoiselle Chèvredent! [*Entre Mlle. Chèvredent.*]

LE PRÉSIDENT. Chèvredent, depuis trois ans vous exercez les hautes fonctions de secrétaire particulière. Depuis trois ans, il ne s'est point écoulé° de matin et d'après-midi où la perspective de vous trouver dans mon bureau ne m'ait donné la nausée. . . . Parce que vous étiez laide, j'ai eu le faible° de vous croire généreuse. Or° vous reprenez deux francs dans la sébile° de l'aveugle contre votre pièce de vingt sous.[1] Ne niez° pas. C'est lui qui me l'a dit. Parce que vous avez une moustache, j'ai cru que vous aviez du cœur. Or ces aboiements° déchirants, de mon fox° endormi sur votre table, que vous m'expliquiez par ses rêves de chasse à la panthère, étaient provoqués en fait par vos pinçons°. Mille jours j'ai supporté de vivre avec quelqu'un qui me déteste, me méprise°, et me trouve laid. Car vous me trouvez laid, n'est-ce pas?

MLLE. CHÈVREDENT. Oui. Un singe°.

LE PRÉSIDENT. Parfait. Maintenant écoutez. Les yeux de Mademoiselle paraissent à première vue mieux qualifiés que les vôtres pour

---

[1] *vingt sous*—one franc. (*Un sou*—1/20 of a franc.) She puts in one franc and takes out two.

voir. . . . Or comment suis-je réellement, Mademoiselle
Agnès?

AGNÈS. Beau! Très beau!

MLLE. CHÈVREDENT. Quelle imposture°!

LE PRÉSIDENT. Taisez-vous, Chèvredent. Jetez un dernier regard sur moi.
Cette appréciation° désintéressée de mon charme d'homme n'a
pas modifié la vôtre?

MLLE. CHÈVREDENT. Vous voulez rire°!

LE PRÉSIDENT. J'en prends note. Voici donc le problème tel qu'il se pose:
j'ai le choix de passer ma journée entre une personne affreuse°
qui me trouve laid et une personne ravissante° qui me trouve
beau. Tirez° les conséquences. Choisissez pour moi. . . .

MLLE. CHÈVREDENT. Cette folle me remplace?

LE PRÉSIDENT. A l'instant. Si elle le désire.

MLLE. CHÈVREDENT. Quelle honte°! Je monte prévenir° Mademoiselle
votre fiancée.

LE PRÉSIDENT. Prévenez-la. Je l'attends de pied ferme°.

MLLE. CHÈVREDENT. Si vous tenez à° vos potiches°, vous ferez mieux de me
suivre.

LE PRÉSIDENT. J'ai fait le deuil de mes potiches.[2] Vous venez de le voir.

A la fin le Président épouse Agnès.

VOCABULAIRE

le témoin the witness	*une appréciation* an evaluation, appraisal
écouler to pass, flow by	
le faible the weakness, foible	*vous voulez rire* you're joking
or now it so happens that	*affreux* frightful
la sébile the begging bowl	*ravissant* delightful
nier to deny	*tirer* to draw
un aboiement a barking	*la honte* disgrace, shame
déchirant piercing	*prévenir* to warn
le fox the fox-terrier	*de pied ferme* firmly, without stirring
le pinçon the pinch	*tenir à* to care about
mépriser to scorn	*la potiche* the china vase
le singe the monkey	
une imposture a deception (cf. *un imposteur* an impostor)	

[2] I'm resigned to the loss of my vases.

QUESTIONNAIRE

1. Que fait Agnès dans cette scène?
2. Qu'est-ce que le président lui demande de faire quand il entend son exclamation? Et quelle question lui pose-t-il?
3. Devant qui veut-il qu'elle le redise?
4. Que fait Chèvredent depuis trois ans?
5. Quel effet la perspective de la retrouver tous les jours a-t-elle sur le président?
6. Qu'est-ce qui montre que Mlle. Chèvredent n'est pas généreuse?
7. Qu'est-ce qui montre qu'elle est cruelle?
8. Qu'est-ce qui montre qu'elle est sincère?
9. Où le fox du président dort-il?
10. Comment Mlle. Chèvredent expliquait-elle ses aboiements?
11. Selon le président, quelle est la différence entre les yeux d'Agnès et ceux de Chèvredent?
12. Quelle opinion Chèvredent a-t-elle du président?
13. Selon le président, qu'est-ce qui devrait modifier cette opinion?
14. Quel choix le président se propose-t-il?
15. Quelle menace Mlle. Chèvredent fait-elle?
16. Expliquez pourquoi les potiches du président sont en danger d'être cassées.

ETUDE DE MOTS

1. *Dites à Agnès de réfléchir.* — *Réfléchissez.*
   Dites à Chèvredent de choisir. — *Choisissez.*
   Dites à Agnès qu'elle ravit tout le monde. — *Vous ravissez tout le monde.*

2. *tenir à* — to care about, to insist on
   si vous tenez à vos potiches . . . — if you care about your vases . . .
   Elle tient à avoir cette situation. — She is determined to get that job.
   Allez-y, si vous y tenez. — Go ahead, if it means that much to you.

   Il tient à ce qu'elle devienne sa secrétaire. — He is very eager for her to become his secretary.

EXERCICES

Object pronouns (45–48)

A. LE PROFESSEUR: Est-ce qu'il reste *du filet au boucher?*
    L'ÉTUDIANT: Oui, il lui en reste.

1. Est-ce que le professeur donnera un *diplôme*   Oui, il leur en donnera un.
à celles qui lui disent qu'il est beau?

2. Et le monsieur donne-t-il une *recette à*   Oui, il lui en donne une.
Agnès?

3. Et Agnès donne-t-elle *des conseils au mon-*   Non, elle ne lui en donne pas.
sieur? (Non)

4. Agnès devrait-elle parler *aux hommes qui*   Non, elle ne devrait pas leur
ont du génie de leur intelligence? (Non)   en parler.

5. Est-ce que le président offrira une *situation*   Oui, il lui en offrira une.
à Agnès?

6. Est-ce qu'il achètera un gros *diamant ou un*   Il lui en achètera un gros.
petit pour Agnès?

7. Est-ce qu'il offrira *à ses employés du bon*   Il leur en offrira du bon.
champagne ou du mauvais?

8. Est-ce qu'il restera beaucoup *d'argent au*   Oui, il lui en restera beau-
président après ces dépenses?   coup.

B. LE PROFESSEUR: Est-ce qu'Agnès plaît *au président?*
    L'ÉTUDIANT: Oui, elle lui plaît.

    LE PROFESSEUR: Le président aime-t-il *Agnès?*
    L'ÉTUDIANT: Oui, il l'aime.

1. Le président invite-t-il *Agnès* à devenir sa   Oui, il l'invite à devenir sa
secrétaire?   secrétaire.

2. Agnès dit-elle qu'elle trouve *le président*   Oui, elle dit qu'elle le trouve
beau?   beau.

3. Parle-t-elle *à Mlle. Chèvredent?* (Non)   Non, elle ne lui parle pas.

4. Mlle. Chèvredent vole-t-elle de l'argent *aux*   Oui, elle leur vole de
aveugles?   l'argent.

5. Pince-t-elle *le pauvre petit chien?*   Oui, elle le pince.

6. Répond-elle *au président* poliment? (Non)   Non, elle ne lui répond pas
poliment.

7. Méprise-t-elle *le président?*   Oui, elle le méprise.

8. Les yeux d'Agnès paraissent-ils jolis *au pré-*   Oui, ils lui paraissent jolis.
sident?

9. Le président se dit-il *qu'Agnès serait une très*   Oui, il se le dit.
jolie secrétaire?

10. Dit-il à *Mlle. Chèvredent* de se taire?   Oui, il lui dit de se taire.

11. Pose-t-il *le problème?*   Oui, il le pose.
12. Préfère-t-il Agnès à *Mlle. Chèvredent?*   Oui, il lui préfère Agnès.
13. Mlle. Chèvredent monte-t-elle prévenir *sa*   Oui, elle monte la prévenir.
    fiancée?

SUJET DE COMPOSITION

Le président explique à sa fiancée pourquoi il lui préfère Agnès. Décrivez la scène.

LA FOLLE DE CHAILLOT

31

Jean Giraudoux

LA FOLLE DE CHAILLOT est une comédie fantastique de Jean Giraudoux. En voici une scène: un jeune homme a tenté de se suicider en se jetant dans la Seine. On l'a repêché°, et on a fait venir un sergent de ville°. Celui-ci tâche° de mener l'enquête°, mais il est constamment interrompu par la folle de Chaillot.

LA FOLLE. Que faites-vous?

LE SERGENT. Je note le nom du noyé°, son prénom, et sa date de naissance.

LA FOLLE. Que voulez-vous que cela lui fasse?[1] . . . Rentrez ce carnet° et consolez-le.

LE SERGENT. Que je le console?

LA FOLLE. C'est aux agents de l'Etat de faire l'éloge° de la vie à ceux qui veulent se tuer. Ce n'est pas à moi.

LE SERGENT. Que je lui fasse l'éloge de la vie?

LA FOLLE. Vous guillotinez° les assassins. Vous bousculez° les marchandes des quatre-saisons°. Vous empêchez les enfants d'écrire sur les murs. C'est que vous voulez la vie active, que vous la trouvez digne° et propre. . . . Dites-le-lui. . . . Ce sont les fonctionnaires° comme vous qui organisent la vie, c'est à eux de la défendre. . . . Un gardien de la paix° ce n'est rien, si ce n'est pas un gardien de la vie. . . .

LE SERGENT. Evidemment. [*Au jeune homme:*] Qu'est-ce que cela signifie de se jeter dans une rivière du haut d'un pont!

LA FOLLE. Cela signifie qu'on ne peut pas se jeter dans une rivière d'au-dessous de° son niveau°. Sur ce point il est logique.

LE SERGENT. Je ne vois pas comment intéresser quiconque° à la vie si vous m'interrompez sans arrêt°.

LA FOLLE. Je ne vous interromps plus.

LE SERGENT. C'est un crime contre l'Etat, Monsieur, le suicide. Un suicidé c'est un soldat de moins°, un contribuable° de moins. . . .

[1] *Que voulez-vous que cela lui fasse?*—What difference do you think that makes to him?

LA FOLLE. Etes-vous percepteur°, ou amant° de la vie?

LE SERGENT. Amant de la vie?

LA FOLLE. Oui. Qu'est-ce qui vous plaît à vous, dans la vie, sergent? Pour
avoir choisi d'être son champion, et en uniforme, il faut bien
que vous y ayez des joies, secrètes ou publiques. Dites-les-
lui. . . . Et n'en rougissez° pas.

LE SERGENT. Je n'en rougis pas. J'ai des passions. J'aime le piquet°. Si
cela tente° ce jeune homme, mon tour de garde fini°, nous
ferons un piquet. Un piquet avec vin chaud. S'il a une heure
à perdre.

LA FOLLE. Il a sa vie à perdre. C'est tout ce dont dispose la police comme
voluptés?² . . . Vous ne gagnez pas votre argent. Je défie
un jeune homme résolu à se tuer d'y renoncer en vous écoutant.

VOCABULAIRE

repêcher to fish out
le sergent de ville the policeman
tâcher to try, to make a strenuous ef-
    fort
mener l'enquête to investigate
le noyé the drowned man
rentrez ce carnet put away that note-
    book
une éloge praise
guillotiner to behead
bousculer to shove aside
le marchand des quatre-saisons the
    push-cart vendor
digne worthy
le fonctionnaire the civil servant

le gardien de la paix the policeman
d'au-dessous from beneath
le niveau the level
quiconque anyone
sans arrêt ceaselessly
de moins less
le contribuable the taxpayer
le percepteur the tax-collector
un amant a lover
rougir to blush
le piquet piquet (a card game)
tenter to tempt, interest
mon tour de garde fini when I go
    off duty.

QUESTIONNAIRE

1. Comment le jeune homme a-t-il voulu se suicider?
2. Pourquoi le sergent de ville a-t-il du mal (*difficulty*) à mener l'enquête?
3. Pourquoi sort-il son carnet?
4. Selon la folle, qu'est-ce qu'on devrait faire à ceux qui veulent se tuer?

² *C'est tout ce dont dispose la police comme voluptés?*—Is that all the police can
offer in the way of pleasures?

5. Quelles sont les activités typiques des sergents de ville mentionnées par la folle?
6. Selon la folle, pourquoi les sergents de ville font-ils toutes ces choses-là?
7. Quelle devrait être l'attitude des fonctionnaires?
8. Qu'est-ce qu'un gardien de la paix devrait être?
9. Quel reproche le sergent fait-il au jeune homme?
10. Selon la folle, qu'est-ce qu'il y a de logique dans l'action du jeune homme?
11. Quels arguments le sergent emploie-t-il contre le suicide?
12. Qu'est-ce que la folle pense de ces arguments?
13. Selon la folle, qu'est-ce qu'il devrait dire au jeune homme?
14. Selon la folle, pourquoi faut-il bien que le sergent ait des joies dans la vie?
15. Et quelles sont ces joies?
16. Quelle invitation fait-il au jeune homme?
17. Quelle opinion la folle a-t-elle des joies du sergent de ville?
18. Quel reproche fait-elle au sergent de ville?

ETUDE DE MOTS

1. *Que voulez-vous que cela lui fasse?* — What does he care?

  Que voulez-vous que cela me fasse? — What do I care?

  Cela ne me fait rien. — I don't care.

  Cela ne fait rien. — It doesn't matter.

2. *empêcher de* . . . — empêcher les enfants d'écrire sur les murs

  tâcher de . . . — tâcher de mener l'enquête

  c'est à eux de . . . — c'est à eux de défendre la vie

  choisir de . . . — choisir d'être le champion de la vie

  rougir de . . . — rougir des joies qu'on a dans la vie

  disposer de . . . — disposer de plaisirs, de moyens, etc.

  intéresser à . . . — intéresser quelqu'un à la vie

  plaire à . . . — plaire à quelqu'un

  avoir à . . . — avoir une heure à perdre, avoir des choses à faire, etc.

  défier de . . . — défier le jeune homme d'y renoncer

  renoncer à . . . — renoncer à sa résolution

EXERCICES

Object pronouns (45–46)

A. LE PROFESSEUR: Le sergent parle-t-il *à la folle?*
  L'ÉTUDIANT: Il lui parle.

LE PROFESSEUR: Réussit-il *à la faire taire?* (Non)
L'ÉTUDIANT: Non, il n'y réussit pas.

1. Le jeune homme s'intéresse-t-il *à la dis-*   Oui, il s'y intéresse.
   cussion?
2. Répond-il *au sergent de ville?* (Non)   Non, il ne lui répond pas.
3. Les agents doivent-ils faire l'éloge de la   Oui, ils doivent leur faire l'éloge
   vie *à ceux qui veulent se tuer?*   de la vie.
4. Est-ce que le jeune homme a voulu se   Oui, il a voulu s'y jeter.
   jeter *dans la Seine?*
5. La folle promet-elle *au sergent* de se   Oui, elle lui promet de se taire.
   taire?
6. Le sergent se plaît-il *au piquet?*   Oui, il s'y plaît.
7. Perd-on du temps *à jouer aux cartes?*   Oui, on y perd du temps.
8. Le sergent offre-t-il cette distraction   Oui, il lui offre cette distraction.
   au jeune homme?
9. Selon la folle, le jeune homme va-t-il   Non, il ne va pas y renoncer.
   renoncer *à sa résolution de se tuer?*
   (Non)

Interrogatives (36–38)

B. Le professeur dit quelque chose mais vous n'entendez pas très bien la fin de
sa phrase. Vous lui posez donc une question.

LE PROFESSEUR dit:	L'ÉTUDIANT demande:
Je suis *à la maison.*	Où êtes-vous?
Je parle avec *la bonne.*	Avec qui parlez-vous?
Je vais *assez bien.*	Comment allez-vous?
Je sortirai *demain.*	Quand sortirez-vous?
Mais j'ai dû rester au lit *trois jours.*	Combien de temps avez-vous dû rester au lit?
Ce qui m'ennuie c'est *d'avoir manqué mes classes.*	Qu'est-ce qui vous ennuie?
Je suis resté au lit *parce que j'étais malade.*	Pourquoi êtes-vous resté au lit?
Pendant ce temps-là j'ai lu *un beau roman.*	Qu'est-ce que vous avez lu?
Et j'ai écrit une longue lettre *à Delphine.*	A qui avez-vous écrit?
Je l'ai écrite avec *un stylo à bille.* (a ball-point pen)	Avec quoi l'avez-vous écrite?

1. Je console *le noyé.*   Qui consolez-vous?
2. Je lui dis: *"Courage!"*   Que lui dites-vous?
3. Je l'emmène *chez lui.*   Où l'emmenez-vous?
4. Je lui parle *amicalement.*   Comment lui parlez-vous?
5. Il a voulu se suicider *parce qu'il était*   Pourquoi a-t-il voulu se suicider?
   découragé.

6. Il a essayé de se suicider *quatre* fois. | Combien de fois a-t-il essayé de se suicider?

7. D'abord il a voulu se tuer avec *son revolver*. | Avec quoi a-t-il voulu se tuer d'abord?

8. Ensuite il a pris *de l'arsenic*. | Qu'est-ce qu'il a pris ensuite?

9. Il en a pris *dix-sept milligrammes*. | Combien en a-t-il pris?

10. La troisième fois il s'est jeté de *son balcon*. | D'où s'est-il jeté?

11. Mais il est tombé dans *une charrette de foin*. (*a hay-wagon*) | Dans quoi est-il tombé?

12. Ce qui le rend si triste c'est *un malentendu avec sa fiancée*. | Qu'est-ce qui le rend si triste?

13. Il s'est disputé avec *sa fiancée*. | Avec qui s'est-il disputé?

14. Ils se sont disputés à propos de *ses dettes*. | A propos de quoi se sont-ils disputés?

15. Il a beaucoup perdu récemment *en jouant au poker*. | Comment a-t-il beaucoup perdu récemment?

16. Il a même perdu *la bague qu'elle lui avait donnée*. | Qu'est-ce qu'il a perdu?

17. Je lui ai demandé *s'il allait recommencer*. (*do it again*) | Qu'est que vous lui avez demandé?

18. Ce qui m'étonne *c'est qu'il soit encore en vie*. | Qu'est-ce qui vous étonne?

SUJET DE COMPOSITION

Vous voulez vous suicider. Pourquoi? Quelqu'un vient vous sauver. Votre conversation avec lui (ou elle).

Quand on pense que la surface d'un rectangle s'obtient en multipliant la longueur..

LES BOEUFS I

32

Marcel Aymé

DANS LES CONTES DU CHAT PERCHÉ Marcel Aymé raconte les aventures de Delphine et de Marinette, deux petites filles qui demeurent dans une ferme où tous les animaux savent parler. Les deux petites décident d'apprendre à lire et à compter aux deux bœufs° qui demeurent dans l'étable. Un des bœufs, le blanc, fait des progrès étonnants, mais l'autre, le grand roux, ne s'intéresse pas du tout aux études. Par contre, il raffole des° jeux que les petites lui apprennent.

Le bœuf blanc devient si studieux qu'à l'étable il a toujours dans son râtelier° un livre ouvert dont il tourne les pages avec sa langue. Quant au° grand roux, il devient un bœuf frivole riant de tout et de rien. Cela fait une paire de bœufs très mal assortis°, et les sujets de querelle sont nombreux.

—Je ne comprends pas, disait le bœuf blanc d'une voix sévère en jetant sur son compagnon un regard attristé, je ne comprends pas. . . .

—Non, laisse-moi rire, interrompait le grand roux, c'est plus fort que moi°, il faut que je rie.

—Je ne comprends pas qu'on puisse à ce point° manquer de sérieux et de dignité. Quand on pense que la surface d'un rectangle s'obtient en multipliant la longueur par la largeur, que le Rhin prend sa source dans le massif du Saint-Gothard et que Charles-Martel vainquit les Arabes en l'an 732, on est consterné par le spectacle d'un bœuf de six ans se livrant à° des jeux imbéciles, et volontairement ignorant des merveilles. . . .

—Ha! ha! ha! faisait le grand roux, tordu° par un rire convulsif.

—Idiot! si au moins il avait l'esprit de s'amuser discrètement et de ne pas troubler mes travaux. Vas-tu te taire°?

—Ecoute, vieux, laisse tes bouquins° un moment et jouons à quelque chose, tous les deux. . . .

—Voilà qu'il devient fou! comme si j'avais le temps de me prêter à°. . . .

—A pigeon vole°, rien qu'°un quart d'heure . . . rien que cinq minutes. . . .

Parfois le bœuf blanc cédait°, après avoir arraché à l'autre la promesse de le laisser étudier en paix. Mais toujours préoccupé, il jouait médiocrement et s'y collait° presque tout le temps. Le grand roux, agacé°, disait qu'il faisait exprès° de mal jouer.

Leurs jeux finissaient la plupart du temps par un échange d'injures°, quand ce n'étaient pas des coups de pied. Delphine et Marinette n'étaient plus très sûres d'avoir fait œuvre de sagesse°.

VOCABULAIRE

le bœuf the ox (*f* is silent in the plural)
raffoler de to be crazy about
le râtelier the stall
quant à as for
assortis matched
c'est plus fort que moi I can't help it
à ce point to such an extent
se livrer à to engage in
tordu bent over
se taire to be quiet

le bouquin book (colloquial)
se prêter à to engage in
pigeon vole a children's game
rien que just, only
céder to give way
s'y coller to lose, to get stuck
agacer to irritate
exprès on purpose
une injure an insult
faire œuvre de sagesse to do a wise thing

QUESTIONNAIRE

1. En quoi la ferme des parents de Delphine et de Marinette diffère-t-elle d'une ferme ordinaire?
2. Qu'est-ce que les deux petites décident de faire?
3. Quelle est l'attitude du bœuf blanc? Et celle du grand roux?
4. Comment le bœuf blanc fait-il pour lire ses livres?
5. Quelles sont quelques-unes des choses que le bœuf blanc a apprises?
6. Quelle est son opinion du grand roux?
7. Que veut-il que le grand roux fasse?
8. Et le grand roux, qu'est-ce qu'il demande au bœuf blanc de faire?
9. Quelle promesse le grand roux doit-il faire s'il veut que le bœuf blanc joue avec lui?
10. Pendant leurs jeux le grand roux est vite agacé. Pourquoi?
11. Comment finissent leurs jeux?
12. Que pensent Delphine et Marinette de tout ça?

ETUDE DE MOTS

rien qu'un quart d'heure	just a quarter of an hour
On voit qu'il est intelligent rien qu'en le regardant.	You can tell he is intelligent just by looking at him.

EXERCICES

Relative pronouns (67–68)

A. LE PROFESSEUR: Voilà le livre. Il le lit.
  L'ÉTUDIANT: Voilà le livre qu'il lit.

  LE PROFESSEUR: C'est un jeu. Nous ne savons pas les règles de ce jeu.
  L'ÉTUDIANT: C'est un jeu dont nous ne savons pas les règles.

1. C'est une histoire. Nous avons lu le début de cette histoire.

  C'est une histoire dont nous avons lu le début.

2. Il s'agit de deux petites filles. Nous avons appris le nom de ces filles.

  Il s'agit de deux petites filles dont nous avons appris le nom.

3. Ce sont deux petites filles. Elles demeurent dans une ferme.

  Ce sont deux petites filles qui demeurent dans une ferme.

4. Elles ont un bœuf blanc. Il est intelligent.

  Elles ont un bœuf blanc qui est intelligent.

5. C'est un bœuf. Tout le monde va parler de ce bœuf.

  C'est un bœuf dont tout le monde va parler.

6. Elles ont un bœuf roux. Elles le préfèrent.

  Elles ont un bœuf roux qu'elles préfèrent.

7. C'est un bœuf. Tout le monde envie la belle humeur de ce bœuf.

  C'est un bœuf dont tout le monde admire la belle humeur.

8. Les petites lui apprennent des jeux. Il raffole de ces jeux.

  Les petites lui apprennent des jeux dont il raffole.

9. Voici les jeux. Il les connaît.

  Voici les jeux qu'il connaît.

10. Ce sont des jeux. Le bœuf blanc ne les aime pas.

  Ce sont des jeux que le bœuf blanc n'aime pas.

11. Voici les livres. Il les lit.

  Voici les livres qu'il lit.

12. Voici un livre. Il tourne les pages de ce livre.

  Voici un livre dont il tourne les pages.

13. Ça c'est une histoire! Je voudrais savoir la fin de cette histoire.

  Ça c'est une histoire dont je voudrais savoir la fin.

Prepositions (57–58)

B. LE PROFESSEUR: Le grand roux s'intéresse.
   L'ÉTUDIANT: Il s'intéresse aux jeux.

1. Il raffole.	Il raffole des jeux.
2. Il réussit.	Il réussit aux jeux.
3. Il parle.	Il parle des jeux.
4. Il se prête.	Il se prête aux jeux.
5. Il joue.	Il joue aux jeux.
6. Il se souvient.	Il se souvient des jeux.

C. LE PROFESSEUR: Le bœuf blanc apprend.
   L'ÉTUDIANT: Il apprend à étudier.

1. Il aime.	Il aime étudier.
2. Il ne cesse jamais.	Il ne cesse jamais d'étudier.
3. Il passe son temps.	Il passe son temps à étudier.
4. Il se plaît.	Il se plaît à étudier.
5. Il ne s'arrête pas.	Il ne s'arrête pas d'étudier.
6. Il n'est jamais trop fatigué.	Il n'est jamais trop fatigué pour étudier.
7. Il est toujours prêt.	Il est toujours prêt à étudier.
8. Mais le grand roux l'empêche.	Le grand roux l'empêche d'étudier.

SUJET DE COMPOSITION

Vous aimez étudier. Votre camarade de chambre ne veut que s'amuser. Vos discussions et querelles avec lui (ou elle).

LES BOEUFS II

33

Marcel Aymé

Bien entendu, le maître (le père de Delphine et de Marinette) s'est bientôt aperçu du changement dans l'attitude de ses bœufs. Un jour, sur la fin de l'après-midi, il a eu la surprise de voir le bœuf blanc, assis sur le pas de la porte de l'étable, qui paraissait contempler distraitement la campagne.

—Par exemple°, a-t-il dit, qu'est-ce que tu fais là, bœuf, et dans cette position assise?

Et le bœuf, balançant la tête° et fermant à demi les paupières°, a répondu d'une voix douce:

> J'admire, assis sous un portail
> Ce reste de jour° dont s'éclaire
> La dernière heure du travail . . .

Le maître ne savait pas, ou bien il l'avait oublié, que ce fussent là des vers de Victor Hugo, et il a convenu°:

—Il parle bien, ce bœuf.

Mais le bœuf avait la tête si pleine de beaux vers, de problèmes, de chiffres et de maximes qu'il écoutait distraitement les ordres donnés par son maître quand il travaillait aux champs. Un matin de labour°, il s'est arrêté brusquement au milieu d'un sillon° et s'est mis à rêver tout haut°. Voilà ce qu'il disait:

—Deux robinets° coulent dans un récipient cylindrique de soixante-quinze centimètres de haut, et débitent° ensemble vingt-cinq décimètres cubes à la minute. Sachant que l'un des deux robinets, s'il coulait seul. . . .

—Qu'est-ce que tu peux bien jargonner°, a interrompu le maître. Explique-moi donc un peu ce que tu racontes. . . .

Mais le bœuf était si profondément absorbé par la recherche de sa solution qu'il n'entendait rien et demeurait immobile en marmonnant° des chiffres. Le maître se demandait si son bœuf avait bien toute sa raison°.

Le grand roux était encore plus insupportable. Au travail, il s'arrêtait à chaque instant pour rire à son contentement, ou bien se retournait vers le maître pour lui proposer une devinette°.

—Quatre pattes° sur quatre pattes. Quatre pattes s'en vont, quatre pattes restent. Qu'est-ce que c'est?

—Allons, nous ne sommes pas là pour dire des bêtises. Hue°!

—Oui, disait le grand roux en riant, vous dites ça parce que vous ne savez pas trouver°.

—Moi? Je ne veux même pas chercher. Au travail!

—Quatre pattes sur quatre pattes, voyons°, ce n'est pas difficile. . . . Le maître était au désespoir.

Mais l'histoire finit bien: il vend les deux bœufs au cirque, et le lendemain toute la famille va en ville et les applaudit dans un très joli numéro.

VOCABULAIRE

par exemple well, well; my word!

balancer la tête to nod

la paupière the eyelid

reste de jour remnant of light

convenir to agree, admit

le labour the ploughing

le sillon the furrow

tout haut aloud

le robinet the water tap

débiter to discharge

jargonner to talk

marmonner to mutter

avoir toute sa raison to be "all there"

la devinette the riddle

la patte the paw

hue giddap

trouver to find the answer

voyons come on now

QUESTIONNAIRE

1. Où le maître a-t-il trouvé son bœuf blanc un jour, sur la fin de l'après-midi?
2. Qu'est-ce qu'il lui a demandé?
3. Comment le bœuf a-t-il répondu?
4. Pourquoi le bœuf blanc faisait-il son travail distraitement?
5. Pourquoi la réponse du bœuf a-t-elle étonné le maître?
6. A quoi pensait le bœuf blanc quand il s'est mis à rêver tout haut?
7. Qu'est-ce que le maître s'est demandé quand il a entendu son bœuf qui marmonnait des chiffres?
8. Pourquoi le grand roux était-il encore plus insupportable que le bœuf blanc?
9. Qu'est-ce qu'il propose au maître?
10. Selon le grand roux, pourquoi est-ce que le maître ne répond pas à la devinette?
11. Que fait le maître enfin de ses bœufs?

ETUDE DE MOTS

absorbé par la recherche de sa solution	busy trying to figure out the solution
Ils sont partis à la recherche d'un res-taurant.	They went off to look for a restaurant.
Il fait des recherches.	He's engaged in research.

EXERCICES

Ce or Il (17B, 19B); Partitive (52C)

A. LE PROFESSEUR: Cette histoire est-elle intéressante?
    L'ÉTUDIANT: Oui, elle est intéressante.
    UN AUTRE ÉTUDIANT: C'est une histoire intéressante.

1. Le bœuf est-il intelligent? — Oui, il est intelligent. C'est un bœuf intelligent.
2. Le vers est-il beau? — Oui, il est beau. C'est un beau vers.
3. Le problème est-il difficile? — Oui, il est difficile. C'est un problème difficile.
4. Le maître est-il bon? — Oui, il est bon. C'est un bon maître.
5. La devinette est-elle facile? — Oui, elle est facile. C'est une devinette facile.
6. Le numéro est-il joli? — Oui, il est joli. C'est un joli numéro.
7. Les petites filles sont-elles jolies? — Oui, elles sont jolies. Ce sont de jolies petites filles.
8. Les bœufs sont-ils dociles? — Oui, ils sont dociles. Ce sont des bœufs dociles.
9. Les bœufs sont-ils beaux? — Oui, ils sont beaux. Ce sont de beaux bœufs.
10. Les jeux sont-ils amusants? — Oui, ils sont amusants. Ce sont des jeux amusants.
11. Est-ce que ces bouquins sont intéressants? — Oui, ils sont intéressants. Ce sont des bouquins intéressants.

Conditional (21, 22C)

B. LE PROFESSEUR: Etudiez-vous la leçon?
    L'ÉTUDIANT: Non, mais je devrais l'étudier.
    LE PROFESSEUR: Que feriez-vous si vous étiez raisonnable?
    L'ÉTUDIANT: J'étudierais la leçon.

1. Faites-vous vos devoirs? — Non, mais je devrais les faire.
Que feriez-vous si vous étiez raisonnable? — Je les ferais.
2. Lisez-vous votre livre? — Non, mais je devrais le lire.
Que feriez-vous si vous étiez raisonnable? — Je le lirais.

3. Il est très tard. Vous couchez-vous?   Non, mais je devrais.
   Que feriez-vous si vous étiez raisonnable?   Je me coucherais.
4. Vous levez-vous de bonne heure?   Non, mais je devrais.
   Que feriez-vous si vous étiez raisonnable?   Je me lèverais de bonne heure.
5. Arrivez-vous à l'heure?   Non, mais je devrais.
   Que feriez-vous si vous étiez raisonnable?   J'arriverais à l'heure.
6. Ecoutez-vous en classe?   Non, mais je devrais.
   Que feriez-vous si vous étiez raisonnable?   J'écouterais en classe.
7. Prenez-vous des notes?   Non, mais je devrais en prendre.
   Que feriez-vous si vous étiez sage?   J'en prendrais.
8. Allez-vous toujours en classe?   Non, mais je devrais y aller.
   Que feriez-vous si vous étiez sage?   J'irais en classe.[1]
9. Ecrivez-vous votre composition?   Non, mais je devrais l'écrire.
   Que feriez-vous si vous étiez sage?   Je l'écrirais.

SUJET DE COMPOSITION

Vous êtes le maître. Expliquez à Delphine et à Marinette pourquoi il faut vendre les bœufs au cirque.

[1] Avoid using *y* with *irais*.

Review Lesson VI

Révision du vocabulaire et des expressions du texte

A. Les expressions

TRADUISEZ :

1.	They know how to manage, to get by.	Ils savent se tirer d'affaire.
2.	Try and see.	Essayez voir.
3.	right in the middle of the trolley	en plein tramway
4.	Could it be that you are angry?	Seriez-vous fâché?
5.	They think she's beautiful.	Ils la trouvent belle.
6.	How handsome you are!	Que vous êtes beau!
7.	Draw (your own) conclusions, figure it out (for yourself).	Tirez les conséquences.
8.	He cares a lot about his china vases.	Il tient à ses potiches.
9.	I'm resigned to the loss of my vases.	J'ai fait le deuil de mes potiches.
10.	What do you think he cares?	Que voulez-vous que cela lui fasse?
11.	It's up to them.	C'est à eux.
12.	Do you have an hour to kill?	Avez-vous une heure à perdre?
13.	I can't help it.	C'est plus fort que moi.
14.	How do you find the area of a rectangle?	Comment s'obtient la surface d'un rectangle?
15.	Will you shut up?	Vas-tu te taire?
16.	He bothers me at my work, he interferes with my research.	Il trouble mes travaux.
17.	Now he's going crazy!	Voilà qu'il devient fou!
18.	only five minutes	rien que cinq minutes
19.	He's doing it on purpose.	Il le fait exprès.
20.	Is he all there, is he in full possession of his faculties?	Est-ce qu'il a toute sa raison?
21.	I told him a riddle.	Je lui ai proposé une devinette.
22.	I can't figure out (the answer). [I've got it!]	Je ne peux pas trouver. [J'ai trouvé! J'y suis!]
23.	He's talking to himself, musing.	Il rêve tout haut.
24.	They went off to look for a hotel.	Ils sont allés à la recherche d'un hôtel.
	[They went off to get a doctor.]	[Ils sont allés chercher un médecin.]

B. Le vocabulaire

TRADUISEZ :

1. the job	la situation
2. sensitive	sensible
3. packed to overflowing [the limit]	comble [le comble]
4. to hook on to	accrocher
5. a staff	un état-major
6. a weakness	un faible
7. the pinch	le pinçon
8. steadfastly, without retreating	de pied ferme
9. to conduct the investigation	mener l'enquête
10. to cheer up (someone)	consoler
11. to shove (people), bump into them	bousculer
12. from beneath	d'au-dessous
13. the level	le niveau
14. as for	quant à
15. matched	assortis
16. bent, twisted	tordu
17. the kick	le coup de pied
18. the change, transformation	le changement
19. upon my word, I'll be darned!	(ça) par exemple!
20. the remnant, remainder, leftover	le reste
21. the verse	le vers
22. absent-mindedly	distraitement
23. the furrow	le sillon
24. the tap	le robinet
25. the receptacle	le récipient
26. to discharge, turn out	débiter
27. to his heart's content	à son contentement
28. to turn around	se retourner

REMPLACEZ LES EXPRESSIONS EN ITALIQUES PAR UN SYNONYME :

1. Il est *membre de l'académie.*	académicien
2. *en tête à tête*	seul à seul
3. *Il y en a.*	Il s'en trouve. (ou: Il en est).
4. *Il y a une femme.*	il est (ou: il se trouve).
5. Ils la suivent *partout.*	en tous lieux
6. *répéter*	redire
7. Le temps *passe.*	s'écoule
8. Voici une pièce *d'un franc.*	de vingt sous

9. *le cri du chien*	l'aboiement
10. Est-ce que son *évaluation* est désintéressée.	appréciation
11. *Vous plaisantez.*	Vous voulez rire.
12. Mais c'est *effrayant!*	affreux
13. *immédiatement*	à l'instant
14. *Remettez* ce carnet *dans votre poche.*	rentrez
15. Il *vante le mérite de* son ami.	fait l'éloge de
16. *une personne employée par l'état*	un fonctionnaire
17. *un agent de police*	un gardien de la paix
18. *Toute personne qui* rit sera puni.	quiconque
19. Elle parle *constamment.*	sans arrêt
20. *celui qui paie l'impôt*	le contribuable
21. *celui qui perçoit l'impôt*	le percepteur
22. Il ne faut pas *en avoir honte.*	en rougir
23. Il *avance* dans ses études.	fait des progrès
24. *Les disputes* étaient fréquentes.	les querelles
25. Comment peux-tu être *tellement* bête?	à ce point (ou: si)
26. Parfois il *consentait à* ces jeux;	se prêtait à
27. mais d'ordinaire il *se consacrait à* ses études.	se livrait à
28. Il le fait *exprès, parce qu'il veut le faire.*	volontairement
29. Je lis *un livre.*	un bouquin
30. Je lui ai *fait promettre* de se taire.	arraché la promesse
31. Il a *remué la tête d'avant en arrière.*	balancé la tête
32. *ce qui recouvre les yeux quand ils sont fermés*	les paupières
33. Il y a encore un peu de *lumière.*	jour
34. *Il est demeuré d'accord* que son bœuf parlait bien.	a convenu
35. un jour *où il creusait des sillons dans la terre*	de labour
36. Il *a commencé à* jargonner.	s'est mis à
37. Il *murmure entre ses dents.*	marmonne
38. *le pied d'un animal*	la patte
39. On n'est pas là pour dire *des futilités, des choses stupides.*	des bêtises
40. Le maître est *irrité* par son bœuf.	agacé
41. *Il ne gagne pas, ne réussit pas aux jeux, ou aux examens.*	Il s'y colle.
42. Ils échangent *des insultes.*	des injures

Révision des exercices

A. Les prépositions

LE PROFESSEUR : Partir. Il décide.
L'ÉTUDIANT :   Il décide de partir.

1. Se tuer. Il est résolu.   Il est résolu à se tuer.
2. Y renoncer. Je le défie.   Je le défie d'y renoncer.
3. Apprendre. Elles décident.   Elles décident d'apprendre.
4. Les jeux. Il raffole.   Il raffole des jeux.
5. Les pieds du Président. Il rit.   Il rit des pieds du Président.
6. Les livres. Il s'intéresse.   Il s'intéresse aux livres.

B. Le conditionnel

TRADUISEZ :

1. I ought to go.   Je devrais aller.
2. If I had the time, I would go.   Si j'avais le temps, j'irais.
3. You should go too.   Vous devriez aller aussi.
4. If I were you, I would go to bed.   Si j'étais vous, je me coucherais.

C. *C'est* et *Il est*

TRADUISEZ :

1. They are pretty girls.   Ce sont de jolies (jeunes) filles.
2. They are pretty.   Elles sont jolies.
3. That's interesting, isn't it?   C'est intéressant, n'est-ce pas?
4. He's a good master.   C'est un bon maître.
5. He's good.   Il est bon.

D. Les interrogatifs

TRADUISEZ :

1. What did he kill himself with?   Avec quoi s'est-il tué?
2. What astonishes you?   Qu'est-ce qui vous étonne?
3. What did he take?   Qu'est-ce qu'il a pris?
4. Whom did he argue with?   Avec qui s'est-il disputé?
5. Where does he come from?   D'où vient-il?

E. Les pronoms relatifs

TRADUISEZ :

1. He's a person that everyone talks   C'est une personne dont tout le
   about.   monde parle.
2. Here are the games he knows.   Voici les jeux qu'il connaît.

3. Here are the little girls whose names we have learned.

Voici les petites filles dont nous avons appris les noms.

4. Here are the books that the white ox reads.

Voici les livres que le bœuf blanc lit.
ou : que lit le bœuf blanc.

F. Les pronoms compléments

LE PROFESSEUR :   Est-ce qu'Agnès plaît *au président?*
L'ÉTUDIANT :   Oui, elle lui plaît.

1. Est-ce qu'Agnès saura plaire *aux acadé-miciens?*

Oui, elle saura leur plaire.

2. Est-ce qu'Agnès donne *la recette à Mlle. Chèvredent?* (Répondez non!)

Non, elle ne la lui donne pas.

3. Est-ce qu'elle montre *son diamant à toutes ses amies?*

Oui, elle le leur montre.

4. Est-ce que le monsieur donne une *recette à Agnès?*

Oui, il lui en donne une.

5. Est-ce que le président se dit *qu'Agnès serait une très jolie secrétaire?*

Oui, il se le dit.

6. Agnès réussit-elle *à parler au président?*

Oui, elle y réussit.

7. Agnès parle-t-elle *au président de ses affaires?* (Répondez non.)

Non, elle ne lui en parle pas.

8. Mlle. Chèvredent monte-t-elle prévenir *la fiancée du président?*

Oui, elle monte la prévenir.

Je vous
demande un peu!

LE LOUP

34

Marcel Aymé

DELPHINE ET MARINETTE sont seules à la maison. Leurs parents leur ont dit de n'ouvrir la porte à personne. Mais voilà le loup qui les regarde par la fenêtre. Il trouve les deux petites tellement jolies et attendrissantes qu'il devient bon, tout à coup. Si bon et si doux qu'il ne pourrait plus jamais manger d'enfants. Marinette trouve que le loup est très gentil, mais Delphine se méfie un peu de lui.

—Il a l'air doux, a-t-elle dit, mais je ne m'y fie° pas. Rappelle-toi *Le Loup et l'agneau*°. . . . L'agneau ne lui avait pourtant rien fait.

Et comme le loup protestait de ses bonnes intentions, elle lui a dit:

—Et l'agneau, alors? . . . . Oui, l'agneau que vous avez mangé?

Le loup n'en a pas été démonté°.

—L'agneau que j'ai mangé, dit-il. Lequel?

Il disait ça tout tranquillement, comme une chose toute simple et qui va de soi°, avec un air et un accent d'innocence qui faisait froid dans le dos°.

—Comment? vous en avez donc mangé plusieurs! s'est écriée Delphine. Eh bien! c'est du joli°!

—Mais naturellement que j'en ai mangé plusieurs. Je ne vois pas où est le mal. . . . Vous en mangez bien, vous!

Il n'y avait pas moyen° de dire le contraire. On venait justement de manger du gigot° au déjeuner de midi.

—Dites donc, Loup, dit Delphine, j'avais oublié le petit Chaperon° Rouge. Parlons-en un peu du petit Chaperon Rouge, voulez-vous?

Le loup a baissé la tête avec humilité. Il ne s'attendait pas à° celle-là.

—C'est vrai, a-t-il avoué°, je l'ai mangé, le petit Chaperon Rouge. Mais je vous assure que j'en ai déjà eu bien du remords°. Si c'était à refaire°. . . .

—Oui, oui, on dit toujours ça. Tout de même vous l'avez mangé.

—Je l'ai mangé, c'est entendu. Mais c'est un péché° de jeunesse. . . . Et puis, si vous saviez les tracas° que j'ai eus à cause de cette petite! Tenez, on est allé jusqu'à dire [1] que j'avais commencé par manger la grand'mère, eh bien, ce n'est pas vrai du tout. . . .

---

[1] *Tenez, on est allé jusqu'à dire.* . . .—Listen, they went so far as to say. . . .

Ici, le loup s'est mis à ricaner° malgré lui, et probablement sans bien se rendre compte° qu'il ricanait.

—Je vous demande un peu° ! manger de la grand'mère, alors que j'avais une petite fille bien fraîche qui m'attendait pour mon déjeuner ! Je ne suis pas si bête°. . . .

Cette remarque fait très mauvaise impression sur les petites. Mais tout finit bien : elles le laissent entrer à la fin et ils jouent ensemble tous les trois.

VOCABULAIRE

attendrissant moving, sweet
se (mé)fier to (mis)trust
un agneau a lamb
démonté upset, abashed (colloquial)
ça va de soi it goes without saying
qui faisait froid dans le dos that gave them the shivers
c'est du joli! a fine thing!
un moyen a way, a means
le gigot roast leg of lamb
le chaperon the riding hood
s'attendre à to expect

avouer to admit
bien du remords a lot of remorse
si c'était à refaire if I had it to do over again
le péché the sin
le tracas the trouble, bother
ricaner to snicker
se rendre compte to realize
je vous demande un peu now I ask you
bête stupid

QUESTIONNAIRE

1. Quelle recommandation les parents ont-ils faite à Delphine et à Marinette avant de sortir?
2. Qu'est-ce qui arrive au loup quand il voit les deux petites?
3. Pourquoi Delphine se méfie-t-elle de lui?
4. Le loup en est-il démonté quand Delphine lui parle de l'agneau?
5. Pourquoi les petites sont-elles choquées par sa réponse?
6. Que dit Delphine pour exprimer son indignation?
7. Comment le loup se défend-il?
8. Qu'est-ce que Delphine et Marinette viennent de manger au déjeuner?
9. Mais que fait le loup quand on lui parle du petit Chaperon Rouge?
10. Comment tâche-t-il de s'excuser?
11. Que ferait-il si c'était à refaire?
12. Quelle accusation fausse a-t-on faite contre le loup?
13. Pourquoi dit-il qu'il est ridicule de l'accuser d'avoir mangé la grand'mère?
14. Comment l'histoire finit-elle?

ETUDE DE MOTS

1. *Il ne s'attendait pas à celle-là.*   He hadn't been expecting that one.
   Je m'attendais à cette question.   I was expecting that question.
   Mais lui, il ne s'y attendait pas.   But he wasn't.
   Je m'attendais à ce qu'il me pose cette question.   I expected him to ask me that question.

2. *Mais naturellement que j'en ai mangé!*   But of course I've eaten some!
   Mais naturellement que vous êtes invité!   But of course you're invited!
   Mais naturellement que vous êtes déçu.   It's only natural that you should be disappointed.

EXERCICES

Interrogatives (38B); Demonstrative pronouns (24)

A. LE PROFESSEUR: Et l'agneau que vous avez mangé?
   L'ÉTUDIANT: Lequel? Celui-là?

1. Je voudrais manger quelques-unes de ces pâtisseries.   Lesquelles? Celles-là?
2. Je vais choisir un de ces journaux.   Lequel? Celui-là?
3. Je vais lire une de vos compositions.   Laquelle? Celle-là?
4. Il y a une symphonie que je préfère à toutes les autres.   Laquelle? Celle-là?
5. Il y a certaines notes qui sont difficiles à jouer.   Lesquelles? Celles-là?
6. Quelques-uns parmi vous ne seront pas ici l'année prochaine.   Lesquels? Ceux-là?
7. J'ai trouvé un des chapitres très difficile.   Lequel? Celui-là?

Interrogatives (36B, C)

A. LE PROFESSEUR: Pourquoi est-ce que Delphine se méfie?
   L'ÉTUDIANT: Pourquoi Delphine se méfie-t-elle?
   LE PROFESSEUR: Où est-ce que les petites demeurent?
   L'ÉTUDIANT: Où demeurent les petites?

1. Quand est-ce que Delphine ouvre la porte?   Quand Delphine ouvre-t-elle la porte?
2. Comment est-ce que le loup répond?   Comment répond le loup?
3. Qu'est-ce que Marinette dit?   Que dit Marinette?

4. Quand est-ce que le loup a du re-   Quand le loup a-t-il du remords?
   mords?
5. Quand est-ce que le loup ricane?   Quand ricane le loup?
6. Pourquoi est-ce que le loup baisse la Pourquoi le loup baisse-t-il la tête?
   tête?
7. Quand est-ce que les petites mangent Quand les petites mangent-elles du
   du gigot?   gigot?
8. Qui est-ce que Delphine connaît?   Qui Delphine connaît-elle?

Avoiding the passive (16)

C. LE PROFESSEUR :   Les vins rouges se servent-ils avec le gigot? (*Are red wines*
                       served with leg of lamb?)

   L'ÉTUDIANT :   Oui, on sert les vins rouges avec le gigot. (*Yes, red wines*
                       are served with leg of lamb.)

1. Ces choses se font-elles en France?   Oui, on fait ces choses en France.
2. Ça se dit-il?   Oui, on dit ça.
3. Ces vins se boivent-ils glacés?   Oui, on boit ces vins glacés.
4. Le gigot se vend-il à la boucherie?   Oui, on vend le gigot à la boucherie.
5. Les œufs durs se mangent-ils   Oui, on mange les œufs durs comme
   comme hors-d'œuvre?   hors-d'œuvre.
6. La consonne finale se prononce-   Oui, on prononce la consonne finale.
   t-elle?

SUJETS DE COMPOSITION

   Choisissez un des sujets suivants :
1. Vous êtes le loup. Racontez l'histoire du petit Chaperon Rouge de votre
   point de vue. Vos remords? Les exagérations de la presse? etc.
2. Vous êtes le petit Chaperon Rouge. Vos souvenirs de votre célèbre rencontre avec le loup. Votre opinion de lui? etc.

LE CERF ET LE CHIEN I

35

Marcel Aymé

DELPHINE caresse le chat de la maison et Marinette chante une petite chanson à un poussin° jaune qu'elle tient sur les genoux°.

LE POUSSIN. [*En regardant du côté de° la route.*] Tiens, voilà un bœuf.

LE CERF. [*D'une voix suppliante°.*] Cachez-moi. Les chiens sont sur ma trace°. Ils veulent me manger. Défendez-moi.
[*Les petites l'embrassent.*]

LE CHAT. [*Gronde°.*] C'est bien le moment de s'embrasser![1] Quand les chiens seront sur lui, il en sera plus gras![2] J'entends déjà aboyer° à la lisière du bois°. Allons, ouvrez-lui plutôt la porte de la maison et conduisez-le dans votre chambre.
[*C'est ce qu'elles font.*]

MARINETTE. [*Au cerf.*] Tenez, reposez-vous et ne craignez rien. Voulez-vous que j'étende° une couverture° par terre?

LE CERF. Oh! non, ce n'est pas la peine. Vous êtes trop bonne.

MARINETTE. Comme vous devez avoir soif! Je vous mets de l'eau dans la cuvette°. . . . Mais j'entends le chat qui m'appelle. Je vous laisse. A bientôt.

LE CERF. Merci. Je n'oublierai jamais.
[*Marinette rejoint° les autres au pas de la porte.*]

LE CHAT. Surtout n'ayons l'air de rien.[3] Asseyez-vous comme vous étiez tout à l'heure et occupez-vous du poussin et caressez-moi.

LE POUSSIN. Qu'est-ce que ça veut dire? Moi, je n'y comprends rien. Je voudrais bien savoir pourquoi on a fait entrer un bœuf dans la maison?

DELPHINE. Ce n'est pas un bœuf, c'est un cerf.

LE POUSSIN. Un cerf? Ah! c'est un cerf? . . . . Tiens, tiens, un cerf. . . .
[*Un chien de chasse° arrive.*]

LE CHIEN. Le cerf est passé par ici. Où est-il allé?

---

[1] *C'est bien le moment de s'embrasser!*—This is a fine time to be kissing!
[2] *Il en sera plus gras!*—A lot of good it will do him!
[3] *n'avoir l'air de rien*—to look as if nothing had happened.

DELPHINE. Le cerf? Quel cerf?

LE CHIEN. Je sens ici une odeur de cerf. . . . Allons, avouez°-le. Tout à l'heure, vous avez vu arriver un cerf dans la cour. Vous en avez eu pitié et vous l'avez fait entrer dans la maison.

MARINETTE. [*D'une voix un peu hésitante.*] Je vous assure, il n'y a pas de cerf dans la maison.

LE POUSSIN. [*Qui s'était endormi, se réveille à ces mots.*] Mais si! voyons! La petite ne se rappelle pas, mais moi, je me rappelle très bien! Elle a fait entrer un cerf dans la maison, oui, oui, un cerf! une grande bête avec plusieurs cornes°. Ah! Ah! heureusement que° j'ai de la mémoire, moi!

VOCABULAIRE

le cerf the stag (*f* is silent)	*étendre* to stretch out
le poussin the baby chick	*la couverture* the blanket
le genou the knee	*la cuvette* the basin
du côté de in the direction of	*rejoindre* to join
suppliant pleading	*la chasse* hunting
sur ma trace on my track	*avouer* to admit
gronder to scold	*la corne* the horn (of an animal)
aboyer to bark	*heureusement que* it's a good thing
la lisière du bois the edge of the woods	that

QUESTIONNAIRE

1. Que font Delphine et Marinette au début de l'histoire?
2. Pour qui le poussin prend-il le cerf?
3. Pourquoi le cerf demande-t-il aux petites de le cacher?
4. Pourquoi le chat est-il fâché? Quelle suggestion fait-il?
5. Que dit Marinette au cerf quand elle le cache?
6. Qu'est-ce qu'elle lui apporte? Et pourquoi? Pourquoi le laisse-t-elle?
7. Quelle recommandation le chat fait-il aux petites?
8. Qu'est-ce qu'elles devraient faire, selon le chat?
9. Quelle question le poussin pose-t-il?
10. Et le chien, quelle question pose-t-il?
11. Pourquoi sait-il qu'il y a un cerf dans la maison?
12. Selon le chien, qu'est-ce que les petites ont fait du cerf?
13. Qu'est-ce qui montre que Marinette n'a pas l'habitude de mentir?

14. Que dit le poussin quand il se réveille?
15. Comment définit-il un cerf?
16. Pourquoi est-il fier?

ETUDE DE MOTS

Express the following in French, noting the difference in word order:

How thirsty you must be!	*Comme (ou que) vous devez avoir soif!*
How hungry you must be!	*Comme vous devez avoir faim!*
How scared you must be!	*Comme vous devez avoir peur!*
How tired you must be!	*Comme vous devez être fatigué!*
How out of breath you must be!	*Comme vous devez être essoufflé!*
How happy you must be!	*Comme vous devez être heureux!*
You saw the stag arrive.	*Vous avez vu arriver le cerf.*
You heard the dogs bark.	*Vous avez entendu aboyer les chiens.*
You heard the cat calling.	*Vous avez entendu appeler le chat.*
You heard the dog arriving.	*Vous avez entendu arriver le chien.*
You saw the stag go in.	*Vous avez vu entrer le cerf.*
You had the stag go in.	*Vous avez fait entrer le cerf.*
You had the stag drink.	*Vous avez fait boire le cerf.*
You had the stag eat.	*Vous avez fait manger le cerf.*

EXERCICE

Object pronouns (48B); Imperative (34)

LE PROFESSEUR: Vous êtes le chat. Dites aux petites de cacher *le cerf*.
L'ÉTUDIANT: Cachez-le.

1. Vous êtes le cerf. Dites aux petites de vous cacher.　Cachez-moi.
2. Dites leur de vous défendre.　Défendez-moi.
3. Vous êtes le chat. Dites aux autres de ne pas　Ne vous embrassez pas.
   s'embrasser.
4. Dites-leur d'ouvrir la porte *au cerf*.　Ouvrez-lui la porte.
5. Dites-leur de le conduire dans leur chambre.　Conduisez-le dans
   votre chambre.
6. Dites-leur de le faire entrer.　Faites-le entrer.
7. Vous êtes Marinette. Dites au cerf de se reposer.　Reposez-vous.
8. Dites-lui de ne rien craindre.　Ne craignez rien.
9. Vous êtes le cerf. Dites à Marinette de ne pas　Ne l'étendez pas.
   étendre *la couverture*.

10. Dites-lui de ne pas se déranger.   Ne vous dérangez pas.
11. Dites-lui de répondre *au chat*.   Répondez-lui.
12. Dites-lui de s'en aller.   Allez-vous-en.
13. Dites-lui de rejoindre *les autres*.   Rejoignez-les.
14. Vous êtes le chat. Dites aux petites de n'avoir l'air   N'ayez l'air de rien.
    de rien.
15. Dites-leur de ne pas avoir peur.   N'ayez pas peur.
16. Dites-leur d'être calmes.   Soyez calmes.
17. Dites-leur de s'asseoir.   Asseyez-vous.
18. Dites-leur de s'occuper *du poussin*.   Occupez-vous-en.
19. Dites-leur de vous caresser.   Caressez-moi.
20. Vous êtes le chien. Dites aux petites d'avouer   Avouez-le.
    qu'elles ont caché le cerf.
21. Dites-leur de le faire sortir.   Faites-le sortir.
22. Vous êtes Delphine. Dites au chien de ne pas   N'y entrez pas.
    entrer *dans la maison*.
23. Dites-lui d'avoir pitié.   Ayez pitié.

SUJET DE COMPOSITION

Le chat raconte l'histoire. (Style indirect; pas de citations; son attitude envers le poussin, le chien, les petites.)

LE CERF ET LE CHIEN II

36

Marcel Aymé

LE CHIEN. J'en étais sûr. Mon flair° ne me trompe jamais. . . . Allons, soyez raisonnables et faites-le sortir. Songez que cette bête ne vous appartient pas. Si mon maître apprenait ce qui s'est passé, il viendrait sûrement trouver vos parents. Ne vous entêtez° pas.

[*Les petites commencent à pleurer. Alors le chien paraît tout ennuyé°.*]

LE CHIEN. C'est drôle°, je ne peux pas voir pleurer des petites. Ecoutez, je ne veux pas être méchant°. Après tout, le cerf ne m'a rien fait. D'un autre côté°, bien sûr°, le gibier° est le gibier et je devrais faire mon métier°. Mais, pour une fois. . . . Tenez, je veux bien ne m'être aperçu de rien.[1]

[*Delphine et Marinette commencent à se réjouir°.*]

Ne vous réjouissez pas. . . . J'entends aboyer mes compagnons° de meute°. . . . Que leur direz-vous? Il ne faut pas compter° les attendrir°. J'aime autant° vous prévenir°, ils ne connaissent que le service. . . .[2]

[*Delphine et Marinette recommencent à pleurer.*]

LE CHAT. Allons, ne pleurez pas, nous allons recevoir la meute. Delphine, va au puits° tirer° un seau° d'eau fraîche. . . . Toi, Marinette, va-t-en au jardin avec le chien. Je vous rejoins.

[*Bientôt la meute s'approche. Le chat s'avance à leur rencontre°.*]

LE CHAT. Vous venez pour le cerf? Il est passé par ici il y a un quart d'heure.

RAVAGEUR. [*Un des chiens de la meute*]: Veux-tu dire qu'il est reparti°?

LE CHAT. Oui, il est entré dans la cour et il en est ressorti° aussitôt. Il y avait déjà un chien sur sa trace, un chien pareil à° vous et qui s'appelle Pataud.

---

[1] *Je veux bien ne m'être aperçu de rien.*—I'm willing (to pretend) that I didn't see a thing.

[2] *Ils ne connaissent que le service.*—They are devoted to their work (literally, they know only their work).

RAVAGEUR. Ah! oui. . . . Pataud. . . . en effet°.

LE CHAT. Je vais vous dire exactement la direction qu'a prise le cerf.

RAVAGEUR. [Grogne°.] Inutile. . . . Nous saurons bien retrouver sa trace.

DELPHINE. [S'avance.] Pataud m'a donné une commission° pour vous. . . .
Il m'a chargée° de vous offrir à boire. . . . Tenez, voilà un
seau d'eau qui sort du puits. . . .

LES CHIENS. Ce n'est pas de refus.[3]

MARINETTE. [Qui porte un énorme bouquet de fleurs.] Vous êtes si beau que
je veux vous faire un cadeau° de mes fleurs. Jamais chiens ne
les auront mieux méritées.
[Les petites se hâtent de passer des fleurs dans leurs colliers.[4]]

DELPHINE. Ravageur, encore un jasmin . . . le jasmin vous va si bien!
Mais dites-moi, peut-être avez-vous encore soif?

RAVAGEUR. Non, merci, vous êtes trop aimable. Il nous faut rattraper°
notre cerf. . . .
[Mais l'odeur des fleurs masque si bien la trace du cerf que la
meute ne la retrouve plus.]

VOCABULAIRE

le flair sense of smell (fig., acumen,
   flair)
s'entêter to be, or get, stubborn
ennuyé (here) sad, upset
drôle funny, strange
méchant mean
d'un autre côté on the other hand
bien sûr of course
le gibier game, huntsman's quarry
le métier the job, trade
se réjouir to rejoice
le compagnon the companion
la meute the pack (of dogs)
compter to count on
attendrir to move, touch

j'aime autant . . . I might as well . . .
prévenir to warn
le puits the well
tirer (here) to draw
le seau the bucket
à leur rencontre (f) to meet them
repartir, ressortir to leave (again)
pareil à like
en effet that's right
grogner to growl
la commission the message, errand
il m'a chargé de . . . he told me to . . .
le cadeau the gift
le collier the collar
rattraper to catch up with

---

[3] Ce n'est pas de refus.—We can't say no to that (literally, it is not to be refused).
[4] passer des fleurs dans leurs colliers.—to slip flowers under their collars.

QUESTIONNAIRE

1. Pourquoi le chien était-il sûr que le cerf était dans la maison?
2. Qu'est-ce qu'il dit aux petites de faire?
3. Que ferait son maître s'il apprenait ce qui s'est passé?
4. Que fait le chien quand les petites commencent à pleurer?
5. Cependant, quels arguments y aurait-il pour ne pas laisser s'échapper le cerf?
6. Pourquoi les petites n'ont-elles pas raison de se réjouir?
7. Quelle sorte de chiens sont les compagnons de meute de Pataud?
8. Evidemment le chat a un plan. Quel est son plan? Que dit-il à Delphine de faire? Et à Marinette?
9. Que dit le chat à Ravageur?
10. Qu'est-ce qu'il lui dit de faux? (*false*) Qu'est-ce qu'il lui dit de vrai?
11. Quel service offre-t-il à Ravageur, et comment celui-ci répond-il?
12. Quelle est la commission que Pataud a donnée à Delphine?
13. D'où vient l'eau?
14. Quel cadeau Marinette leur fait-elle?
15. Où les petites mettent-elles les fleurs?
16. Pourquoi la meute ne peut-elle plus retrouver le cerf?

ETUDE DE MOTS

Il nous faut rattraper notre cerf.	We must catch up with our stag.
Il nous faut faire notre métier.	We must do our job.
Il leur faut faire leur métier.	They must do their job.
Il me faut faire mon métier.	I must do my job.
Il lui faut aller au puits.	She must go to the well.
Il lui faut aller au jardin.	He must go to the garden.
Il vous faut boire cette eau.	You must drink this water.

Note word order again in:

J'entends aboyer mes compagnons de meute.	I hear the other dogs in the pack barking.
Je ne peux pas voir pleurer des petites.	I can't see little girls crying.

EXERCICES

Object pronouns (44); Stressed pronouns (69A)

A. LE PROFESSEUR: Aimez-vous *ce chat?*

       L'ÉTUDIANT: Oui, je l'aime.

LE PROFESSEUR: Sans *le chat,* le cerf serait-il perdu?
L'ÉTUDIANT: Oui, sans lui, il serait perdu.

1. Le chien aime-t-il *les petites?*   Oui, il les aime.
2. Est-il gentil avec *les petites?*   Oui, il est gentil avec elles.
3. Les petites donnent-elles de l'eau *aux* Oui, elles leur donnent de l'eau.
   chiens?
4. Est-ce que les fleurs sont pour *les*   Oui, elles sont pour eux.
   chiens?
5. Les petites aiment-elles *Pataud?*   Oui, elles l'aiment.
6. S'entendent-elles avec *Pataud?*   Oui, elles s'entendent avec lui.
7. Ces colliers de fleurs vont-ils *aux*   Oui, ils leur vont.
   chiens?
8. Le chat est-il fâché contre *le petit*   Oui, il est fâché contre lui.
   poussin?

Negatives (40); Infinitive (35A)

B. LE PROFESSEUR: Le chien dit: "Ne vous entêtez pas".
   L'ÉTUDIANT: Il leur a dit de ne pas s'entêter.

1. Ne pleurez pas.   Il leur a dit de ne pas pleurer.
2. Mais ne vous réjouissez pas non plus.   Il leur a dit de ne pas se réjouir non
                                            plus.
3. Ne comptez pas les attendrir.   Il leur a dit de ne pas compter les
                                            attendrir.
4. Le chat dit: Recevez la meute.   Il leur a dit de recevoir la meute.
5. Allez-vous en au jardin.   Il leur a dit de s'en aller au jardin.
6. Rejoignez-moi plus tard.   Il leur a dit de le rejoindre plus
                                            tard.
7. Soyez raisonnables.   Il leur a dit d'être raisonnables.
8. N'ayez pas peur.   Il leur a dit de ne pas avoir peur.
9. Delphine dit aux chiens: Reposez-   Elle leur a dit de se reposer.
   vous.
10. Buvez.   Elle leur a dit de boire.
11. Prenez ces fleurs.   Elle leur a dit de prendre ces fleurs.
12. Passez-les dans vos colliers.   Elle leur a dit de les passer dans
                                            leurs colliers.

SUJET DE COMPOSITION

Le chat raconte l'histoire. Le poussin a failli tout gâter (*almost ruined
everything*), mais le chat n'a pas perdu la tête, etc.

LE CERF ET LE CHIEN III

37

Marcel Aymé

Le cerf accepte de travailler à côté du bœuf dans la ferme. Quelques semaines plus tard, Pataud vient lui dire qu'il a bien fait [1] et qu'il espère qu'il y travaillera toujours.

LE CERF. Toujours? Non, ce n'est pas possible. Si tu savais comme le travail est ennuyeux° et comme la plaine est triste par ces grands soleils°, alors qu'il fait si frais et si doux dans nos bois.

PATAUD. Les bois n'ont jamais été moins sûrs. On chasse presque tous les jours.

LE CERF. Tu veux me faire peur, mais je sais qu'il n'y a presque rien à craindre.

PATAUD. Je veux te faire peur, oui, pauvre cerf. Hier encore, nous avons tué un sanglier°. Ah! quel métier! depuis que je vous connais, je ne peux pas dire combien il m'est pénible°.[2] Si je pouvais, moi aussi, quitter la forêt pour aller travailler dans une ferme. . . .

DELPHINE. Justement, nos parents ont besoin d'un chien. Venez à la maison.

PATAUD. [*Soupire.*] Je ne peux pas. Quand on a un métier, il faut bien qu'on le fasse. C'est ce qui compte d'abord. D'un autre côté, je ne voudrais pas non plus abandonner des compagnons de meute avec lesquels j'ai toujours vécu. Tant pis pour moi. Mais j'aurais moins de peine à vous quitter si notre ami voulait me promettre de rester à la ferme.

Mais hélas, le cerf n'y reste pas. Un triste jour, Pataud vient trouver les petites.

PATAUD. [*Tête basse.*] J'ai une mauvaise nouvelle à vous apprendre.

LES PETITES. Le cerf!

PATAUD. Oui, le cerf. Mon maître l'a tué hier après-midi. Pourtant, j'ai fait

---

[1] *Il a bien fait.*—He did the right thing, made the right choice.
[2] *combien il m'est pénible*—how distressing it is to me.

tout ce que j'ai pu pour entraîner° la meute sur une mauvaise piste°. Mais Ravageur se méfiait° de moi. Quand je suis arrivé près du cerf, il respirait° encore et il m'a reconnu. Avec ses dents, il a cueilli° une petite marguerite° et il me l'a donnée pour vous . . . "Pour les petites," il m'a dit. Tenez, la voilà, passée dans mon collier. Prenez-la.

[*Les petites pleurent. Le chien reprend*°.]

PATAUD. Et maintenant, je ne veux plus entendre parler de la chasse. C'est fini. Je voulais vous demander si vos parents avaient toujours envie d'un chien.

MARINETTE. Oui. Ils en parlaient encore tout à l'heure. Ah! je suis bien contente! tu vas rester avec nous!

VOCABULAIRE

ennuyeux boring
par ces grands soleils in the hot sun we've been having
le sanglier the wild boar
pénible painful, distressing
entraîner to lead

la mauvaise piste the wrong track
respirer to breathe
se méfier de to be suspicious of
cueillir to pick
la marguerite the daisy
reprendre (here) to continue

QUESTIONNAIRE

1. Quel travail le cerf accepte-t-il?
2. Quelle recommandation Pataud lui fait-il?
3. Pourquoi est-ce que le cerf n'aime pas son travail?
4. Pourquoi est-ce que les bois sont dangereux?
5. Le cerf croit-il que les bois sont dangereux? Que dit-il à ce propos?
6. Pourquoi le chien n'aime-t-il pas son métier? Depuis quand ne l'aime-t-il plus?
7. Que voudrait-il faire? Où pourrait-il trouver du travail?
8. Pourquoi ne quitte-t-il pas son métier?
9. Qu'est-ce qui lui rendrait son métier un peu moins pénible?
10. Pourquoi Pataud vient-il voir les petites quelques jours plus tard?
11. Que leur dit-il?
12. Qui a tué le cerf?
13. Qu'est-ce que Pataud a essayé de faire? Pourquoi n'a-t-il pas réussi?
14. Que faisait le cerf quand Pataud est arrivé?
15. Qu'a-t-il donné à Pataud? Pour qui? Quelle promesse avait-il faite à

Marinette quand elle l'avait caché dans sa chambre? A-t-il tenu sa promesse?

16. Quelle décision Pataud a-t-il prise?

17. Pourquoi les petites sont-elles contentes à la fin?

ETUDE DE MOTS

1. *Il a bien fait d'accepter ce travail.*   He did the right thing in accepting that job.

   Pataud a bien fait de quitter son métier.   Pataud did well to leave his trade.

2. *par ces grands soleils*   in this hot weather
   Vous sortez par cette pluie?   Are you going out in this rain?
   Par le temps qu'il fait il vaut mieux rester à la maison.   In this weather, it is better to stay home.
   par un beau jour d'été   one fine summer's day, on a fine summer's day

3. *Je ne veux plus entendre parler de la chasse.*   I don't want to hear anything more about hunting; don't ever mention hunting to me again.

   J'en ai assez! Je ne veux plus en entendre parler!   I've had enough! I don't want to hear anything more about it!

EXERCICE

Imparfait (32–33)

LE PROFESSEUR: Delphine vit dans une ferme.
L'ÉTUDIANT: Delphine vivait dans une ferme.

Dans les deux cas, il s'agit de faits habituels (*customary actions*) mais le professeur parle au présent, l'étudiant parle au passé.

1. Deux petites demeurent dans une ferme.   . . . demeuraient
2. Elles sont heureuses.   . . . étaient
3. Tous les animaux peuvent parler dans cette ferme.   . . . pouvaient
4. Et quelques-uns savent lire.   . . . savaient
5. Cela rend la vie des petites très intéressante.   . . . rendait
6. Elles passent beaucoup de temps dans l'étable.   . . . passaient
7. Quand elles reviennent de l'école,   . . . revenaient
8. elles vont toujours voir les bœufs.   . . . allaient
9. Quelquefois elles reçoivent la visite du loup.   . . . recevaient
10. Il est si amusant!   . . . était

11. Il a de grandes dents blanches.   . . . avait
12. Mais il ne leur fait pas peur.   . . . faisait
13. Il joue avec elles.   . . . jouait
14. Cependant, il part toujours avant le retour des   . . . partait
    parents.
15. Il ne veut pas faire leur connaissance.   . . . voulait
16. Il se méfie des grandes personnes.   . . . se méfiait
17. Il prend des précautions.   . . . prenait
18. Quand il les entend s'approcher,   . . . entendait
19. il dit au revoir aux petites   . . . disait
20. et il sort.   . . . sortait
21. Il craint les adultes.   . . . craignait

SUJET DE COMPOSITION

Pataud a quitté la meute pour de bon. Ravageur explique aux autres chiens pourquoi il avait raison de se méfier de Pataud.

LE PAON°

38

Marcel Aymé

LE COQ. Je ne voudrais pas te faire de la peine, mais tu as quand même un drôle de cou.[1]

L'OIE°. Un drôle de cou? Pourquoi, un drôle de cou?

LE COQ. Cette question![2] mais parce qu'il est trop long! Regarde le mien!

L'OIE. Eh bien, oui, je vois que tu as le cou beaucoup trop court. Je dirai même que c'est loin d'être joli.

LE COQ. Trop court! Voilà que maintenant[3] c'est moi qui ai le cou trop court! En tout cas, il est plus beau que le tien.

L'OIE. Je ne trouve pas. Du reste°, ce n'est pas la peine de discuter. Tu as le cou trop court et un point, c'est tout.[4]

LE COQ. [En ricanant°.] Tu as raison. Ce n'est pas la peine de discuter. Mais sans parler du cou, je suis mieux que toi.[5] J'ai des plumes bleues, des plumes noires et même des jaunes. Surtout j'ai un très beau panache°, tandis que toi, je trouve que tu finis drôlement.

L'OIE. J'ai beau te regarder,[6] je vois un petit tas° de plumes ébouriffées° qui ne sont guère plaisantes. C'est comme cette crête° rouge que tu as sur la tête, tu n'imagines pas, pour quelqu'un d'un peu délicat,[7] combien c'est écœurant°.

LE COQ. [Furieux.] Vieille imbécile! je suis plus beau que toi! tu entends! plus beau que toi!

L'OIE. Ce n'est pas vrai! Espèce de brimborion°! C'est moi la plus belle!

LE COCHON°. [En s'approchant.] Qu'est-ce qui vous prend?[8] Est-ce que vous avez perdu la tête, tous les deux? Voyons, mais le plus beau, c'est moi!

[Delphine, Marinette, et toute la basse-cour° éclatent de rire.]

---

[1] *Tu as quand même un drôle de cou.*—I must say you have a funny neck.
[2] *Cette question!*—what a question!
[3] *Voilà que maintenant. . . .*—So now. . . .
[4] *Un point, c'est tout.*—Period. That's all.
[5] *Je suis mieux que toi.*—I'm better looking than you are.
[6] *J'ai beau te regarder, . . .*—it's no good looking at you, . . .
[7] *quelqu'un d'un peu délicat*—someone with a little taste.
[8] *Qu'est-ce qui vous prend?*—What's got into you?

Voyons, mais le plus beau,
c'est moi!

LE COCHON. Je ne vois pas ce qui vous fait rire. En tout cas, pour ce qui est
de° savoir lequel est le plus beau, vous voilà d'accord°.

L'OIE. C'est une plaisanterie°.

LE COQ. Mon pauvre cochon, si tu pouvais voir combien tu es laid°!

UN PAON. [*S'approche, et, s'adressant aux deux petites:*] Depuis le coin de
la haie°, j'ai assisté à° leur querelle et je ne vous cacherai pas°
que je me suis follement amusé. Ah! oui, follement. . . .
Grave question de savoir quel est le plus beau de ces trois personnages. . . . Ah! laissez-moi rire encore . . . Mais soyons
sérieux. Dites-moi, jeunes filles, ne pensez-vous pas qu'il
vaudrait mieux, quand on est si loin de la perfection, ne pas
trop parler de sa beauté?

Toute la basse-cour admire le paon. Le reste de l'histoire raconte les
efforts qu'ils font pour atteindre à° la même beauté en suivant un régime°.

VOCABULAIRE

le paon (*o* is silent) the peacock

une oie a goose

du reste anyhow

ricaner to snigger

le panache the tailfeathers (*fig.* a
    dashing manner)

le tas the heap, pile

ébouriffé dishevelled

la crête the comb, crest

écœurant disgusting, sickening

le brimborion the bauble, cheap toy

le cochon the pig

la basse-cour the farmyard

pour ce qui est de . . . as far as . . .
    goes

d'accord in agreement

la plaisanterie the joke

laid ugly

la haie the hedge

assister à to hear, be present at

je ne vous cacherai pas que . . . I
    won't deny that . . .

atteindre à to attain, achieve

le régime the diet

QUESTIONNAIRE

1. Qui commence la querelle? Comment le fait-il?
2. Pourquoi le coq trouve-t-il le cou de l'oie drôle? Comment l'oie se défend-
elle?
3. De quoi encore le coq se vante-t-il? (*boast*)
4. Quelle nouvelle remarque désobligeante fait-il à l'oie?
5. Comment l'oie décrit-elle le panache du coq? Et sa crête?
6. Que dit le coq quand il se fâche? Comment l'oie répond-elle?

7. Qu'est-ce que le cochon leur demande?
8. Pourquoi croit-il qu'ils ont perdu la tête?
9. Qui éclate de rire?
10. L'oie et le coq sont d'accord au moins sur un point. Lequel?
11. Comment répondent-ils au cochon?
12. Que pense le paon de la querelle?
13. Pourquoi la querelle lui semble-t-elle ridicule?
14. Selon le paon, quel sujet les autres devraient-ils éviter? Pourquoi?
15. Que fait la basse-cour sous l'influence du paon?
16. Dans cette querelle, qui vous paraît le personnage le plus sympathique? Pourquoi? Qui fait preuve de vanité? de sottise? (*foolishness*)

ETUDE DE MOTS

1. *un drôle de cou*   a funny neck
   un drôle de coq   a funny rooster
   une drôle d'oie   a funny goose
   une drôle de question   a funny question

2. *Voilà que (maintenant) c'est moi.*   Now it is I.
   Voilà qu'ils se disputent.   Now they're fighting.
   Voilà qu'il pleut.   Now it's raining.

3. *J'ai beau regarder, je ne vois rien.*   It's no good looking, or, no matter how hard I look, I can't see anything.

   J'ai beau parler. . . .   No matter how much I talk. . . .
   Vous avez beau rire, c'est moi le plus beau.   You can laugh all you want to, I'm still the best looking one.

EXERCICE

Imparfait and passé composé (32–33); Pluperfect (55)

Le professeur raconte l'histoire au présent, l'étudiant la répète au passé.

1. Le coq dit à l'oie   Le coq a dit à l'oie
   qu'elle a un drôle de cou.   qu'elle avait un drôle de cou.
2. L'oie répond   L'oie a répondu
3. que c'est le cou du coq   que c'était le cou du coq
   qui est trop court.   qui était trop court.
4. Le coq se met à ricaner.   Le coq s'est mis à ricaner.
5. Il dit avec sarcasme   Il a dit avec sarcasme
   que l'oie a raison.   que l'oie avait raison.
6. Ils échangent des injures   Ils échangeaient des injures

quand le cochon intervient.

7. Il leur demande
   s'ils ont perdu la tête.
8. Le cochon est certain
   que c'est lui le plus beau.
9. Soudain un paon les interrompt.
10. Il leur dit
11. qu'il ne s'est jamais tant amusé,
12. qu'il n'a jamais tant ri,
13. qu'ils sont fous tous les trois,
14. et qu'ils ne savent pas
    ce dont ils parlent.
15. Les animaux sont si étonnés

16. que tout le monde décide
    d'imiter le paon.

quand le cochon est intervenu.

Il leur a demandé
s'ils avaient perdu la tête.
Le cochon était certain
que c'était lui le plus beau.
Soudain un paon les a interrompus.
Il leur a dit
qu'il ne s'était jamais tant amusé,
qu'il n'avait jamais tant ri,
qu'ils étaient fous tous les trois,
et qu'ils ne savaient pas
ce dont ils parlaient.
Les animaux ont été (ou étaient) si
étonnés
que tout le monde a décidé
d'imiter le paon.

SUJET DE COMPOSITION

Qui est la plus vaniteuse de ces créatures, le coq, le paon, l'oie, ou le cochon? Et qui est la moins sympathique? Répondez en tirant vos exemples du texte, mais ne citez pas directement.

LE CANARD° ET LA PANTHÈRE

39

Marcel Aymé

LE CANARD a fait le tour du monde.[1] Il revient à la ferme avec une panthère. Il la présente aux petites.

LA PANTHÈRE. Le canard m'a bien souvent parlé de vous. C'est comme si je vous connaissais déjà.

LE CANARD. Voilà ce qui s'est passé. En traversant les Indes, je me suis trouvé un soir en face de la panthère. Et figurez-vous qu'°elle voulait me manger. . . .

LA PANTHÈRE. [*En baissant la tête.*] C'est pourtant vrai.

LE CANARD. Mais moi, je n'ai pas perdu mon sang-froid° comme bien des° canards auraient fait à ma place. Je lui ai dit: "Toi qui veux me manger, sais-tu seulement [2] comment s'appelle ton pays!" Naturellement, elle n'en savait rien. Alors, je lui ai appris qu'elle vivait aux Indes, dans la province du Bengale. Je lui ai dit les fleuves°, les villes, les montagnes, je lui ai parlé d'autres pays. . . . Elle voulait tout savoir, si bien que° la nuit entière, je l'ai passée à répondre à ses questions. Au matin, nous étions déjà deux amis et depuis, nous ne nous sommes plus quittés d'un pas.[3] Mais, par exemple°, vous pouvez compter° que je lui ai fait la morale sérieusement![4]

LA PANTHÈRE. J'en avais besoin. Que voulez-vous°, quand on ne sait pas la géographie. . . .

MARINETTE. Et notre pays, comment le trouvez-vous?

LA PANTHÈRE. Il est bien agréable, je suis sûre que je m'y plairai. Ah! j'étais pressée d'arriver, après tout ce que m'avait dit le canard des deux petites et de toutes les bêtes de la ferme. . . . Et à propos°, comment se porte° notre bon vieux cheval?

---

[1] *faire le tour du monde*—to take a trip around the world.
[2] *sais-tu seulement . . .*—I'll bet you don't even know. . . .
[3] *Nous ne nous sommes plus quittés d'un pas.*—We have been constantly together.
[4] *Je lui ai fait la morale sérieusement.*—I gave her a serious talking to.

DELPHINE. [*Se met à pleurer.*] Nos parents ont décidé de le vendre. Demain matin, on vient le chercher pour la boucherie°. . . .

LA PANTHÈRE. [*Gronde°.*] Par exemple!

DELPHINE. Marinette a pris la défense du cheval, moi aussi, mais rien n'y a fait°. Ils nous ont grondées et privées de° dessert pour une semaine.

LA PANTHÈRE. C'est trop fort°! Et où sont-ils, vos parents?

MARINETTE. Dans la cuisine.

LA PANTHÈRE. Eh bien! ils vont voir . . . mais surtout n'ayez pas peur, petites.

Les parents ont peur de la panthère et font tout ce qu'elle leur dit. "Pour le vieux cheval," leur dit-elle, "il n'est naturellement plus question de la boucherie. J'entends° qu'on soit avec lui aux petits soins [5] et qu'il finisse ses jours en paix." La panthère reste à la ferme et tout le monde est heureux, même les parents.

VOCABULAIRE

le canard the duck

figurez-vous que . . . can you imagine it . . .

le sang-froid the nerve

bien des many

le fleuve the river

si bien que so that

par exemple! upon my word!

vous pouvez compter que . . . you can take it from me . . .

que voulez-vous? what do you expect?

à propos by the way

comment se porte how is

la boucherie (chevaline) the horse-butcher

rien n'y a fait it didn't do any good

gronder to scold

priver de to deprive of

c'est trop fort! that's awful!

j'entends que (vous) . . . I expect (you) to . . .

QUESTIONNAIRE

1. Que dit la panthère quand on lui présente les petites?
2. Racontez la rencontre du canard et de la panthère.
3. Selon le canard, qu'est-ce que bien des canards auraient fait à sa place?
4. Quelle question a-t-il posée à la panthère?
5. Qu'est-ce qu'il lui a appris?

[5] *être aux petits soins avec . . .*—to take very tender care of. . . .

6. Comment le canard a-t-il passé la nuit entière?
7. Qu'est-ce qu'il a fait à la panthère?
8. Qu'est-ce qu'ils sont devenus?
9. Comment la panthère explique-t-elle son manque de sens moral?
10. Quelle impression a-t-elle du pays? Pourquoi était-elle pressée d'y arriver?
11. De qui prend-elle des nouvelles? (*Whom does she ask about?*)
12. Pourquoi Delphine répond-elle en pleurant?
13. Qu'est-ce qui est arrivé aux petites quand elles ont pris la défense du cheval?
14. Que fait la panthère quand elle apprend ce qui leur est arrivé?
15. Quelle impression la panthère fait-elle sur les parents?
16. Désormais, comment faudra-t-il se conduire avec le cheval?

ETUDE DE MOTS

1. *faire le tour de*	to take a trip around
Il a fait le tour du monde.	He took a trip around the world.
Faisons le tour de la ville.	Let's take a trip around the town.
Nous leur avons fait faire le tour du campus.	We took them around the campus.
Il nous a fait faire le tour du pro-priétaire.	He (as owner) showed us around (his house).
2. *Elle n'en savait rien.*	She didn't have any idea.
Pourquoi est-il parti? Je n'en sais rien.	Why did he leave? I don't have the faintest idea.
3. *Vous pouvez compter que. . . .*	You can be sure that. . . .
Vous pouvez compter sur moi.	Count on me.
Comptez-y.	Count on it.
Quand comptez-vous revenir?	When do you count on (plan on) coming back?
Les parents ont compté sans la pan-thère.	The parents didn't take the panther into account.
Ils comptaient envoyer le cheval à la boucherie.	They had been planning to send the horse to the butcher's.

EXERCICE

Imparfait and passé composé (32–33); Pluperfect (55)

Le professeur raconte l'histoire au présent, l'étudiant la répète au passé.

1. Un canard qui a fait le tour du monde revient à la ferme.	Un canard qui avait fait le tour du monde est revenu à la ferme.

2. Il a une amie avec lui.

Il avait une amie avec lui.

3. C'est une panthère.

C'était une panthère.

4. Le canard raconte aux petites l'histoire de leur rencontre.

Le canard a raconté aux petites l'histoire de leur rencontre.

5. D'abord la panthère a voulu le manger;

D'abord la panthère avait voulu le manger;

6. mais ensuite ils sont devenus les meilleurs amis du monde.

mais ensuite ils étaient devenus les meilleurs amis du monde.

7. Quand la panthère demande comment se porte le bon vieux cheval,

Quand la panthère a demandé comment se portait le bon vieux cheval,

8. les petites se mettent à pleurer.

les petites se sont mises à pleurer.

9. Quand la panthère apprend ce que les parents vont faire, elle gronde.

Quand la panthère a appris ce que les parents allaient faire, elle a grondé.

10. Pendant que les petites racontent tout cela à la panthère,

Pendant que les petites racontaient tout cela à la panthère,

11. les parents sont dans la cuisine.

les parents étaient dans la cuisine.

12. De là, on ne peut pas voir ce qui se passe dans la basse-cour.

De là, on ne pouvait pas voir ce qui se passait dans la basse-cour.

13. Ils sont donc bien étonnés quand ils entendent rugir (*roar*) la panthère.

Ils ont donc été bien étonnés quand ils ont entendu rugir la panthère.

14. Elle entre dans la cuisine d'un bond.

Elle est entrée dans la cuisine d'un bond.

15. Elle n'a pas de difficulté à persuader les parents

Elle n'a pas eu de difficulté à persuader les parents

16. que les petites ont raison

que les petites avaient raison

17. et que le cheval doit finir ses jours en paix.

et que le cheval devait finir ses jours en paix.

SUJET DE COMPOSITION

Voici comment Marcel Aymé finit l'histoire. Tout le monde aime la panthère; on joue à pigeon vole, on s'amuse. Mais un jour le cochon et la panthère se disputent. Quelques jours plus tard, le cochon disparaît. On se demande si la panthère l'a mangé. L'hiver vient, la panthère languit, et enfin elle meurt. Ses derniers mots sont: "Le cochon, le cochon . . ." Racontez cette conclusion ou une partie de la conclusion. Utilisez la forme de dialogue.

Review Lesson VII

Révision du vocabulaire et des expressions du texte

A. Les expressions

TRADUISEZ:

1. Don't open the door to anyone. — N'ouvrez la porte à personne.
2. He will never be able to eat them again. — Il ne pourra plus jamais les manger.
3. He protests that his intentions are good. — Il proteste de ses bonnes intentions.
4. That didn't throw him off, upset him. — Il n'en a pas été démonté.
5. That gives me the shivers, scares me. — Cela me fait froid dans le dos.
6. That's a *fine* thing! (Disgraceful!) — C'est du joli!
7. But of course I've eaten some! — Mais naturellement que j'en ai mangé!
8. I don't see what's wrong with that. — Je ne vois pas où est le mal.
9. He hadn't been expecting that one. — Il ne s'attendait pas à celle-là.
10. If I had it to do over again . . . — Si c'était à refaire . . .
11. They went so far as to . . . — On est allé jusqu'à . . .
12. Now I ask you: — Je vous demande un peu:
13. This is a *fine* time to be talking! — C'est bien le moment de parler!
14. How frightened you must be! — Comme vous devez avoir peur!
15. Don't bother, it isn't worth the trouble. — Ce n'est pas la peine.
16. Try to look as if nothing had happened. — N'ayez l'air de rien.
17. You saw the stag arrive. — Vous avez vu arriver le cerf.
18. It's a good thing that . . . — Heureusement que . . .
19. They have a single-minded devotion to their work. — Ils ne connaissent que le service.
20. He comes forward to meet them. — Il s'avance à leur rencontre.
21. He came by here. — Il est passé par ici.
22. I can't say no to that. (I accept.) — Ce n'est pas de refus.
23. That's awfully nice of you. — Vous êtes trop aimable.

24. He did the right thing, made the right decision. — Il a bien fait.
25. He works on a farm. — Il travaille dans une ferme.
26. With his head hanging (in shame or sorrow) . . . — Tête basse . . .
27. He leads them down the wrong track. — Il les entraîne sur la mauvaise piste.
28. I don't want to hear anything more about (have anything more to do with) hunting. — Je ne veux plus entendre parler de la chasse.
29. I wouldn't want to hurt your feelings. — Je ne voudrais pas te faire de peine.
30. a funny neck — un drôle de cou
31. And that's that. (Period. That's all.) — Un point c'est tout.
32. I'm better looking than you are. [She is as pretty as she seems.] — Je suis mieux que toi. [Elle est aussi bien qu'elle en a l'air.]
33. No matter how hard I look, I don't see anything. — J'ai beau regarder, je ne vois rien.
34. What's got into you? — Qu'est-ce qui vous prend?
35. Have you gone out of your mind? — Est-ce que vous avez perdu la tête?
36. It would be better not to talk too much. — Il vaudrait mieux ne pas trop parler.
37. He took a trip around the world. — Il a fait le tour du monde.
38. What do you expect? — Que voulez-vous?
39. Nothing would do, nothing worked. — Rien n'y a fait.
40. You will go without dessert. — Vous êtes privé de dessert.
41. That's going too far! — C'est trop fort!
42. That is no longer an issue, that is out of the question now. — Il n'est plus question de cela.

B. Le vocabulaire

TRADUISEZ :

1. a lamb — un agneau
2. the roast leg of lamb — le gigot
3. to lower — baisser
4. the sin — le péché
5. the chick — le poussin
6. to bark — aboyer
7. to spread out — étendre
8. the blanket — la couverture
9. the basin — la cuvette
10. the horns, antlers — les cornes
11. to get stubborn — s'entêter
12. mean — méchant
13. game, hunter's quarry — le gibier
14. the trade, craft — le métier
15. the pack (of dogs) — la meute
16. the pail — le seau
17. to grunt, growl — grogner
18. the message, errand — la commission
19. to catch up with — rattraper
20. boring — ennuyeux
21. the wild boar — le sanglier
22. to breathe — respirer
23. the daisy — la marguerite

24.	just a little while ago [in a little while]	tout à l'heure [tout à l'heure]	29. the farmyard 30. ugly	la basse-cour laid
25.	the peacock	le paon	31. the hedge	la haie
26.	still, anyhow	quand même	32. the duck	le canard
27.	the feather	la plume	33. by the way	à propos
28.	the pile	le tas	34. to scold, growl	gronder

REMPLACEZ LES EXPRESSIONS EN ITALIQUES PAR UN SYNONYME :

1. *qui rend tendre* — attendrissant
2. Elle *n'a pas confiance en lui.* — se méfie de lui
3. Cela va *sans dire.* — de soi.
4. *On ne pouvait pas, c'était impossible.* — Il n'y avait pas moyen.
5. *le regret (d'avoir fait une certaine chose)* — le remords
6. Si vous saviez *les difficultés, les ennuis* qu'elle m'a causés! — les tracas
7. *rire à demi d'une façon impolie* — ricaner
8. Je dois le *confesser.* — avouer
9. C'est *étrange,* ou *amusant.* — drôle
10. *naturellement* — bien sûr
11. *mes amis, mes camarades* de meute — mes compagnons
12. *J'ai l'intention de* leur parler. — je compte
13. Je vous ai *averti.* — prévenu.
14. *le trou dont on tire de l'eau* — le puits
15. un chien *comme* vous — pareil à
16. *un présent, un don* — un cadeau
17. un travail *qui afflige, qui fait de la peine* — pénible
18. *d'ailleurs* — du reste
19. Elle a les cheveux *en désordre.* — ébouriffés
20. Cette crête est vraiment *dégoûtante.* — écœurante
21. *quant au* paon — pour ce qui est du
22. Nous sommes *de la même opinion.* — d'accord
23. Mais c'est *quelque chose que vous dites pour nous faire rire!* — une plaisanterie
24. J'ai *été présent pendant* leur querelle. — assisté à
25. Le paon *parle aux* deux petites. — s'adresse aux
26. Ils font des efforts pour *parvenir à* la beauté. — atteindre à
27. Il suit *des règles qui gouvernent ce qu'il doit manger et boire.* — un régime
28. *Imaginez-vous* qu'elle voulait me manger! — figurez-vous
29. Je n'ai pas perdu *ma présence d'esprit.* — mon sang-froid
30. comme *beaucoup de* canards auraient fait — bien des
31. Je lui ai *fait savoir* où elle demeurait. — appris

32. Elle *ignorait tout cela.*   n'en savait rien
33. *De sorte que,* la nuit entière, j'ai répondu à ses questions.   si bien que
34. *Ils ne s'éloignent jamais l'un de l'autre.*   Ils ne se quittent pas d'un pas.
35. Il a fait *une réprimande* à l'enfant.   fait la morale (ou: grondé)
36. Elle *avait hâte* d'arriver.   était pressée
37. Comment *va* le bon vieux cheval?   se porte
38. *Ils s'occupent de lui tendrement.*   Ils sont aux petits soins avec lui.

Révision des exercices

A. L'emploi du pronom *on*

TRADUISEZ:

1. English is spoken here.   Ici on parle anglais.
2. Coffee is served after dinner.   On sert le café après le dîner.
3. Lamb is sold at the butcher's.   On vend l'agneau à la boucherie.

B. Le pronom démonstratif et l'interrogatif

TRADUISEZ:

Qui est cette jeune fille?
1. Which one? That one?   Laquelle? Celle-là?

Il y a un exercice que je trouve difficile.
2. Which one? This one?   Lequel? Celui-ci?

Prenez quelques-uns de ces livres.
3. Which ones? These?   Lesquels? Ceux-ci?

C. Les pronoms compléments et l'impératif

LE PROFESSEUR: Dites-moi de vous parler.
L'ÉTUDIANT: Parlez-moi.

1. Dites-moi d'être *au rendez-vous.*   Soyez-y.
2. Dites-moi de ne pas avoir peur *de l'examen.*   N'en ayez pas peur.
3. Dites-moi de ne pas craindre *les professeurs.*   Ne les craignez pas.

D. Les pronoms compléments et les pronoms absolus

LE PROFESSEUR: Est-il gentil avec *les petites?*
L'ÉTUDIANT: Oui, il est gentil avec elles.

1. Le coq parle-t-il à *l'oie?*   Oui, il lui parle.
2. Se dispute-t-il avec *le cochon?*   Oui, il se dispute avec lui.

3. Se fâche-t-il contre *l'oie?*   Oui, il se fâche contre elle.
4. Le paon s'adresse-t-il aux *animaux?*   Oui, il s'adresse à eux.
5. Les animaux admirent-ils *le paon?*   Oui, ils l'admirent.
6. Le paon a-t-il assisté à *la querelle?*   Oui, il y a assisté.

E. L'infinitif

LE PROFESSEUR :   Ne vous entêtez pas.
L'ÉTUDIANT :   Vous leur dites de ne pas s'entêter.

1. Ne vous attendrissez pas.   Vous leur dites de ne pas s'attendrir.
2. Ne soyez pas en retard.   Vous leur dites de ne pas être en retard.
3. Recevez-les.   Vous leur dites de les recevoir.
4. Ne les rejoignez pas.   Vous leur dites de ne pas les rejoindre.

F. L'imparfait, le passé composé, et le plus-que-parfait

TRADUISEZ :

1. He told them   Il leur a dit
2. that he had never laughed so much, qu'il n'avait jamais tant ri,
3. that they were crazy,   qu'ils étaient fous,
4. and that they didn't know   et qu'ils ne savaient pas
5. what they were saying.   ce qu'ils disaient.
6. Then he left.   Puis il est parti.

LE BAL DES VOLEURS I

40

Jean Anouilh

LE BAL DES VOLEURS est une comédie-ballet[1] de Jean Anouilh. Les personnages sont

PETERBONO, un voleur qui a de beaux déguisements°, mais qui ne réussit jamais à voler quoi que ce soit°

HECTOR et GUSTAVE, ses deux apprentis

LADY HURF, une vieille dame très riche et très excentrique

EVA et JULIETTE, ses deux nièces

LORD EDGARD, un vieil ami de la famille

LES DUPONT-DUFORT, père et fils, financiers à la poursuite de la dot° d'une des nièces

En voici le début :

> [*Le jardin d'une ville d'eaux° de style très 1880, autour du kiosque à musique°.*
>
> *Dans le kiosque, un seul musicien, un clarinettiste, figurera° l'orchestre. Au lever du rideau° il joue quelque chose de très brillant.*
>
> *La chaisière° va et vient. Les estivants° se promènent sur le rythme de la musique. Au premier plan°, Eva et Hector unis dans un baiser° très cinéma.*
>
> *La musique s'arrête, le baiser aussi. Hector en sort un peu titubant°. On applaudit la fin du morceau.*]

HECTOR. [*Confus°.*] Attention, on nous applaudit.

EVA. [*Éclate de rire.*] Mais non, c'est l'orchestre ! Décidément vous me plaisez beaucoup.

HECTOR. [*Qui touche malgré lui ses moustaches et sa perruque°. Il est déguisé.*] Qu'est-ce qui vous plaît en moi ?

EVA. Tout. [*Elle lui fait un petit signe d'adieu°.*] A ce soir, huit heures, au

---

[1] Anouilh borrowed the term *comédie-ballet* from Molière. It means a comedy in which there is some music and dancing. In *Le Bal des voleurs* the clarinettist is on stage most of the time, and makes brief musical commentaries on the action.

Je veux
respirer votre main

bar du Phœnix. Et surtout, si vous me rencontrez avec ma tante, vous ne me reconnaissez pas.

HECTOR. [*Langoureux.*] Votre main encore.

EVA. Attention, lord Edgard, le vieil ami de ma tante, est en train de lire son journal devant le kiosque à musique. Il va nous voir.
[*Elle tend sa main, mais elle s'est détournée pour observer lord Edgard.*]

HECTOR. [*Passionné.*] Je veux respirer votre main.
[*Il se penche sur sa main, mais tire furtivement de sa poche une loupe de bijoutier° et en profite pour examiner les bagues° de plus près. Eva a retiré sa main sans rien voir.*]

EVA. A ce soir! [*Elle s'éloigne.*]

HECTOR. [*Défaillant°.*] Mon amour. . .

[*Il redescend sur scène, rangeant° sa loupe et murmurant très froid:*]
Deux cent mille. Ce n'est pas du toc°.

VOCABULAIRE

le déguisement the disguise
quoi que ce soit anything
la dot the dowry
la ville d'eaux spa; fashionable resort known for mineral water; Vichy, for example
le kiosque à musique the outdoor bandstand
figurer to stand for, represent
le rideau the curtain
la chaisière woman who collects rent for chairs in the park
les estivants tourists spending the summer at the spa

au premier plan in the foreground
le baiser the kiss
titubant staggering
confus embarrassed
la perruque the wig
faire un petit signe d'adieu to wave good-bye
la loupe de bijoutier jeweller's magnifying glass
la bague the ring
défaillant swooningly
ranger to put away
du toc fake jewelry (colloquial)

QUESTIONNAIRE

1. Qui sont les personnages de la comédie?
2. Pourquoi les Dupont-Dufort s'intéressent-ils à Eva et à Juliette?
3. Où se passe l'action?
4. Qu'est-ce qu'on entend?

5. Que fait la chaisière? Et les estivants? Et Eva et Hector?
6. Pourquoi Hector est-il confus?
7. Où ont-ils rendez-vous?
8. Sous quelle circonstance Hector doit-il faire semblant de ne pas reconnaître Eva?
9. Pourquoi Eva dit-elle à Hector de faire attention quand il lui prend la main?
10. Que fait Hector quand il se penche sur sa main?
11. De quoi Hector parle-t-il quand il dit: Deux cent mille. Ce n'est pas du toc.

ETUDE DE MOTS

quoi que ce soit	anything; (literally, whatever it may be)
qui que ce soit	anyone; (literally, whoever it may be)
quoi que vous fassiez	whatever you do
quoi qu'il dise	whatever he says

EXERCICES

Object pronouns (44); Infinitive (35A)

A. LE PROFESSEUR: Promenez-vous avec moi.
   L'ÉTUDIANT: Je ne veux pas me promener avec vous.

1. Venez avec moi.   Je ne veux pas venir avec vous.
2. Asseyez-vous ici.   Je ne veux pas m'asseoir.
3. Ecoutez *la musique*.   Je ne veux pas l'écouter.
4. Prenez *le menu*.   Je ne veux pas le prendre.
5. Lisez-le.   Je ne veux pas le lire.
6. Dites-moi *ce que vous voulez*.   Je ne veux pas vous le dire.
7. Choisissez.   Je ne veux pas choisir.
8. Buvez *ce cognac*.   Je ne veux pas le boire.
9. Sortez avec moi ce soir.   Je ne veux pas sortir avec vous.
10. Montez *dans mon automobile*.   Je ne veux pas y monter.
11. Faites-le.   Je ne veux pas le faire.
12. Regardez-moi.   Je ne veux pas vous regarder.
13. Souriez.   Je ne veux pas sourire.
14. Partez avec moi.   Je ne veux pas partir avec vous.
15. Alors, rejoignez-moi tout à l'heure.   Je ne veux pas vous rejoindre.

Imparfait and passé composé (32–33); Pluperfect (55)

B. Le professeur raconte l'histoire au présent, l'étudiant la répète au passé.

1.	La chaisière va et vient.	La chaisière allait et venait.
2.	Les estivants se promènent sur le rythme de la musique.	Les estivants se promenaient sur le rythme de la musique.
3.	L'orchestre joue quelque chose de très brillant.	L'orchestre jouait quelque chose de très brillant.
4.	Soudain la musique s'arrête, le baiser aussi.	Soudain la musique s'est arrêtée, le baiser aussi.
5.	Hector en sort un peu titubant.	Hector en est sorti un peu titubant.
6.	On peut entendre les gens qui applaudissent.	On pouvait entendre les gens qui applaudissaient.
7.	Hector devient confus.	Hector est devenu confus.
8.	Il croit que les gens ont remarqué leur baiser.	Il croyait que les gens avaient remarqué leur baiser.
9.	Eva éclate de rire.	Eva a éclaté de rire.
10.	Elle lui dit qu'il lui plaît.	Elle lui a dit qu'il lui plaisait.
11.	Pendant qu'elle observe Edgard	Pendant qu'elle observait Edgard
12.	Hector sort sa loupe et examine ses bagues.	Hector a sorti sa loupe et a examiné ses bagues.
13.	Ils se donnent rendez-vous pour ce soir-là.	Ils se sont donné rendez-vous pour ce soir-là.

SUJETS DE COMPOSITION

Choisissez un des sujets suivants:

1. Vous êtes Hector. Vous racontez fièrement aux autres voleurs, Peterbono et Gustave, votre rencontre avec Eva. Elle est riche. Vous lui plaisez. Vos projets. (*plans*)

2. Vous êtes Eva. Vous revenez du bar du Phœnix où vous avez eu un rendez-vous avec Hector. Qu'est-ce qui est arrivé? Vous racontez tout ça à votre sœur Juliette.

LE BAL DES VOLEURS II

41

Jean Anouilh

[*Entrent les Dupont-Dufort, père et fils, accompagnés par la clarinette de la petite ritournelle qui leur est particulière.[1] Ils voient Eva et Juliette.*]

DUPONT-DUFORT PÈRE. Voilà Eva et Juliette. Suivons-les. Nous les rencontrerons "par hasard" au bout de la promenade et nous tâcherons de les emmener prendre un cocktail. Didier, toi qui es un garçon précis et travailleur, et, qui plus est°, d'initiative°, je ne te reconnais plus°. Tu délaisses° la petite Juliette.

DUPONT-DUFORT FILS. Elle m'envoie promener°.

DUPONT-DUFORT PÈRE. Cela n'a aucune espèce d'importance. D'abord tu n'es pas n'importe qui, tu es le fils Dupont-Dufort. La tante a beaucoup d'estime pour toi. Elle est prête à faire n'importe quel placement° sur ton conseil.

DUPONT-DUFORT FILS. Nous devrions nous contenter de cela.

DUPONT-DUFORT PÈRE. Dans la finance, il ne faut jamais se contenter de quelque chose. . . . Je préférerais mille fois le mariage. Il n'y a que cela qui remettrait vraiment notre banque à flot°. Ainsi du charme, de la séduction°.

DUPONT-DUFORT FILS. Oui, papa.

DUPONT-DUFORT PÈRE. Nous sommes ici dans des conditions inespérées. Elles s'ennuient et il n'y a personne de présentable. Soyons aimables, extrêmement aimables.

DUPONT-DUFORT FILS. Oui, papa.

Un peu plus tard les Dupont-Dufort retrouvent Eva et Juliette. Eva a raconté à Juliette sa rencontre avec Hector. Coïncidence! Juliette, elle aussi, a rencontré un beau jeune homme. (C'est Gustave, l'autre voleur.)

JULIETTE. Eva, je ne t'ai pas raconté que j'avais sauvé un enfant qui était tombé dans le bassin des Thermes? J'ai fait la connaissance

---

[1] *la ritournelle qui leur est particulière*—the gay little tune which always accompanies them; their *leitmotif*.

d'un jeune homme charmant qui avait voulu le sauver avec moi.

[*Les Dupont-Dufort se regardent, inquiets.*]

DUPONT-DUFORT PÈRE. Ce n'était pas toi?

DUPONT-DUFORT FILS. Non.

JULIETTE. Nous nous sommes séchés au soleil en bavardant°. Si tu savais comme il est amusant! C'est un petit brun. Ce n'est pas le même que toi, au moins?

EVA. Non. Moi, c'est un grand roux.

JULIETTE. Ah! tant mieux. . . .

DUPONT-DUFORT PÈRE. [*Bas:*] Fiston°, il faut absolument que tu brilles°. [*Haut.*] Didier, as-tu été à la piscine° avec ces dames pour leur montrer ton crawl impeccable? C'est toi qui aurais sauvé aisément ce bambin°!

JULIETTE. Oh! le crawl était bien inutile. Le bassin des Thermes a quarante centimètres de profondeur.

VOCABULAIRE

qui plus est what's more
d'initiative (f.) enterprising
je ne te reconnais plus I don't know what's got into you
délaisser to neglect
envoyer promener to snub
le placement the investment
remettre à flot to restore the fortunes of

la séduction charm
bavarder to chat
fiston boy, son (colloquial)
briller to shine
la piscine the swimming pool
le bambin the child

QUESTIONNAIRE

1. Qu'est-ce que les Dupont-Dufort vont proposer à Eva et à Juliette?
2. Pourquoi est-ce que Dupont-Dufort père ne reconnaît plus Dupont-Dufort fils?
3. Qu'est-ce que Dupont-Dufort père dit à Dupont-Dufort fils pour lui donner confiance?
4. Qu'est-ce qui montre que Lady Hurf a de l'estime pour Dupont-Dufort fils?
5. Pourquoi Dupont-Dufort père veut-il arranger un mariage entre son fils et Eva ou Juliette?
6. Pourquoi croit-il qu'ils sont là dans des conditions inespérées?

7. Quelle coïncidence Eva et Juliette découvrent-elles dans leur conversation?
8. Comment Juliette a-t-elle rencontré son jeune homme?
9. Quelle peur soudaine lui traverse l'esprit?
10. Pourquoi est-ce que Dupont-Dufort fils aurait pu sauver le bambin aisément?
11. Pourquoi le crawl n'était-il pas nécessaire?

ETUDE DE MOTS

1. *Tu n'es pas n'importe qui.* — You aren't just anybody (literally it doesn't matter whom).

   Elle sort n'importe quand. — She goes out anytime (she wants to).
   Il mange n'importe quoi. — He eats anything (he feels like); He is not particular.

   Il va n'importe où. — He goes anywhere.
   Il travaille n'importe comment. — He works in any way he feels like working.

   n'importe quel placement — any investment

2. *Le bassin a quarante centimètres de profondeur.* — The basin is forty centimeters deep.
   La piscine a quarante mètres de long. — The pool is forty meters long.
   La piscine a douze mètres de large. — The pool is twelve meters wide.
   Le plongeoir a deux mètres de haut. — The diving-board is two meters high.

3. *Ainsi, du charme, de la séduction.* — So show a little charm, make yourself appealing.
   Allons, Jojo, de la tenue, du sang-froid. — Come on, Jojo, show a little nerve, buck up.
   De l'imagination, de l'intuition. — Use some imagination, some intuition.

EXERCICE

Subjunctive (70)

LE PROFESSEUR: Voilà Eva et Juliette. On les suit? (*Shall we follow them?*)
L'ÉTUDIANT: Mais oui! Il faut que nous les suivions.

1. On tâche de les rejoindre? — Oui, il faut que nous tâchions de les rejoindre.

2. Alors, on les rejoint? — Oui, il faut que nous les rejoignions.

3. On donne des conseils à la tante? — Oui, il faut que nous donnions des conseils à la tante.

4. On les retrouve? — Oui, il faut que nous les retrouvions.

5. On va au café avec elles? — Oui, il faut que nous allions au café avec elles.

6. On choisit une table à la terrasse? — Oui, il faut que nous choisissions une table à la terrasse.

7. Alors, on s'assied à la terrasse? — Oui, il faut que nous nous asseyions à la terrasse.

8. On bavarde avec elles? — Oui, il faut que nous bavardions avec elles.

9. On est aimable? — Oui, il faut que nous soyons aimables.

10. On leur fait des compliments? — Oui, il faut que nous leur fassions des compliments.

11. On a de l'esprit? — Oui, il faut que nous ayons de l'esprit.

12. On sait plaire? — Oui, il faut que nous sachions plaire.

13. Et on leur plaît? — Oui, il faut que nous leur plaisions.

14. On prend un cocktail avec elles? — Oui, il faut que nous prenions un cocktail avec elles.

15. On leur dit des choses spirituelles? (*witty*) — Oui, il faut que nous leur disions des choses spirituelles.

16. Et après, on sort ensemble? — Oui, il faut que nous sortions ensemble.

17. On revient à la villa? — Oui, il faut que nous revenions à la villa.

18. Et enfin, on remet la banque à flot? — Oui, il faut que nous remettions la banque à flot.

SUJETS DE COMPOSITION

Choisissez un des sujets suivants:

1. Vous êtes Juliette. Vous expliquez à votre sœur Eva pourquoi vous n'aimez pas Dupont-Dufort fils et pourquoi vous préférez le jeune homme que vous avez rencontré.

2. Vous êtes Dupont-Dufort père. Vous écrivez à votre associé à la banque. Vous espérez toujours arranger ce mariage avantageux mais les choses ne vont pas trop bien pour le moment.

LE BAL DES VOLEURS III

42

Jean Anouilh

Lady Hurf entre en scène. Lord Edgard lit son journal devant le kiosque à musique.

LADY HURF. Eh bien, mon cher Edgard, qu'avez-vous fait de cette journée?

LORD EDGARD. [*Surpris et gêné° comme toujours, lorsque Lady Hurf lui adresse la parole sur le mode brusque qui lui est coutumier°.*] Je. . . . J'ai. . . . J'ai lu le *Times*.

LADY HURF. [*Sévère.*] Comme hier?

LORD EDGARD. [*Ingénu°.*] Pas le même numéro qu'hier.

LADY HURF. Edgard, la situation est grave. . . .

LORD EDGARD. Oui, j'ai lu dans le *Times*. . . . L'Empire. . . .

LADY HURF. Non, ici.

LORD EDGARD. [*Inquiet, regarde autour de lui.*] Ici?

LADY HURF. Comprenez-moi. Nous avons ici charge d'âme°. Or, il se trame° des intrigues, des mariages se préparent. Personnellement, je ne peux pas les suivre. Cela me donne la migraine. Qui devra les pénétrer, les diriger?

LORD EDGARD. Qui?

LADY HURF. Juliette est une folle. Eva est une folle. Moi, je n'y comprends rien et cela m'ennuie au-dessus de tout°. D'ailleurs, je n'ai pas plus de bon sens que ces enfants. Il reste vous, au milieu de ces trois folles.

LORD EDGARD. Il reste moi.

LADY HURF. Autant dire° rien! Ah! je suis perplexe, extrêmement perplexe . . . Mais, enfin, dites quelque chose, Edgard! Vous êtes le tuteur° de ces deux petites, après tout!

LORD EDGARD. Nous pourrions peut-être demander conseil à Dupont-Dufort. C'est un homme qui a l'air d'avoir du caractère.

LADY HURF. Oui. Beaucoup trop. Vous êtes un benêt°. C'est à lui précisément qu'il convient de ne pas demander conseil. Les Dupont-Dufort veulent nous soutirer de l'argent°.

LORD EDGARD. Mais ils sont riches?

LADY HURF. C'est précisément ce qui m'inquiète: ils veulent nous soutirer beaucoup d'argent. Eva et Juliette ont des dots exceptionellement tentantes.

LORD EDGARD. Nous pourrions peut-être télégraphier en Angleterre?

LADY HURF. Pour quoi faire?

LORD EDGARD. L'agence Scottyard nous enverrait un détective.

LADY HURF. Ma foi, nous serions bien avancés°! Il n'y a pas plus filou° que ces gens-là.

LORD EDGARD. Alors la situation est, en effet, irrémédiable.

LADY HURF. Edgard, vous devez avoir de l'énergie. Notre sort, à toutes, est entre vos mains.

LORD EDGARD. [*Regarde ses mains, très ennuyé.*] Je ne sais pas si je suis bien qualifié.

LADY HURF. [*Sévère.*] Edgard, vous êtes un homme et un gentleman?

LORD EDGARD. Oui.

LADY HURF. Prenez une décision!

LORD EDGARD. [*Ferme.*] Bon! Je vais tout de même faire venir un détective de chez Scottyard en spécifiant que je le veux honnête.

VOCABULAIRE

gêné uncomfortable

qui lui est coutumier which is customary with her

ingénu simple, naïve

avoir charge d'âme to be responsible for the welfare of someone. Lady Hurf is referring to her nieces, Eva and Juliette.

tramer to spin, to weave

cela m'ennuie au-dessus de tout it bores me to tears; (note that *ennuyer* can mean either bore, or bother, afflict)

autant dire that is to say

le tuteur the guardian

un benêt a ninny, a simpleton

soutirer de l'argent à quelqu'un to squeeze money out of someone

nous serions bien avancés! a lot of good *that* would do us!

filou dishonest (usually a noun: thief)

QUESTIONNAIRE

1. Quelle est la réaction de Lord Edgard lorsque Lady Hurf lui adresse la parole?
2. Qu'a-t-il fait de sa journée?

3. Quand Lady Hurf dit que la situation est grave de quoi parle-t-elle?
4. Qu'est-ce qui lui donne la migraine?
5. Qui faut-il protéger contre les coureurs de dot? (*dowry-chasers*) S'en croit-elle capable? Et Lord Edgard?
6. Que dit Lord Edgard au sujet de Dupont-Dufort?
7. Quelle est l'opinion de Lady Hurf au sujet des Dupont-Dufort?
8. Pourquoi Lord Edgard veut-il télégraphier en Angleterre?
9. Quelle objection Lady Hurf fait-elle?
10. Quelle décision Lord Edgard prend-il enfin?

ETUDE DE MOTS

1. *Il n'y a pas plus filou.*   There's no one more dishonest.
   Il n'y a pas plus jolie que Juliette.   No one is prettier than Juliette.
   Il n'y a pas plus bête que lui.   There's no one stupider than he.
   Vous n'avez pas moins cher?   Haven't you got anything cheaper?

2. *Je le veux honnête.*   I want an honest one.
   Choisissez-moi un melon. Je le veux mûr.   Choose me a melon. I want a ripe one.
   Vous le voulez noir ou blanc, votre raisin?   Do you want red or green grapes?

EXERCICES

Object pronouns (45–46, 48D)

A. LE PROFESSEUR: Hector pense-t-il *à voler les bijoux d'Eva?*
     L'ÉTUDIANT: Oui, il y pense.

   LE PROFESSEUR: Parle-t-il *à Eva?*
     L'ÉTUDIANT: Oui, il lui parle.

1. Hector plaît-il *à Eva?*   Oui, il lui plaît.
2. Et Eva plaît-elle *à Hector?*   Oui, elle lui plaît.
3. Edgard répond-il *à Lady Hurf?*   Oui, il lui répond.
4. Répond-il *aux questions qu'on lui adresse?*   Oui, il y répond.
5. Demande-t-il conseil *à Dupont-Dufort père?*   Oui, il lui demande conseil.
6. Dupont-Dufort inspire-t-il confiance *à Edgard?*   Oui, il lui inspire confiance.
7. Lady Hurf fait-elle peur *à Edgard?*   Oui, elle lui fait peur.
8. Songe-t-il *à faire venir un détective?*   Oui, il y songe.
9. Lady Hurf réussit-elle *à convaincre Edgard?*   Oui, elle y réussit.

10. Edgard tient-il *à ce que son détective soit honnête?*   Oui, il y tient.

11. Dit-il *à Lady Hurf* qu'il est un gentleman?   Oui, il lui dit qu'il est un gentleman.

B. Est-ce qu'on se promène beaucoup *à Vichy?*   Oui, on s'y promène beaucoup.
Lady Hurf s'adresse-t-elle *à Edgard?*   Oui, elle s'adresse à lui.

1. Lady Hurf s'ennuie-t-elle *à Vichy?*   Oui, elle s'y ennuie.
2. Lord Edgard s'intéresse-t-il *au Times?*   Oui, il s'y intéresse.
3. Eva s'intéresse-t-elle *à Hector?*   Oui, elle s'intéresse à lui.
4. Et Hector s'intéresse-t-il *à Eva?*   Oui, il s'intéresse à elle.
5. S'intéresse-t-il *à ses bijoux?*   Oui, il s'y intéresse.
6. Se plaît-il *à Vichy?*   Oui, il s'y plaît.
7. Lady Hurf s'adresse-t-elle *à Lord Edgard?*   Oui, elle s'adresse à lui.
8. Se fie-t-elle *à Lord Edgard?* (Non)   Non, elle ne se fie pas à lui.
9. Se fie-t-elle *aux détectives?* (Non)   Non, elle ne se fie pas à eux.

SUJETS DE COMPOSITION

Choisissez un des sujets suivants:
1. Vous êtes Lord Edgard. Vous écrivez à l'agence Scottyard. Pourquoi il vous faut un détective. Quelle sorte de détective vous voulez.
2. Vous êtes Lady Hurf. Vous dites à vos deux nièces pourquoi vous vous méfiez des Dupont-Dufort. Votre opinion de Lord Edgard.

Noyé.

43

Jean Anouilh

Les trois voleurs se déguisent en nobles espagnols. Ils ont l'intention de voler les bijoux de Lady Hurf, d'Eva, et de Juliette. Lady Hurf se rend compte tout de suite que ce sont des voleurs déguisés, mais elle n'a pas peur. Au contraire; pour s'amuser elle fait semblant° de les reconnaître.

La musique commence une marche d'un caractère à la fois héroïque et très espagnol. Les voleurs s'approchent de Lady Hurf.

Soudain, celle-ci, qui regardait arriver cet étrange trio, se lève, va à eux, et se précipite au cou de Peterbono.[1]

LADY HURF. Mais c'est ce cher duc de Miraflor !

[*La musique s'arrête.*]

PETERBONO. [*Gêné et surpris.*] Heuh. . . .

LADY HURF. Voyons, souvenez-vous ! Biarritz° 1902. Les déjeuners à Pampelune. Les courses de taureaux°. Lady Hurf.

PETERBONO. Ah ! Lady Hurf ! . . . Les courses de taureaux. Les déjeuners. Chère amie. . . . [*Aux autres:*] J'ai dû me faire la tête de° quelqu'un qu'elle connaît.

LADY HURF. Comme je suis heureuse ! Je m'ennuyais à périr. Mais la duchesse ?

PETERBONO. Morte.

[*Trémolo à l'orchestre.*]

LADY HURF. Dieu ! Et le comte, votre cousin ?

PETERBONO. Mort.

[*Trémolo.*]

LADY HURF. Dieu ! Et votre ami l'amiral ?

PETERBONO. Mort également.

[*A l'orchestre, début d'une marche funèbre.*]

[*Peterbono se tourne vers les autres.*] Sauvés !

LADY HURF. Pauvre cher ! Que de deuils° !

---

[1] *se précipite au cou de Peterbono*—throws her arms around Peterbono's neck.

PETERBONO. Hélas! Mais il faut que je vous présente mes fils, Don Hector et Don Gustave.

LADY HURF. [*Présente Lord Edgard.*] Lord Edgard que vous avez connu. C'est lui que vous battiez chaque matin au golf.

PETERBONO. Ha! le golf. . . . Cher ami. . . .

LORD EDGARD. [*Affolé°, à Lady Hurf:*] Mais ma chère. . . .

LADY HURF. [*Sévère.*] Comment? vous ne reconnaissez pas le duc?

LORD EDGARD. C'est insensé! Voyons, souvenez-vous. . . .

LADY HURF. Vous n'avez aucune mémoire. N'ajoutez pas un mot, vous me fâcheriez. [*A Peterbono:*] Mais comment votre cousin est-il mort?

PETERBONO. Comment il est mort?

LADY HURF. Oui! Je l'aimais tant.

PETERBONO. Vous voulez que je vous raconte les circonstances qui ont marqué son trépas°?

LADY HURF. Oui.

[*Il est affolé, il regarde Hector.*]

PETERBONO. Eh bien, il est mort. . . .

[*Hector lui mime° un accident d'auto, mais il ne comprend pas cela.*]

Il est mort fou.

LADY HURF. Ah! le pauvre! Il avait toujours été original. Mais la duchesse?

PETERBONO. La duchesse? [*Il regarde Hector affolé.*] Elle est morte.

LADY HURF. Oui. Mais comment?

[*Hector se touche le cœur à plusieurs reprises°. Peterbono hésite à comprendre, mais comme il n'a lui-même aucune imagination, il se résigne.*]

PETERBONO. D'amour.

LADY HURF. [*Confuse°.*] Oh! pardon. Et votre ami l'amiral?

PETERBONO. L'amiral? Ah! lui. . . . [*Il regarde Hector qui lui fait signe qu'il n'a plus d'idées. Il se méprend° encore sur sa mimique.*] Noyé. Mais excusez-moi, vous touchez de trop cuisantes plaies°. . . .

VOCABULAIRE

faire semblant to pretend
Biarritz a fashionable summer resort near the Spanish border
la course de taureaux the bullfight
se faire la tête de to disguise oneself as
le deuil mourning
affolé panic-stricken
le trépas death

mimer to mimic, to show with gestures
à plusieurs reprises several times
confus embarrassed
se méprendre to misunderstand, to be mistaken
toucher une plaie cuisante to touch a sore spot (literally, a wound)

QUESTIONNAIRE

1. Pourquoi les voleurs se déguisent-ils?
2. Que fait Lady Hurf quand elle les voit s'approcher? Pour qui fait-elle semblant de prendre Peterbono?
3. Où se sont-ils connus?
4. Pourquoi est-elle heureuse de rencontrer le "duc"?
5. Quelle objection Lord Edgard fait-il pendant les présentations?
6. Quelles questions Lady Hurf pose-t-elle à Peterbono pour se moquer de lui?
7. Qui Peterbono regarde-t-il pour trouver une réponse à ces questions?
8. Qu'est-ce qu'Hector mime pour la mort du cousin?
9. Comment est-ce que Peterbono interprète sa mimique?
10. Et pour la mort de la duchesse, quelle mimique? Quelle fausse interprétation?
11. Et pour la mort de l'amiral?
12. Peterbono a-t-il beaucoup d'imagination?

ETUDE DE MOTS

Je m'ennuyais à périr.
I was bored to tears. I was bored enough to die from it.

heureux à en mourir
terribly happy (literally, happy enough to die).

Il est fou à lier.
He's completely mad (literally, mad enough to be tied).

Ils applaudissent à tout rompre.
They applaud wildly (literally, enough to break everything).

Ils se ressemblent à s'y méprendre.
They look so much alike that one might take one for the other.

EXERCICE

Subjunctive (70–71)

LE PROFESSEUR: Il se souviendra. Il le faut.
L'ÉTUDIANT: Il faut qu'il se souvienne.

LE PROFESSEUR: Il part aujourd'hui. J'en suis fâché.
L'ÉTUDIANT: Je suis fâché qu'il parte aujourd'hui.

1. Ces messieurs sont des voleurs. J'en suis fâché.

Je suis fâché qu'ils soient des voleurs.

2. Lady Hurf s'en rend compte. Il est vrai.

Il est vrai qu'elle s'en rend compte.

3. Mais elle ne prend pas de précautions. Il le faut.

Il faut qu'elle prenne des précautions. (Ou, qu'elle en prenne).

4. Au contraire, elle fait semblant de les reconnaître. J'en suis étonné.

Je suis étonné qu'elle fasse semblant de les reconnaître.

5. Peterbono est gêné. Ce n'est pas étonnant.

Ce n'est pas étonnant qu'il soit gêné.

6. Edgard ne se souvient pas de Peterbono. Ce n'est pas étonnant.

Ce n'est pas étonnant qu'il ne se souvienne pas de Peterbono.

7. Les voleurs viendront visiter Lady Hurf dans sa villa. Edgard en est désolé.

Edgard est désolé qu'ils viennent visiter Lady Hurf dans sa villa.

8. Lady Hurf les recevra dans sa villa. Edgard en est choqué.

Edgard est choqué que Lady Hurf les reçoive dans sa villa.

9. Ils les rejoindront tout à l'heure. Lady Hurf décide.

Lady Hurf décide qu'ils les rejoindront tout à l'heure.

10. Ils passeront une semaine dans la villa. Lady Hurf le veut.

Lady Hurf veut qu'ils passent une semaine dans la villa.

11. Ils iront ensemble au "Bal des Voleurs." Lady Hurf le dit.

Lady Hurf dit qu'ils iront ensemble au "Bal des Voleurs."

12. Elle y tient. Edgard est étonné.

Edgard est étonné qu'elle y tienne.

13. Elle le veut. Edgard est étonné.

Edgard est étonné qu'elle le veuille.

14. Mais Peterbono ne sait pas lui répondre. C'est dommage.

C'est dommage qu'il ne sache pas lui répondre.

15. Il ne comprend pas la mimique d'Hector. Il est évident.

Il est évident qu'il ne comprend pas la mimique d'Hector.

16. Enfin Hector n'a plus d'idées. C'est gênant.

C'est gênant qu'Hector n'ait plus d'idées.

17. Et Peterbono se méprend sur sa mimique. Ce n'est pas étonnant.

Ce n'est pas étonnant que Peterbono se méprenne sur sa mimique.

SUJET DE COMPOSITION

Peterbono retrouve Hector et lui demande ce qu'il voulait dire par ses mimiques. Hector explique, et accuse Peterbono d'être assez borné. (Hector et Peterbono se tutoyent—say *tu* to each other.)

LE BAL DES VOLEURS V

44

Jean Anouilh

Lady Hurf invite les voleurs à passer plusieurs semaines dans sa villa.

> [*Lord Edgard entre. Il est en train de fouiller° dans un tas°
> de papiers. Soudain il se redresse°, pousse un grand cri, et
> s'écroule évanoui°.*]

JULIETTE. [*Entre.*] Mon oncle. . . . Qu'avez-vous, mon oncle? . . . Ses
mains sont froides. Quel est ce faire-part°? [*Elle le lit, boule-
versée°, et le cache précipitamment° dans sa poche. Elle sort
en criant:*] Ma tante! vite, ma tante!

> [*Tout le monde accourt°. Grande confusion.*]

PETERBONO. [*A Hector.*] L'occasion rêvée [1]. . . .

HECTOR. Oui, mais que faire?

PETERBONO. Rien, bien entendu, mais c'est tout de même l'occasion rêvée.

LORD EDGARD. [*S'est redressé lentement. Il commence d'une voix blanche.*[2]]
Mes amis, j'ai une affreuse° nouvelle à vous annoncer. Le duc
de Miraflor est mort à Biarritz en 1904.

> [*Tout le monde regarde Peterbono, qui est très gêné. Petite
> ritournelle° goguenarde°.*]

PETERBONO. C'est ridicule.

HECTOR. [*Bas°.*] Tu parles d'une occasion rêvée! [3]

PETERBONO. [*De même°.*] Ce n'est pas le moment de plaisanter°. Approche-
toi de la fenêtre.

LADY HURF. Vous êtes fou, Edgard?

---

[1] *l'occasion rêvée*—the opportunity we have been waiting for (to rob the villa during
a moment of confusion).

[2] *d'une voix blanche*—in a toneless voice (because he is stunned).

[3] *Tu parles d'une occasion rêvée!*—Talk about a golden opportunity!

LORD EDGARD. Non, non. J'ai retrouvé le faire-part. Je savais bien que je le retrouverais ce faire-part. Depuis le premier jour. . . . [*Il se fouille°.*] Où est-il? Ah! ça, par exemple, où est-il? Je l'avais à l'instant! Oh! mon Dieu, je l'ai déjà perdu!

DUPONT-DUFORT PÈRE. Tout se découvre!

DUPONT-DUFORT FILS. Nous sommes sauvés. [*A Peterbono qui se dirige insensiblement° vers la fenêtre:*] Vous ne restez pas pour prendre des nouvelles° de notre hôte?

PETERBONO. Si, si.

LADY HURF. Edgard, vous faites une plaisanterie ridicule à ce cher duc.

LORD EDGARD. Mais chère amie, je vous certifie. . . .

LADY HURF. [*Derrière lui, le pince°.*] Edgard, je suis sûre que vous vous trompez. Faites vos excuses.

LORD EDGARD. Mais enfin, chère amie. . . .

LADY HURF. [*Le pince plus fort.*] Je suis sûre, entendez-vous, que vous vous trompez.

LORD EDGARD. [*Se frotte° le bras, puis rageur°.*] Aïe! En effet°, maintenant que vous me le dites, je pense que j'ai dû confondre° avec le duc d'Orléans.[4]

LADY HURF. C'est parfait. L'incident est donc clos°?

PETERBONO. [*Soulagé°.*] Complètement clos.

LADY HURF. Alors, passons tous sur la terrasse. Je vais vous faire part° de mon idée.

DUPONT-DUFORT PÈRE. Je trouve que c'est une excellent idée!

LADY HURF. [*Qu'il exaspère.*] Attendez, mon cher, je ne l'ai pas encore dite. . . . Voilà, on donne ce soir un Bal des Voleurs au Casino. Nous allons tous nous déguiser en voleurs et y aller. . . .

DUPONT-DUFORT PÈRE ET FILS. [*Éclatent aussitôt de rire.*] Hi! Hi! Hi! Dieu, que c'est drôle!

DUPONT-DUFORT PÈRE. [*Sortant, à son fils:*] Flattons ses moindres lubies.[5]

PETERBONO. [*Furieux, en sortant, à Hector:*] Moi, je trouve cela de très mauvais goût. Pas toi?

JULIETTE. [*Restée seule, relit le faire-part, puis se demande:*] Son père n'est pas le duc de Miraflor, alors qui peut-il être?

---

[4] *J'ai dû confondre avec le duc d'Orléans.*—I must have confused (the duc of Miraflor) with the duc d'Orléans.
[5] *Flattons ses moindres lubies.*—Let us flatter her every whim.

VOCABULAIRE

fouiller to search, rummage
le tas the pile
se redresser to straighten out
s'écrouler évanoui to fall over in a faint
le faire-part the announcement (of a wedding, a death, etc.)
bouleverser to upset
précipitamment hurriedly
accourir to come running
affreux frightful
la ritournelle the tune
goguenard mocking, jeering
bas in a low voice

de même also
plaisanter to crack jokes
se fouiller to look in one's pockets
insensiblement imperceptibly
prendre des nouvelles de to enquire after
frotter to rub
pincer to pinch
rageur in a rage
en effet that's right
confondre to confuse, mistake
clos closed
soulager to relieve
faire part to inform, tell about

QUESTIONNAIRE

1. Qu'est-ce que Lord Edgard est en train de faire quand il entre?
2. Que fait-il quand il trouve le faire-part?
3. Que dit le faire-part?
4. Que fait Juliette du faire-part?
5. Comment Peterbono songe-t-il à profiter de la confusion?
6. Que dit Lord Edgard quand il revient à lui? (*when he comes to*)
7. Quelle remarque ironique Hector fait-il alors?
8. Selon Peterbono, qu'est-ce que c'est le moment de faire?
9. Comment Lord Edgard sait-il que le duc est mort?
10. Que découvre-t-il quand il se fouille?
11. Pourquoi les Dupont-Dufort sont-ils contents?
12. Comment Lady Hurf explique-t-elle la scène que Lord Edgard vient de faire?
13. Que lui fait-elle?
14. Qu'est-ce qu'il dit enfin?
15. Quelle idée Lady Hurf a-t-elle?
16. Comment Dupont-Dufort père exaspère-t-il Lady Hurf?
17. Pourquoi les Dupont-Dufort éclatent-ils de rire?
18. Qu'est-ce que le vrai voleur, Peterbono, pense de l'idée de Lady Hurf?
19. Qu'est-ce que Juliette se demande à la fin? A qui pense-t-elle?

ETUDE DE MOTS

1. *l'occasion rêvée*   the perfect opportunity (that we have dreamed of)

    J'ai trouvé l'appartement rêvé. — I have found the perfect apartment.
    Il fera un mari rêvé pour Juliette. — He will be the perfect husband for Juliette.

2. *J'ai dû confondre avec le duc d'Orléans.* — I must have taken him for the duc d'Orléans.
    Ne confondez pas avec des marques inférieures. — Don't confuse (our product) with inferior ones.
    Ces deux mots se ressemblent. Ne les confondez pas. — These two words resemble each other. Don't get them mixed up.

EXERCICE

Conditional (21–22); Subjunctive (70–71)

Dans cet exercice deux étudiants répondent en disant à peu près la même chose:

1. I knew it would happen. 2. It had to happen. Mais la première phrase est au conditionnel, la deuxième au subjonctif. Faites attention au contraste.

LE PROFESSEUR: Il a retrouvé le faire-part.
UN ÉTUDIANT: Je savais bien qu'il retrouverait le faire-part.
L'AUTRE ÉTUDIANT: Il fallait bien qu'il retrouve le faire-part.

1. Lord Edgard s'est méfié. — Je savais bien qu'il se méfierait. Il fallait bien qu'il se méfie.

2. Il est venu en scène. (*on stage*) — Je savais bien qu'il viendrait en scène. Il fallait bien qu'il vienne en scène.

3. Soudain, il s'est écroulé. — Je savais bien qu'il s'écroulerait. Il fallait bien qu'il s'écroule.

4. Juliette a lu le faire-part. — Je savais qu'elle lirait le faire-part. Il fallait bien qu'elle lise le faire-part.

5. Elle a fait beaucoup de bruit. — Je savais qu'elle ferait beaucoup de bruit. Il fallait bien qu'elle fasse beaucoup de bruit.

6. Les autres sont venus. — Je savais bien qu'ils viendraient. Il fallait bien qu'ils viennent.

7. Les voleurs ont eu peur. — Je savais bien qu'ils auraient peur. Il fallait bien qu'ils aient peur.

8. Ils ont voulu s'échapper.

Je savais bien qu'ils voudraient s'échapper. Il fallait qu'ils veuillent s'échapper.

9. Edgard s'est redressé.

Je savais qu'il se redresserait. Il fallait qu'il se redresse.

10. Peterbono a été très gêné.

Je savais qu'il serait très gêné. Il fallait qu'il soit gêné.

11. Les Dupont-Dufort se sont réjouis.

Je savais qu'ils se réjouiraient. Il fallait qu'ils se réjouissent.

12. Mais Edgard a perdu le faire-part.

Je savais bien qu'il perdrait le faire-part. Il fallait bien qu'il perde le faire-part.

13. Lady Hurf est intervenue.

Je savais bien qu'elle interviendrait. Il fallait bien qu'elle intervienne.

14. Elle a su tout arranger. (*She was able to fix things up.*)

Je savais bien qu'elle saurait tout arranger. Il fallait bien qu'elle sache tout arranger.

15. Et ils sont tous allés au bal.

Je savais bien qu'ils iraient tous au bal. Il fallait bien qu'ils aillent tous au bal.

SUJET DE COMPOSITION

Monologue de Lord Edgard. Il dit pourquoi il est certain que Peterbono est un imposteur, et que Lady Hurf veut le protéger.

45

LE BAL DES VOLEURS VI

Jean Anouilh

Tout le monde sauf Gustave et Juliette va au Bal des Voleurs. Gustave est amoureux de Juliette. Puisqu'il ne peut pas l'épouser il va cambrioler° la villa et s'en aller. Mais Juliette l'aime. Malgré les protestations de Gustave, elle part avec lui.

Les autres reviennent du bal. Les Dupont-Dufort sont ravis° de découvrir qu'on a cambriolé la villa. Ils se rendent compte que c'est Gustave le coupable, et que Peterbono et Hector sont ses complices. Ils téléphonent à la police, et ensuite appellent les autres à grands cris.

LADY HURF. Je ne veux pas de police chez moi. . . .

DUPONT-DUFORT PÈRE. C'est trop tard. Ils sont certainement en route.

[*Hector et Peterbono tentent brusquement de se sauver°.*]

DUPONT-DUFORT PÈRE. Tenez! Les voilà qui fuient°!

DUPONT-DUFORT FILS. Oh! C'est trop fort! Nous vous sauverons malgré vous. Haut les mains°!

DUPONT-DUFORT PÈRE. Haut les mains!

[*Ils les menacent de leurs revolvers.*]

LADY HURF. Messieurs, je suis ici chez moi! Je vous somme° de rentrer° ces armes!

DUPONT-DUFORT FILS. Non!

DUPONT-DUFORT PÈRE. Non! Vous nous remercierez plus tard. . . .

LADY HURF. Eva, je vais avoir une crise de nerfs°! Appelle les domestiques°! Emile! Quelqu'un vite! Joseph! quelqu'un!

LES AGENTS. [*Entrent sur ces cris.*] Nous voici. Sosthène, à toi le gros![1] [*Ils ont vu ces deux horribles têtes de bandits[2] qui menaçaient ces gentlemen de leurs armes. Ils n'ont pas hésité. Ils se précipitent sur les Dupont-Dufort.*]

LES AGENTS. Ah! mes lascars°. Nous vous tenons!

DUPONT-DUFORT PÈRE ET FILS. [*Qui reculent°.*] Mais. . . . Mais. . . .

---

[1] *Sosthène, à toi le gros!*—Sosthène, you take the fat one!

[2] *ces têtes de bandit*—the Dupont-Duforts are still wearing the robber costumes they wore to the Bal des Voleurs. The others are not.

Mais ce n'est pas nous. . . . Pas nous! Au contraire. . . .
Ç'est nous qui avons téléphoné. C'est insensé! C'est eux!
[*Les agents les attrapent et les chargent sur leurs épaules.*³]

LES AGENTS. Et voilà! [*A Hector:*] Si vous voulez nous donner un coup
de main° pour ouvrir la porte, monsieur, ce n'est pas de refus! ⁴

HECTOR. Volontiers! Très volontiers!

[*Les agents emmènent les Dupont-Dufort, malgré leurs protestations déchirantes°.*]

LORD EDGARD. [*Affolé.*] Mais chère amie. . . .

LADY HURF. [*Sévère.*] Edgard, taisez-vous.

DUPONT-DUFORT PÈRE. [*Emporté°, hurle° en vain.*] Mais dites-leur quelque
chose, voyons! Dites-leur quelque chose. . . .

DUPONT-DUFORT FILS. [*Passant près d'Eva.*] Mademoiselle Eva° . . . .

[*Les Dupont-Dufort sont sortis, sur le dos° des agents, salués
par leur petite ritournelle.*]

LADY HURF. [*Tranquillement.*] Eh bien! je suis très contente. Voilà trois
semaines que ces gens-là étaient chez moi et je ne savais comment m'en débarrasser°.

LORD EDGARD. [*Vaincu° par ces émotions, est tombé à demi évanoui dans
un fauteuil°.*] Et dire que° je suis ici pour me soigner° le
foie° ! ⁵

VOCABULAIRE

cambrioler to rob, ransack
ravi delighted
se sauver to escape
fuir to run away
haut les mains stick 'em up
sommer to command, summon
rentrer to put away
une crise de nerfs hysterics
le domestique the servant
le lascar the fellow, knave
reculer to withdraw, go backwards
donner un coup de main to give a
    hand

déchirant piercing
emporté carried off
hurler to howl, yell
le dos the back
se débarrasser de to get rid of
vaincu overcome
le fauteuil armchair
et dire que . . . and to think that . . .
soigner to take care of
le foie the liver

³ *Ils les chargent sur leurs épaules.*—They lift them up onto their shoulders.
⁴ *Ce n'est pas de refus.*—It would be a great help.
⁵ *Et dire que je suis ici pour me soigner le foie!*—And to think that I came here to
take care of my liver trouble! (Vichy water is said to be good for liver and other
ailments.)

QUESTIONNAIRE

1. Qu'est-ce qui arrive pendant que tout le monde est au Bal des Voleurs?
2. Pourquoi les Dupont-Dufort sont-ils ravis quand ils reviennent?
3. Que font-ils?
4. Comment Lady Hurf continue-t-elle à protéger les voleurs?
5. Que font Hector et Peterbono?
6. Que font les Dupont-Dufort pour les arrêter?
7. Que fait Lady Hurf quand les Dupont-Dufort sortent leurs revolvers?
8. Pourquoi les agents se précipitent-ils sur les Dupont-Dufort?
9. Quelle objection les Dupont-Dufort font-ils?
10. Qu'est-ce que les agents demandent à Hector de faire?
11. Qu'est-ce que Dupont-Dufort père hurle?
12. Comment les Dupont-Dufort sont-ils sortis?
13. Pourquoi Lady Hurf est-elle contente?
14. Pourquoi Lord Edgard tombe-t-il dans un fauteuil?
15. Quelle exclamation fait-il?

ETUDE DE MOTS

1. *tête de bandits* — *Tête* sometimes means face, expression, often in a pejorative sense.

   Il a une tête d'assassin. — He looks like an assassin.
   Quelle tête de lard! — What a fathead!
   Il en a fait une tête! — He certainly looked surprised!

2. *Il les chargent sur leurs épaules.* — They load them onto their shoulders.
   Leurs revolvers sont chargés. — Their revolvers are loaded.
   J'ai un programme chargé. — I have a heavy program (loaded with work).

   Il m'a chargé de vous dire. — He told me (charged me) to tell you.

EXERCICE

Les interrogatifs. Relisez les instructions pour l'exercice **B** dans *La Folle de Chaillot.*

1. Tout le monde va *au Bal des Voleurs.* — Où va tout le monde?
2. Gustave est amoureux de *Juliette.* — De qui Gustave est-il amoureux?
3. Il va s'en aller *puisqu'il ne peut pas l'épouser.* — Pourquoi va-t-il s'en aller?

4. Mais elle part avec lui malgré *ses protestations*.

Malgré quoi part-elle avec lui?

5. Les autres reviennent du *bal*.

D'où reviennent les autres?

6. Les Dupont-Dufort découvrent *qu'on a cambriolé la villa*.

Qu'est-ce que les Dupont-Dufort découvrent?

7. Ils se rendent compte que *c'est Gustave le coupable*.

De quoi se rendent-ils compte?

8. Ils téléphonent *à la police*.

A qui téléphonent-ils?

9. Ils appellent les autres *à grands cris*.

Comment appellent-ils les autres?

10. Ils vont arrêter les voleurs malgré *Lady Hurf*.

Malgré qui vont-ils arrêter les voleurs?

11. Elle va avoir *une crise de nerfs*.

Qu'est-ce qu'elle va avoir?

12. Elle appelle *les domestiques*.

Qui appelle-t-elle?

13. Les agents arrivent *à ce moment-là*.

Quand arrivent les agents?

14. Les Dupont-Dufort menacent les voleurs avec *leurs revolvers*.

Avec quoi les Dupont-Dufort menacent-ils les voleurs?

15. Ils se précipitent sur *eux*.

Sur qui se précipitent-ils?

16. Hector leur donne un *coup de main*.

Qu'est-ce qu'Hector leur donne?

17. Les agents emportent les Dupont-Dufort *sur leurs épaules*.

Comment les agents emportent-ils les Dupont-Dufort?

18. Ils sont salués en sortant par *leur petite ritournelle*.

Par quoi sont-ils salués en sortant?

19. Ils ont passé dans la villa *trois semaines interminables*.

Combien de temps ont-ils passé dans la villa?

20. Lady Hurf le dit *tranquillement*.

Comment Lady Hurf le dit-elle?

21. Edgard est vaincu par *ses émotions*.

Par quoi Edgard est-il vaincu?

SUJET DE COMPOSITION

La rentrée des agents au bureau de police. Ils sont fiers de leur travail. Un coup de téléphone de la villa leur apprend leur erreur, etc.

46

Jean Anouilh

Lady Hurf regarde Peterbono, qui depuis l'arrestation des autres s'étrangle°, pris d'un fou rire inextinguible.[1]

LADY HURF. Mon cher, ce n'est pas la peine de tant rire,[2] je sais parfaitement que c'est vous le vrai voleur.
[*Il s'arrête net°. Elle fouille dans sa poche.*]

LADY HURF. Rendez-moi mes perles. Vous n'êtes pas très fort°.

PETERBORO. Mais comment cela se fait-il?[3]

LADY HURF. Vous avez de grands bagages? Seront-ils longs à faire?

PETERBONO. [*Minable°.*] Oh! non. . . .

LADY HURF. Alors, je vous conseille° de monter vite là-haut°.

PETERBONO. Oh! oui. . . .

HECTOR. [*Entre, superbe°.*] Voilà, milady, les coquins° sont en de bonnes
mains.
[*Peterbono tousse°.*]

HECTOR. Vous n'êtes pas bien, mon cher père?

LADY HURF. Non. Il n'est pas très bien. Montez donc avec lui dans vos
chambres.

HECTOR. Vraiment, mais d'où souffrez-vous?

LORD EDGARD. [*Qui est revenu à lui.[4]*] Vous voyez bien que le duc de
Miraflor était mort en 1904!

LADY HURF. Je le savais depuis longtemps, mon cher.

HECTOR. [*Ne comprenant toujours pas les signes de Peterbono, badin°.*]
Ha, ha, ha. . . . C'est cette vieille plaisanterie?

LADY HURF. Le duc est mort entre mes bras, ou peu s'en faut°. Je savais
donc parfaitement à qui nous avions affaire.[5] Seulement, je
m'ennuie tant, mon vieil Edgard!

---

[1] *pris d'un fou rire inextinguible*—shaken with uncontrollable laughter.
[2] *Ce n'est pas la peine de tant rire.*—Don't bother laughing so much.
[3] *Comment cela se fait-il?*—How did it happen? (how did you find out?)
[4] *qui est revenu à lui*—who has come to.
[5] *à qui nous avions affaire*—with whom we were dealing (i.e., she knew all along
that they were crooks).

HECTOR. [*Se rapproche enfin de Peterbono.*] Mais enfin qu'est-ce que c'est?

PETERBONO. Imbécile, il y a une heure que j'essaie de te le dire, nous sommes découverts, mais elle nous laisse partir.

HECTOR. Hein? Mais puisqu'on vient d'arrêter les autres?

LADY HURF. [*Va à eux, souriante.*] Je ne pense pas, messieurs, que vous vouliez attendre la visite du commissaire.

HECTOR. Mais c'est inadmissible°! De quoi nous accuse-t-on? Nous avons été avec vous toute la soirée.

PETERBONO. Ne fais pas le malin.⁶ Viens donc!

LADY HURF. Allez donc, monsieur, puisque tout le monde vous le conseille. . . .

HECTOR. Mais. . . . C'est inconcevable. . . .

PETERBONO. [*Bas.*] Fais donc vite, idiot. Elle m'a repris le collier°, mais j'ai conservé la bague.

[*Ils sortent très dignes. Une petite musique allègre° salue leur départ.*]

LADY HAUF. [*Les a regardés partir avec un sourire attendri°.*]Pauvre vieux! Je lui ai laissé ma bague. En somme°, ils sont restés quinze jours ici à cause de moi.

Quelques moments plus tard Juliette et Gustave reviennent et, pour eux, tout finit bien.

VOCABULAIRE

s'étrangler to strangle, choke
s'arrêter net to stop cold
fort clever, able
minable pitiable
conseiller to advise
là-haut upstairs
superbe in a lordly manner
le coquin the knave
tousser to cough

badin playfully
peu s'en faut very nearly, almost
inadmissible unacceptable, unheard of
le collier the necklace
allègre joyful
attendri affectionate, fond
en somme after all

QUESTIONNAIRE

1. Que fait Peterbono à l'arrestation des Dupont-Dufort?
2. Pourquoi s'arrête-t-il net?

⁶ *Ne fais pas le malin.*—Don't try to be so smart.

3. Pourquoi Lady Hurf fouille-t-elle dans la poche de Peterbono?
4. Pourquoi lui conseille-t-elle de monter dans sa chambre?
5. Que dit Hector en entrant?
6. Pourquoi Peterbono tousse-t-il?
7. Quelles questions Hector lui pose-t-il?
8. Que dit Lord Edgard?
9. Comment Lady Hurf sait-elle que le duc est mort? Que savait-elle donc parfaitement?
10. Pourquoi a-t-elle fait semblant de reconnaître le duc de Miraflor?
11. Que dit Peterbono à Hector quand celui-ce se rapproche enfin de lui?
12. Quelle objection Hector lui fait-il?
13. Quelle objection fait-il à Lady Hurf?
14. Qu'est-ce que Peterbono lui dit de faire? Pourquoi est-il pressé de partir?
15. Comment Lady Hurf les regarde-t-elle partir? Qu'est-ce qu'elle leur a laissé? Pourquoi?

ETUDE DE MOTS

1. *Ne fais pas le malin.*	Don't (pretend to) be smart.
Ne fais pas l'idiot. Ou:	Stop acting like a fool, fooling around. Also:
Ne fais pas l'imbécile.	Don't pretend to be dumber than you are.
2. *pris d'un fou rire*	overcome by laughter
Elle fut prise d'une crise de nerfs.	She broke out into hysterics.
Mais qu'est-ce qui vous prend?	What's got into you?

EXERCICE

Imparfait and passé composé (32–33); Pluperfect (55)

Le professeur raconte l'histoire au présent, l'étudiant la répète au passé.

1. Depuis l'arrestation des autres Peterbono s'étrangle, pris d'un fou rire.	Depuis l'arrestation des autres Peterbono s'étranglait, pris d'un fou rire.
2. Soudain Lady Hurf s'adresse à lui.	Soudain Lady Hurf s'est adressée à lui.
3. Elle lui explique que ce n'est pas la peine de tant rire,	Elle lui a expliqué que ce n'était pas la peine de tant rire,
4. qu'elle sait parfaitement que c'est lui le vrai voleur.	qu'elle savait parfaitement que c'était lui le vrai voleur.

5. Peterbono s'arrête net.

Peterbono s'est arrêté net.

6. Quand il comprend que ses protestations sont inutiles, il change de ton.

Quand il a compris que ses protestations étaient inutiles, il a changé de ton.

7. Il se rend compte qu'il faut s'en aller.

Il s'est rendu compte qu'il fallait s'en aller.

8. Mais Hector, qui revient tout joyeux, ne sait pas ce qui s'est passé.

Mais Hector, qui est revenu tout joyeux, ne savait pas ce qui s'était passé.

9. Enfin il se rapproche de Peterbono;

Enfin il s'est rapproché de Peterbono;

10. et celui-ci lui dit qu'ils doivent s'en aller tout de suite.

et celui-ci lui a dit qu'ils devaient s'en aller tout de suite.

11. D'abord Hector demande de quoi on les accuse.

D'abord Hector a demandé de quoi on les accusait.

12. Il dit qu'ils ont été avec eux toute la soirée.

Il a dit qu'ils avaient été avec eux toute la soirée.

13. Mais enfin les deux voleurs s'en vont.

Mais enfin les deux voleurs s'en sont allés.

14. Lady Hurf leur laisse la bague,

Lady Hurf leur a laissé la bague,

15. parce qu'ils sont restés là quinze jours à cause d'elle.

parce qu'ils étaient restés là quinze jours à cause d'elle.

SUJET DE COMPOSITION

Lady Hurf explique à Lord Edgard pourquoi elle a invité les voleurs dans sa villa.

Review Lesson VIII

Révision du vocabulaire et des expressions du texte

A. Les expressions

TRADUISEZ :

1.	She bursts out laughing.	Elle éclate de rire.
2.	Take a closer look at them.	Examinez-les de plus près.
3.	She takes her hand away.	Elle retire sa main.
4.	whatever it may be	quoi que ce soit
5.	Let's have a cocktail.	Prenons un cocktail.
6.	what's more	qui plus est
7.	She won't have anything to do with me, she snubs me.	Elle m'envoie promener.
8.	The pool is two meters deep.	La piscine a deux mètres de profondeur.
9.	You aren't just anybody.	Tu n'es pas n'importe qui.
10.	She comes on stage.	Elle entre en scène.
11.	I was bored to death.	Je m'ennuyais à périr.
12.	Come, come, try to remember.	Voyons, souvenez-vous.
13.	He lets out a yell.	Il pousse un cri.
14.	Stick your hands up!	Haut les mains!
15.	I'm going to have hysterics.	Je vais avoir une crise de nerfs.
16.	You take the fat one!	A toi le gros!
17.	I can't say no to that.	Ce n'est pas de refus.
18.	I wanted to get rid of them.	Je voulais m'en débarrasser.
19.	For three weeks, they had been at my house.	Voilà trois semaines qu'ils étaient chez moi.
20.	And to think that he's a robber!	Et dire qu'il est voleur!
21.	I am here for my liver trouble.	Je suis ici pour me soigner le foie.
22.	He certainly looked surprised.	Il en a fait une tête.
23.	He looks like an assassin.	Il a une tête d'assassin.
24.	He breaks out into wild laughter.	Le fou rire le prend.
25.	How can that be, how did it happen?	Comment cela se fait-il?
26.	He came to, recovered consciousness.	Il est revenu à lui.
27.	Do you know whom you're dealing with?	Savez-vous à qui vous avez affaire?

233

B. Le vocabulaire

TRADUISEZ:

1.	in the foreground	au premier plan
2.	the kiss	le baiser
3.	to turn away	se détourner
4.	the magnifying glass	la loupe
5.	fake jewelry	le toc
6.	by chance	par hasard
7.	the investment	le placement
8.	to dry	sécher
9.	to chat, chatter	bavarder
10.	the pool	la piscine
11.	embarrassed	gêné, confus
12.	the copy, issue (of a paper)	le numéro
13.	the guardian	le tuteur
14.	to pretend	faire semblant
15.	the bullfight	la course de taureaux
16.	the mourning	le deuil
17.	the pile	le tas
18.	to straighten up	se redresser
19.	to faint	s'évanouir
20.	to come running up	accourir
21.	to pinch	pincer
22.	to rub	frotter
23.	to relieve	soulager
24.	the servant	le domestique
25.	to load	charger
26.	the back	le dos
27.	to choke	s'étrangler
28.	to advise	conseiller
29.	to cough	tousser
30.	playful, joking	badin
31.	the necklace	le collier
32.	the ring	la bague
33.	all in all, after all	en somme

REMPLACEZ LES EXPRESSIONS EN ITALIQUES PAR UN SYNONYME:

1. *Un habit que l'on met pour que les autres ne vous reconnaissent pas.*   un déguisement

2. *La somme d'argent qu'une femme apporte en mariage.*   la dot

3. Un clarinettiste *représente* l'orchestre. — figure
4. *Ce qui se lève quand la pièce commence.* — le rideau
5. Quand on applaudit, Hector est *déconcerté*. — confus
6. Il *remet* la loupe *à sa place*. — range
7. Didier est un garçon *qui fait son travail*. — travailleur
8. Tu *abandonnes* la petite Juliette. — délaisses
9. Il veut *rétablir les affaires de la banque*. — remettre la banque à flot
10. des conditions *meilleures que celles auxquelles on s'attendait* — inespérées
11. Tu aurais sauvé *cet enfant*. — ce bambin
12. Edgard est *simple et naïf*. — ingénu
13. Il reste vous; *c'est à dire presque rien*. — autant dire rien
14. Elle dit qu'Edgard est *un sot*. — un benêt
15. Peterbono est *un voleur*. — un filou
16. Notre *destin* est entre vos mains. — sort
17. *Elle embrasse Peterbono impétueusement.* — se jette au cou de Peterbono
18. *La musique que l'on joue aux funérailles.* — la marche funèbre
19. C'est *fou!* — insensé
20. Racontez les circonstances de *sa mort*. — son trépas
21. Il se touche le cœur *plusieurs fois*. — à plusieurs reprises
22. *Il prend une chose (ou une personne) pour une autre.* — Il se méprend.
23. Il *cherche soigneusement* dans un tas de papiers. — fouille
24. Il pousse un cri et *tombe tout à coup*. — s'écroule
25. *Lettre pour annoncer la naissance, le mariage, la mort de quelqu'un.* — le faire-part
26. Quand elle lit la lettre elle est très *agitée*. — bouleversée
27. Elle la cache *rapidement*. — précipitamment
28. Il le regarde d'un air *railleur, moqueur*. — goguenard
29. Ce n'est pas le moment de *dire des plaisanteries*. — plaisanter
30. Il se dirige vers la porte *imperceptiblement*. — insensiblement
31. Je reste pour *m'informer sur l'état de la santé* de mon hôte. — prendre des nouvelles
32. *Il cherche dans ses poches.* — Il se fouille.
33. *C'est vrai.* Je me suis trompé. — en effet
34. J'ai dû le *prendre pour* le duc d'Orléans. — confondre avec
35. Je vais vous *dire* mon idée. — faire part de
36. Ils éclatent *immédiatement* de rire. — aussitôt
37. Il va *dévaliser* la villa. — cambrioler
38. Les Dupont-Dufort sont *très heureux*. — ravis
39. Ils *comprennent* que c'est Gustave le voleur. — se rendent compte

40. Ils appellent les autres *en criant très fort.*   à grands cris
41. Ils tentent *tout à coup* de se sauver.   brusquement
42. Les voilà qui *se sauvent!*   fuient
43. Voulez-vous nous *aider?*   donner un coup de main
44. Comme voleur vous n'êtes pas très *habile.*   fort
45. *Qu'est-ce que vous avez, où avez-vous mal?*   D'où souffrez-vous?
46. Il est mort entre mes bras, ou *presque.*   peu s'en faut
47. une petite musique *joyeuse*   allègre

Révision des exercices

A. L'imparfait, le passé composé, et le plus-que-parfait

TRADUISEZ:

1. Hector became embarrassed   Hector est devenu confus
2. because he thought   parce qu'il croyait
3. that people had noticed him.   qu'on l'avait remarqué.
4. Eva burst out laughing.   Eva a éclaté de rire.
5. She told him she liked him.   Elle lui a dit qu'il lui plaisait.
6. Then they said goodbye to each other.   Puis ils se sont dit au revoir.

B. L'infinitif et les pronoms compléments

LE PROFESSEUR: Invitez-moi.
L'ÉTUDIANT: Je ne veux pas vous inviter.

1. Choisissez des *hors-d'œuvre.*   Je ne veux pas en choisir.
2. Buvez *ce cognac.*   Je ne veux pas le boire.
3. Mentez *à votre tante.*   Je ne veux pas lui mentir.
4. Songez *à faire venir un détective.*   Je ne veux pas y songer.
5. Adressez-vous *à Lady Hurf.*   Je ne veux pas m'adresser à elle.
6. Rejoignez-moi *au café.*   Je ne veux pas vous y rejoindre.

C. Les interrogatifs

TRADUISEZ:

1. What do they realize?   De quoi se rendent-ils compte?
2. Whom does she call?   Qui appelle-t-elle?
3. How long did they stay?   Combien de temps sont-ils restés?
4. With what do they threaten them?   Avec quoi les menacent-ils?

D. L'emploi du subjonctif

TRADUISEZ:

1. We must be amiable.   Il faut que nous soyons aimables.
2. We must have a cocktail.   Il faut que nous prenions un cocktail.

3. She wants them to go together.

   Elle veut qu'ils aillent ensemble.

4. It is a pity he doesn't understand.

   C'est dommage qu'il ne comprenne pas.

5. I knew he would understand.

   Je savais qu'il comprendrait.

6. I'm surprised she receives them (as guests).

   Je suis étonné qu'elle les reçoive.

Grammatical Appendix

You cannot learn French by reading a grammatical appendix. You can learn it only by repeating the correct forms until they come to you automatically. But a grammatical appendix can be useful to you, if you know how to use it. Each exercise refers to a part of the appendix which explains the point or points of grammar drilled in that exercise. If you have trouble with the exercise this explanation may help you. But remember that your object is not simply to be able to understand the pattern drilled, but to be able to use it actively.

This appendix may also be used in the correction of compositions. Become familiar with the table of contents and abbreviations on the following pages. If your instructor uses these abbreviations on your compositions, look up the abbreviation in the table of contents and abbreviations, and read the part of the appendix to which it refers. This should enable you to make most of the corrections yourself, and to learn why what you have written is wrong. For example, if your instructor marks your composition as follows,

cond S'il viendrait, je serais content.

look up cond (conditional) in the appendix, and you will discover that the *imparfait* and not the conditional should be used here. This will take a little time, but the time will be well spent. If the instructor wishes to refer you directly to the relevant rule, he will give you the paragraph number and letter, in this case, **22D.**

The appendix can also be useful when you are writing compositions, reviewing for an examination, or at any time when you cannot remember a given rule or form. All that you need to use it effectively is an acquaintance with the simplest grammatical terminology: articles, the *imparfait*, object pronouns, the partitive, etc. Once you know under which heading to look, you have only to turn to the appendix and find it. The headings are arranged alphabetically. Note that under each tense you will find the rules for the formation and use of that tense. Verbs which take *à* or *de* or no preposition before an infinitive are listed under prepositions.

TABLE OF CONTENTS AND ABBREVIATIONS

Other abbreviations which may be used in correcting compositions:

Eng id   English idiom; should not be translated literally into French. Restate the thought with a French expression you know to be correct.

f   Formation. Used to indicate that the error is in the formation of the tense rather than in its use.

om   Word or words omitted.

Voc   Wrong word used. Cannot be used in this sense or is not a French word. Either restate the thought, or carefully consult a good dictionary.

?   Meaning unclear.

————   Word underlined without any marginal comment: Misspelling.

x   In upper right hand corner. Correct the composition and return it.

ADJECTIVES

1. Formation of the Feminine

A. If the adjective ends in an **-e** in the masculine, it remains unchanged in the feminine.

    jeune–jeune   vide–vide   autre–autre

B. To spell the feminine form of other adjectives, add **-e** to the masculine form. Note that final consonants which are silent in the masculine are pronounced in the feminine.

    petit–petite   féminin–féminine   chaud–chaude

C. Adding the **-e** to the masculine form of certain adjectives causes other changes in the spelling. Note the following patterns:

   1. Doubling the consonant

      bon–bonne   gros–grosse   pareil–pareille

   2. Accent grave on the penultimate **-e**

      premier–première   étranger–étrangère   secret–secrète

3. **x** becomes **s**

        heureux–heureuse   curieux–curieuse

4. **f** becomes **v**

           neuf–neuve   actif–active

5. Exceptional spellings

blanc–blanche	frais–fraîche	doux–douce
franc–franche	sec–sèche	faux–fausse
long–longue		

D.   *Beau, nouveau, fou,* and *vieux* have special masculine forms used only before a vowel or a mute *h* : *bel, nouvel, fol, vieil.* The feminine forms are pronounced like these special forms, but are spelled *belle, nouvelle, folle, vieille.*

2. Formation of the Plural

A.   *-s* which is added to spell the plural form, or *-x* if the adjective ends in *-eau,* are heard only before a vowel or mute *h.* *-al* becomes *-aux.*

     petit–petits   beau–beaux   loyal–loyaux

3. Position of Adjectives

A.   In general the adjective follows the noun.

B.   Certain common short adjectives usually precede the noun. Note that if an adjective precedes a noun its antonym often does so also.

jeune	young	*vieux*	old
bon	good	*mauvais, méchant*	bad, mean
meilleur	better	*pire*	worse
grand, gros	big, fat	*petit*	little
joli, beau	pretty, beautiful	*vilain*	ugly
nouveau	new		
long	long		
autre	other		
haut	high		

If these adjectives are modified, however, they usually follow the noun.

> *une femme incroyablement belle*   an incredibly beautiful woman
> *un étudiant beaucoup trop jeune*   much too young a student

All numbers, *premier, dernier, deuxième, deux, trois,* etc., precede the noun.

C.   Certain adjectives vary in meaning according to their position. Note that the meaning is literal or physical if the adjective follows the noun, but figurative if it precedes it.

un pauvre homme an unfortunate man	*un homme pauvre* a penniless man
un grand homme a great man	*un homme grand* a tall man
un ancien élève a former student	*une maison ancienne* an ancient house
ma propre chambre my own room	*ma chambre propre* my clean room
un brave homme a good man	*un homme brave* a brave man
un cher ami a dear friend	*un restaurant cher* an expensive restaurant
un sale coup a dirty trick	*les mains sales* dirty hands

4. The Demonstrative Adjective

A.

ce moment	this moment, that moment. Masculine singular.
cet homme	this man, that man. *Cet* is used only before a masculine singular noun beginning with a vowel or with a mute *h*.
cette idée	this idea, that idea. Feminine singular.
ces personnes	these persons, those persons. Plural.

B.   To distinguish between *this* and *that* the suffix *-ci* or *-là* is added to the noun.

> *ce moment-là*   that moment
> *cet homme-ci*   this man

5. The Possessive Adjective

	Singular		*Plural*
	Before a masculine noun and before a feminine noun beginning with a vowel or a mute *h*	Before a feminine noun beginning with a consonant	Before any plural noun
my	*mon*	*ma*	*mes*
your	*ton*	*ta*	*tes*
his, her, its, one's	*son*	*sa*	*ses*

	Before any singular noun	
our	*notre*	*nos*
your	*votre*	*vos*
their	*leur*	*leurs*

Note that linking will cause the final consonant to be pronounced before a vowel or a mute *h* in *mon, ton, son, mes, tes, ses, nos, vos, leurs,* and that the *-re* of *notre* and *votre* is usually not pronounced before a consonant. *Votre père* is usually pronounced *vot' père.*

ADVERBS

6. Formation of Adverbs

A.   Adverbs are formed by adding *-ment* to the feminine form of the adjective.

   heureuse–heureusement   secret–secrètement   actif–activement

B.   *-ment* is added to the masculine form if the adjective ends in a vowel.

joli–joliment

C.   If the adjective ends in *-ant* or *-ent,* the adverb ends in *-amment* or *-emment.*

   évident–évidemment   indépendant–indépendamment

7. Position of Adverbs

Adverbs may come at the beginning or at the end of the sentence, but usually they come directly after the verb. In compound tenses, short adverbs (other than adverbs of time like *alors* and *hier*) come between the auxiliary and the past participle. The adverb never comes directly in front of the verb, as it often does in English.

Elle porte toujours du vert.	She always wears green.
Il répond souvent.	He often answers.
Je n'ai pas encore vu ce film.	I have not seen that movie yet.
Est-il déjà parti?	Has he left already?

AGREEMENT

8. Adjectives

The adjective agrees with the noun it modifies.

des maisons anciennes   old houses   *Quelle idée!*   What an idea!

9. Pronouns

The pronoun must correspond to the noun it represents.

J'ai lu la leçon. Elle est facile.	I read the lesson. It's easy.
Voilà Georges. Tu le connais?	There's George. Do you know him?

10. Verbs

The verb form must correspond to its subject.

Marie et Louise nous parlaient.   Marie and Louise were talking to us.

11. Past Participles

A.   Etre verbs. The past participle agrees with the subject of the verb.

Elle est née.   She was born.   *Elle est morte.*   She died.

B. Avoir verbs. The past participle agrees with the *preceding direct* object. Note: it must be the *direct* object and it must *precede* the verb.

Les livres que j'ai lus. . . .	The books I have read. . . .
Quelle règle? Celle que j'ai apprise.	What rule? The one I learned.
Combien de films avez-vous vus?	How many movies have you seen?

C. Reflexive verbs. Reflexive verbs are conjugated with *être*. In most cases the past participle can be said to agree with the subject, just as it does in *être* verbs.

Elle s'est assise. She sat down. *Nous nous sommes lavés.* We got washed.

Strictly speaking, the agreement is with the preceding direct object, which is the reflexive pronoun. When a reflexive verb is *followed* by a direct object, the past participle does not agree.

Nous nous sommes lavé les mains. We washed our hands.

Here *les mains* is the direct object. The reflexive pronoun *nous* is the *indirect* object. Hence there is no agreement.

ARTICLES

12. Use of the Definite Article

The definite articles (*le, la, l', les*) or their contractions (*au, aux, du, des*) are often required in French where they are not required in English:

A. With a noun in the general or abstract sense; with the name of a country.

J'aime le vin.	I like wine.
Nous avons parlé de la cuisine française.	We talked about French cooking.
La France et l'Allemagne étaient en guerre.	France and Germany were at war.

B. With a title or adjective preceding a proper name, except in direct address.

J'ai parlé au commandant Dupont.	I spoke to Major Dupont.
Tu connais le vieux Charles, n'est-ce pas?	You know old Charles don't you?

13. Omission of the Definite Article

A. It is almost always omitted after the preposition *en. En* is used before feminine countries, and in many idiomatic expressions.

Je vais en France.	I am going to France.
Il est en prison.	He is in prison.

B. It is sometimes omitted after the preposition *de,* particularly in adjectival phrases. Study the following models:

un curé de campagne	a country priest
un village entouré de montagnes	a village surrounded by mountains
Il a besoin de discipline.	He needs discipline.
Je meurs d'ennui.	I'm dying of boredom.

14. Omission of the Indefinite Article

A. After *être, devenir* and similar verbs followed by unmodified nouns of profession, nationality, or title.

Il est marin.	He is a sailor.
Elle est devenue professeur.	She became a professor.
Je suis Américain.	I am an American.

But if the noun is modified, an article is used:

M. Meyer est un médecin excellent.   Mr. Meyer is an excellent doctor.

B. After *sans,* and usually after *avec* in adverbial or adjectival phrases.

une chambre sans fenêtres	a room without windows (that is, windowless)
Enveloppez-le avec soin.	Wrap it up with care. (that is, carefully)

AVOIDING DEPENDENT CLAUSES

15. Dependent Clauses

A. One generally avoids using a dependent clause, if it has the same subject as the main clause. Use the infinitive or, if the sense requires it, the past infinitive instead. Note that this form is simple and shorter than the dependent clause which must always be introduced by a relative pronoun, and must often be in the subjunctive. The subjects of main and dependent clauses are in italics in these examples.

Il croit comprendre.	*He* thinks *he* understands.
Vous prétendez ne pas le connaître?	Are *you* claiming that *you* don't know him?
Après l'avoir fini, je suis rentré.	After *I* finished it, *I* went home.
Elle l'a fait avant de partir.	*She* did it before *she* left.

B. The dependent clause may sometimes be avoided even when its subject is different from that of the main clause. Study the following examples:

Il la trouve belle.	*He* thinks *she* is pretty.
Je nous croyais brouillés.	*I* thought *we* weren't friends any more.

C. *Quand, lorsque, aussitôt que* and *pendant que* cannot be followed by an infinitive. However, when they introduce dependent clauses whose action is simultaneous or nearly simultaneous with the action of the main verb, *en* + present participle can often be used instead of the dependent clause.

Je me suis couché tout de suite quand je suis rentré, *or* en rentrant.	I went right to bed when I got home.

D. When the subject of the dependent clause and the subject of the main clause are different, the dependent clause usually cannot be avoided. But it is often possible, and desirable, to rephrase the sentence.

Elle l'a fait avant que je ne sois parti. *Better:* avant mon départ.	She did it before I had left.
Nous avons attendu jusqu'à ce que le concert se termine. *Better:* jusqu'à la fin du concert.	We waited until the concert ended.

E. When the main clause is in the past tense, dependent clauses introduced by *après que,* or other expressions of time like *quand, lorsque, aussitôt que,* which express action previous to the action of the main clause should be avoided if possible, because the verb of the dependent clause must be in the *passé antérieur,* that is, the *passé simple* + past participle. (One does occasionally hear the pluperfect in such clauses also.)

Instead of:	say:
On a commencé après que la cloche eut sonné.	*On a commencé après la cloche.*
(We began after the bell rang.)	(We began after the bell.)
On est parti après qu'ils furent arrivés.	*On est parti après leur arrivée.*
(We left after they arrived.)	(We left after their arrival.)

AVOIDING THE PASSIVE

16. The Passive

A verb is passive when the subject does not act, but is acted upon. What acts upon the subject is called the agent. In *Marie was given a prize by the committee,* the agent is *the committee.* Often the agent is not stated: *Marie was given a prize.* The passive exists in French, but it should generally be avoided. It is used much less frequently in French than in English.

A. When the agent is not stated, avoid the passive by making *on* the subject.

On a donné un prix à Marie.	Marie was given a prize.
On a vendu la maison.	The house was sold.

B. When the agent is stated, the passive can be avoided by making the agent the subject of the sentence.

Le comité a donné un prix à Marie.	Marie was given a prize by the committee.
Le propriétaire a vendu la maison.	The house was sold by the owner.

C. *On* stands for a person. If the agent is not a person, the passive must be used. Note that in French as in English, the passive consists of the appropriate form of the verb *être* or *to be* plus the past participle.

La maison a été détruite.	The house was destroyed. (by fire, flood, or some catastrophe)

D. A reflexive verb is often used in French where English uses the passive. However, not all passive verbs can be translated by reflexive verbs. When you are not sure that the reflexive verb is correct, it is safer to use *on.*

Comment ça se dit-il en français?	How is that said in French?
Ces vins se boivent avec le plat de viande.	These wines are drunk with the meat course.
On a vendu cette voiture. Cette voiture a été vendue. *Not:* Cette voiture s'est vendue.	That car was sold.

CE OR IL

17. Ce

Ce, meaning *it, he, she,* or *they,* is used as the subject of *être* in the following cases:

A. Before a stressed pronoun, often for emphasis.

C'est moi qui ai dit ça.	I'm the one who said that.
Ce sera lui le président?	Will *he* be the president?

B. Usually, before any noun preceded by an article. (Note that all nouns except those indicating profession and nationality *are* preceded by an article.)

C'est une jolie jeune fille.	She's a pretty girl.

C. Before an adjective, adverb, or adjectival or adverbial phrase which refers to no specific antecedent. (The singular masculine form of the adjective is used.)

C'est à Paris que je l'ai rencontrée.	I met her in Paris.
Tout le monde a ri. C'était drôle.	Everybody laughed. It was funny.
Vous comprenez parce que c'est facile.	You understand because it's easy.

D. Usually, when the subject of the sentence is a clause or an infinitive. (With verbs other than *être* use *ça.*)

Ce qui m'intéresse c'est la littérature.	What interests me is literature.
Parler rapidement c'est difficile.	Speaking fast is hard.

18. Ça

Ce is generally used only as the subject of *être*. *Ça,* meaning *it,* is used as the subject of other verbs.

Qu'en pensez-vous? Ça m'intéresse.	What do you think of it? It interests me.
Ça devient ennuyeux.	It gets boring.

19. Il, elle, ils, and elles

Il, elle, ils, or *elles,* meaning *it, he, she,* or *they,* are used in the following cases:

A. Before a noun which is not preceded by an article, that is, a noun indicating profession or nationality.

> Il est professeur.   He's a professor.

B. Before an adjective, adverb, or adjectival or adverbial phrase which refers to a specific antecedent.

> Et cette peinture-là? Elle est belle.   How about that painting? It's beautiful.

20. Il

Il, meaning *it,* is used in the following cases:

A. In impersonal expressions such as *il faut, il s'agit de, il pleut,* etc.

B. Usually, before adjectives which are followed by *de* and an infinitive, or *que,* and thus form an impersonal expression. (But *ce* is sometimes permissible also, particularly before an adjective expressing an emotional reaction.)

Il est impossible de le faire.	It is impossible to do it.
Il est étonnant que vous le disiez.	It is astonishing that you should say it.
or: C'est étonnant que vous le disiez.	It is astonishing that you should say it.

CONDITIONAL AND PAST CONDITIONAL

21. Formation of the Conditional

The conditional is formed by adding the *imparfait* endings, *-ais, -ais, -ait, -ions, -iez, -aient,* to the infinitive, or in the case of irregular verbs, to the irregular future stem.

finir—infinitive: *finir*		*tenir:* irregular future stem: *tiendr-*	
je finirais	nous finirions	je tiendrais	nous tiendrions
tu finirais	vous finiriez	tu tiendrais	vous tiendriez
il finirait	ils finiraient	il tiendrait	ils tiendraient

The past conditional is formed by the conditional of the auxiliary verb followed by the past participle.

 voir—past conditional: *j'aurais vu; aller*—past conditional: *je serais allé*

22. Use of the Conditional

A. Generally these tenses are used the same way in French as in English.

Il a dit qu'il viendrait.	He said he would come.
Le croiriez-vous?	Would you believe it?
Je n'y aurais jamais songé.	I never would have thought of it.

B. One must be careful, however, not to use the conditional automatically every time we would use *would* in English. *Would* has two other meanings which have nothing to do with the conditional.

A l'école elle parlait beaucoup.	In school she would talk a lot.

Would here means *used to.* It expresses an habitual action in the past, which is expressed in French by the *imparfait.*

Je lui ai servi une truite, mais elle ne voulait pas la manger.	I served her a trout, but she would not eat it.

Would not eat it means she did not want to eat it; she refused to eat it.

C. *Should* usually means *ought to,* which is the conditional form in English for *must,* and therefore should be translated by the conditional of *devoir*. Similarly, *should have* should be translated by the past conditional of *devoir*.

Je devrais le lire.	I should read it, that is, I ought to.
J'aurais dû le lire.	I should have read it.

Occasionally, but not very often in American usage, *should* is used in place of *would* in the conditional. In this case, of course, it is translated by the conditional form of the verb it precedes.

J'aimerais vous voir.	I should like to see you.

D. Conditional sentences. These sentences consist of an *if* clause and a *result* clause.

If clause:	If you asked him,	Si vous lui demandiez,
Result clause:	he would answer.	il répondrait.

The tense sequence is normally the same in French as in English. There is more latitude in English, however, than in French. In English it is possible to use the conditional in an *if* clause (*if you would ask him* instead of *if you asked him*), or the future (*if you will ask him* instead of *if you ask him*). In French neither the conditional nor the future can be used in an *if* clause.

Typical conditional sentences:

Si vous l'invitez, il viendra.	If you invite him, he will come.
Si vous l'invitiez, il viendrait.	If you invited him (or, if you would invite him, if you were to invite him), he would come.
Si vous l'aviez invité, il serait venu.	If you had invited him (or if you invited him; English sometimes fails to use the pluperfect, see 55), he would have come.
S'il n'est pas ici, je l'ai perdu.	If it isn't here, I've lost it.
S'il a plu, je ne vais pas arroser le jardin.	If it has rained, I am not going to water the garden.

Note that the conditional or the future may follow *si* when *si* means *whether,* but then the sentence is not a conditional sentence, that is, it does not have an *if* clause and a *result* clause.

Je lui ai demandé s'il viendrait.	I asked him if (or whether) he would come.

E. The conditional, like the future, can be used to express probability or conjecture.

Elle parle si bien! Serait-elle Fran- çaise?	She speaks so well! Could she be French?
Il aurait tout perdu en 1929.	It is alleged (or reported) that he lost everything in 1929.

DEMONSTRATIVE PRONOUNS

23. Ceci and cela

Ceci and *cela* (or *ça*) are the demonstrative pronouns without any definite antecedents.

Ceci m'intéresse.	This interests me.
Ça m'étonne.	That astonishes me.

24. Celui, celle, ceux, and celles

A. The demonstrative pronoun must agree with its antecedent. Masculine: *celui* (singular) and *ceux* (plural). Feminine: *celle* (singular) and *celles* (plural). These forms cannot stand alone; they must be followed by one of the following: *-ci* or *-là, de* or another preposition, a relative pronoun.

1. *-ci* or *-là*

Quelle robe? Celle-ci ou celle- là?	Which dress? This one or that one?
Quel chapeau préférez-vous? Celui-ci?	Which hat do you like best? This one?
Ceux-ci sont les meilleurs.	These are the best.

2. *de* or another preposition

celui de Robert	Robert's
ceux d'Italie	the Italian ones
celles des étudiants	the students'

3. A relative pronoun

Ceux qui demeurent dans des maisons de verre. . . .	People who live in glass houses. . . .
Celui que je connais. . . .	The one I know. . . .
Celles dont tout le monde parle. . . .	The ones everyone talks about. . . .

B.   Correct use of the demonstrative pronouns requires frequent drill and practice. The difficulty arises from the fact that there is no one equivalent for them in English. Notice above the different English translations: *this one, that one, these, those, the one, the ones,* the possessive *s,* (Robert's, the student's) *people.* Furthermore, when used in another context, these English expressions are not necessarily translated by the demonstrative pronoun. For example:

He's the one.	C'est lui.
That book is Robert's.	Ce livre est à Robert.
We're going to Robert's.	Nous allons chez Robert.
They are the ones who did it.	Ce sont eux qui l'ont fait.

The solution is to observe and imitate the French pattern, and to avoid, as always, the bad habit of trying to translate English word by word into French.

DISJUNCTIVE PRONOUNS

See STRESSED PRONOUNS.

ELISION

25. Before a Vowel or a Mute *h*

A.   *La* drops its *a.*

B.   *Si* drops its *i,* but only before *il* and *ils.*

C.   Monosyllables ending in *e* drop the *e: je, me, te, se, de, le ne, que,* and also longer words ending in *-que* such as *lorsque* and *puisque.*

D.   *Ce* as a pronoun drops its *e* (*c'est, c'était*), but as a possessive adjective it becomes *cet* before a masculine word beginning with a vowel or a mute *h* (*cet homme*).

ETRE VERBS

26. Verbs of Motion

A. Certain verbs of motion are always conjugated with *être*. (Note that reflexive verbs are also conjugated with *être*.) Generally, these verbs indicate the direction of a motion but do not describe it. For example, *sortir* (to go out) tells *where* you are going and is conjugated with *être*. *Marcher* (to walk) tells *how* you are going and is conjugated with *avoir*. Learn them by using them in the *passé composé* and in the other compound tenses as they are listed below. Note that they form pairs of antonyms.

je suis venu	I came	*je suis allé*	I went
tu es arrivé	you arrived	*tu es parti*	you left
il serait monté	he would have gone up	*il serait descendu*	he would have gone down
nous étions entrés	we had gone in	*nous étions sortis*	we had gone out
vous êtes resté	you stayed	*vous êtes rentré*	you went home
		vous êtes retourné	you returned
ils sont nés	they were born	*ils sont morts*	they died
je suis accouru	I ran up		
elle était tombée	she had fallen		

B. All of these verbs are intransitive, that is they do not take an object. Some of them can take an object, but when they do they are conjugated with *avoir,* and their meaning is altered to some extent.

J'ai descendu la valise.	I took the suitcase downstairs.
J'ai monté l'escalier.	I climbed the stairs.
Il a rentré les bagages.	He brought the luggage in.
Elle a retourné son fauteuil.	She turned her armchair around.
Il a sorti son stylo.	He took out his pen.

FAIRE + INFINITIVE

27. Causative Construction

Faire + infinitive means to have something done, to make someone do something.

A. *Faire* is followed directly by the infinitive. Note the difference in word order between the French and the English.

J'ai fait cirer mes souliers.	I had my shoes shined.
Vous faites lire vos étudiants.	You have your students read.

B. Object pronouns come before *faire,* not before the infinitive. Again note the difference in word order between the French and the English.

Je les ai fait cirer.	I had them shined.
Je les fais réciter.	I have them recite.

C. If both the subject and the object of the infinitive are stated, the word order is *faire* + infinitive + object + *à* + subject.

J'ai fait cirer mes souliers au valet de chambre.	I had the valet shine my shoes.
Je fais lire Balzac aux étudiants.	I have the students read Balzac.

D. If the object of the infinitive is stated, and the subject is replaced by a pronoun, the word order is *lui* or *leur* + *faire* + infinitive + object.

Je lui ai fait cirer mes souliers.	I had him shine my shoes.
Je leur fais lire Balzac.	I have them read Balzac.

FAMILIAR FORM

28. Use of *tu*

The familiar form *tu* is used when addressing a child, an animal, a close friend, or a relative. It has no plural form. If you are addressing more than one person or animal you must always use *vous.* Young people tend to use it among themselves, even upon casual acquaintance. Remember to use it consistently. That is, if you address someone as *tu,* you must use the object pronoun *te* (or *t'*), the stressed pronoun *toi,* the possessive pronouns, *le tien, la tienne, les tiens, les tiennes,* and the possessive adjectives *ton, ta, tes.*

Tu emmènes ta famille avec toi?	Are you taking your family with you?

FUTURE

29. Formation of the Future

A.   The future is formed by adding the endings *-ai, -as, -a, -ons, -ez, -ont* to the infinitive, or to the irregular future stem. Note that these endings are identical with the present of *avoir*, except that the *nous* and *vous* endings are *-ons* and *-ez*, rather than *avons* and *avez*. Spelling: when an infinitive ends in an *-e*, the *-e* is dropped. See also ORTHO-GRAPHICAL CHANGING VERBS.

parler   future stem: *parler-* | | *rendre*   future stem: *rendr-* |
|---|---|---|---|
| je parlerai | nous parlerons | je rendrai | nous rendrons |
| tu parleras | vous parlerez | tu rendras | vous rendrez |
| il parlera | ils parleront | il rendra | ils rendront |

B.   Irregular future stems. In certain verbs the infinitive is shortened or its vowel is weakened in the future form. These futures must be learned by frequent repetition and practice. They can be grouped according to whether the stem ends in *-dr, -vr, -rr,* or simply *-r.* Note that *-r* is the distinctive sound of all future (and conditional) forms, whether regular or irregular.

-dra		*-vra*	
falloir	il faudra	devoir	il devra
tenir	il tiendra	pleuvoir	il pleuvra
appartenir	il appartiendra	recevoir	il recevra
venir	il viendra		
se souvenir	il se souviendra		
valoir	il vaudra		
vouloir	il voudra		

-rra		*-ra*	
courir	il courra	aller	il ira
envoyer	il enverra	avoir	il aura
mourir	il mourra	être	il sera
voir	il verra	faire	il fera

30. Use of the Future

A.   Generally speaking, the future is used the same way in French as in English. In English, however, we sometimes use the present to express what is, strictly speaking, a future action. In French such actions must be expressed by the future.

She will be afraid when she takes a plane trip.	Elle aura peur quand elle ira en avion.

Strictly speaking, it is illogical to say *when she takes a plane trip*. She is not taking it now. She *will* take it. Hence the French: elle *ira* en avion.

Toto will understand as soon as he grows up.	Toto comprendra dès qu'il grandira.

The rule can be stated as follows: In a clause introduced by

quand or *lorsque*	when
aussitôt que or *dès que* or *à partir du moment où*	as soon as

use the future if the main clause is in the future, or if future time is implied.

Reviens quand le curé sera parti.	Come back when the priest leaves.

Note the use of the future perfect: literally, when the priest *will have left*. To express this in English we would say *after he's gone*.

B.   The future can be used to express probability.

Il sera fatigué après ce voyage.	He must be tired after that trip.

GENDER

31. General Rules

When you learn a noun, try to learn it with some determiner in front of it, preferably *un* or *une,* for then you can hear the difference in gender even if the noun begins with a vowel. It is hard to tell when you hear a noun without a determiner whether it is feminine or masculine. But certain general rules can be helpful.

A.   Feminine nouns.

1. Nouns designating female beings

la vache the cow		*la mère* the mother	

2. Most nouns ending in **-e,** *preceded by a vowel or double consonant*

   la baie   the bay   *la hutte*   the hut

3. Abstract nouns ending in **-té, -tié, -eur, -tion, -on, -ance, -oire, -esse**

   la verité   truth   *la comparaison*   the comparison
   la nation   the nation   *la chaleur*   heat
   la petitesse   smallness   (but *le bonheur*)
   la pitié   pity   *la mémoire*   memory
   l'espérance   hope

B.   Masculine nouns.

   1. Nouns designating masculine beings and professions

   le fils   the son   *le marin*   the sailor   *le pompier*   the fireman

   2. Most nouns ending in a vowel other than mute **-e**

   l'abri   the shelter   *le trou*   the hole   *le passé*   the past

   3. Abstract nouns ending in **-isme** and **-ment**

   le réalisme   realism   *le mouvement*   movement

IMPARFAIT

32. Formation of the Imparfait

To the stem derived from the *nous* form of the present add the endings *-ais, -ais, -ait, -ions, -iez, -aient. Etre* has the only irregular *imparfait.*

finir: nous form: *finissons*		*être*	
stem: *finiss-*		j'étais	nous étions
je finissais	nous finissions	tu étais	vous étiez
tu finissais	vous finissiez	il était	ils étaient
il finissait	ils finissaient		

33. Use of the Imparfait and of the Passé Composé

A.   Wherever we use the verb forms *was* _____-*ing, were* _____-*ing,*
used to _____, or *would* _____ (when *would* means *used to*) in English,
we use the *imparfait* in French. These uses of the imparfait are:

1. To express habitual action in the past.

Longtemps je me couchais de bonne heure.	For a long time I used to go to bed early, or I would go to bed early.

2. To express an action that was going on in the past. This action is
interrupted, or an interruption is implied. (The event interrupting
the action is expressed by the *passé composé.*)

> Nous nous promenions.   We were taking a walk.

The action is incomplete. The implication is that something happened, an event interrupted the walk, or took place during it. Compare with *we took* a walk *nous nous sommes promenés,* where the
action is complete.

B.   There are other uses of the *imparfait* which are not translated by
was _____-*ing* or *used to* _____. These are:

1. To express a mental or emotional state, attitude, or process.

Je savais qu'il avait raison.	I knew he was right.
Nous croyions qu'il comprenait.	We thought he understood.
Il aimait jouer au bridge.	He liked to play bridge.

2. To *describe* something, or some condition, like the weather.

C'était une grande maison.	It was a big house.
Elle avait plusieurs chambres.	It had several rooms.
Elle donnait sur un parc.	It looked out on a park.
Il faisait froid.	It was cold.

3. With *depuis* or *il y avait . . . que* to express an action that had
been going on when another action, implied or expressed, occurred.

Il parlait depuis dix minutes quand j'y suis arrivé.	He had been talking for ten minutes when I got there.

| Depuis sa naissance il nageait. | He had been swimming since his birth. |

C. When a state of affairs or an action is expressed in the *imparfait* it is seen as a condition. The same action or state of affairs may be expressed in the *passé composé,* but then it is seen as an event, something completed.

| Il aimait beaucoup aller au cinéma. | He very much liked going to the movies. |

Aimait expresses an emotional state or condition.

| Il a beaucoup aimé ce film. | He liked that film very much. |

A aimé expresses a completed event. He went to the movie, saw it, and liked it. *Il aimait beaucoup ce film* would express a condition, thus implying that he saw the movie several times.

IMPERATIVE

34. Formation of the Imperative

A. The imperative has three forms. They are the *tu, nous,* and *vous* forms of the present, *with the pronoun omitted.*

dire—present:	imperative:
tu dis	*dis* say (familiar form)
nous disons	*disons* let's say
vous dites	*dites* say (polite form)

B. There are four irregular imperatives, all derived from the subjunctive.

être	*avoir*
sois be	*aie* have
soyons let's be	*ayons* let's have
soyez be	*ayez* have

savoir	*vouloir*
sache know	_____
sachons let's know	_____
sachez know	*veuillez* be so kind as to

C.   Spelling: In *-er* verbs and in *aller,* the *-s* ending of the *tu* form of the present is dropped in the imperative.

present:	imperative:
Tu parles.	Parle.
Tu l'invites?	Invite-la.
Tu vas.	Va.

However, the *-s* is restored when the familiar form of the imperative is followed by *en* or *y.*

manges-en   eat some   *songes-y*   think of it   *vas-y*   go ahead

D.   For the third person imperative use the subjunctive, preceded by *que.*

Qu'il entre.   Let him come in.   *Qu'ils s'en aillent.*   Let them go away.

INFINITIVE AND PAST INFINITIVE

35. Use of the Infinitive

A.   Infinitives end in *-er, -ir, -re,* and *-oir.* There are no convenient rules whereby one can form the infinitive from other forms of the verb. The infinitive is a verb form which must be memorized. The many drills in the text in which you are called upon to use the infinitive are meant to help you do this.

B.   The infinitive is used where we use the infinitive in English, and also in many cases, where we use the verb form ending in *–ing:*

1. In the infinitive construction, subject + verb + infinitive, as in English, *I like to swim, I want to leave.* (Sometimes **à** or **de** may come between the verb and the infinitive; see 58.)

Je les ai invités à venir.	I invited them to come.
Je leur ai dit de ne pas rester.	I told them not to stay.

2. As a noun

Lire est son plus grand plaisir.	Reading is his greatest pleasure.

When the infinitive is the subject, *ça* (or *ce* if the verb is *être*) often precedes the verb (see **17D**).

Parler français ça devient facile. Speaking French gets to be easy.

3. After any preposition except *en.* (*En* is followed by the present participle.)

avant de partir	before leaving
sans parler	without speaking
au lieu de travailler	instead of working

C. The past infinitive (for example, *to have spoken, to have given*) occurs more frequently in French than in English, because in English we often use the present infinitive (or an *-ing* form) where the past infinitive would render the meaning more precisely. In French, the past infinitive must be used whenever the action it expresses is in the past.

On l'a accusé d'avoir tué sa femme. He was accused of killing his wife.

The action is not in the present. Strictly speaking he was accused of *having killed* his wife. Hence the French: *avoir tué.*

après être parti after leaving

Again the action is not in the present, but in the past. After *après* the past infinitive must always be used.

INTERROGATIVES

36. Interrogative Word Order

A. A statement can be made into a question.

1. By a rising intonation on the last syllable

2. By beginning the statement with *est-ce que*

3. By inversion

Y êtes-vous allé? Did you go? *Va-t-il en France?* Is he going to France?

Note that in compound tenses the pronoun comes after the auxiliary, and that in the third person a *t* is always heard between the verb and the inverted subject. If the verb does not end in a *-t* or a *-d*, a *-t-* is inserted.

B.   A noun-subject cannot usually follow the verb. When inversion is used, the noun-subject will remain in place, and the appropriate pronoun will follow the verb.

Vos parents viennent-ils avec   Are your parents coming with
  vous?   you?

C.   After *où, combien, comment, à qui, quand,* and *que,* the noun-subject may follow the verb, if the verb does not have an object.

Où demeurent vos parents?   Where do your parents live?
Quand part le train?   When does the train leave?

D.   Interrogative word order is used after a quotation.

        "Non," a dit Robert.   "No," said Robert.

37. Interrogative Pronouns

A.   Questions referring to persons: use *qui.*

      Avec qui parliez-vous?   With whom were you talking?

B.   Questions referring to things.

1. If the interrogative word is the subject of the verb, use *qu'est-ce qui.*

      Qu'est-ce qui intéresse les en-   What interests the children?
  fants?

2. If it is the object, use *qu'est-ce que* or *que* + inverted word order.

      Qu'est-ce qu'il a perdu?   What did he lose?

3. If it follows a preposition, use *quoi* + inverted word order, or *quoi est-ce que.*

      Dans quoi est-il tombé?   What did he fall into?

38. Quel, lequel, and qu'est-ce que c'est que

A. *Quel* (*quelle, quels, quelles*) is an interrogative adjective. It precedes either the verb *être* or the noun it modifies.

Quel âge a-t-il? Quelle est la réponse?

How old is he? What is the answer?

B. *Lequel* (*laquelle, lesquels, lesquelles*) is an interrogative pronoun. It corresponds to *which one, which ones*.

Voici deux pommes. Laquelle voulez-vous?

Here are two apples. Which do you want?

C. *Qu'est-ce que c'est que* asks for a definition or an explanation and is followed by a noun.

Qu'est-ce que c'est que ces lumières?   What are those lights?

NEGATIVES

39. Negatives

A.

ne . . . *pas*	not	ne . . . *guère*	scarcely
ne . . . *point*	not at all	ne . . . *plus*	no longer
	ne . . . *jamais*	never	

Ne comes before the verb, *pas* after it. *Point, guère, plus,* and *jamais* come where *pas* does in the sentence.

ne and *pas* around the verb:	Il ne parle pas.
around the auxiliary:	Il n'a pas parlé.
pas after inverted pronoun:	Ne parle-t-il pas?
ne before object pronouns:	Il ne le parle pas.
combination of the above:	Ne l'a-t-il pas parlé?

B. *ne . . . que* only. In *ne . . . que* sentences, the word order sometimes differs from the word order in other negative sentences because *que* comes directly before the word or phrase which it modifies.

Il n'y a dans ce livre qu'un seul personnage.

There is only one character in that book.

If *que* modifies the verb a special form is used:

Il ne fait que plaisanter.   He is only joking.

If *que* modifies the subject a special form is used:

Il n'y a que Jean qui sache la réponse *or* Jean seul sait la réponse.	Only John knows the answer. (Note the subjunctive, required here in correct speech.)

C. *ne . . . personne* nobody; *ne . . . rien* nothing. Like their English equivalents, *rien* and *personne* can be either the object or the subject of the verb. In either case, *ne* must precede the verb. As subjects they come at the beginning of the sentence.

Personne ne l'aime.	Nobody likes him.
Rien ne lui fait peur.	Nothing frightens him.

As an object, *rien* comes between the auxiliary and the past participle, but *personne* follows the past participle.

Je n'ai rien fait.	I didn't do anything.
Je n'ai vu personne.	I didn't see anyone.

Rien and *personne* may also follow a preposition:

Je n'ai parlé à personne.	I didn't speak to anyone.
Je ne pensais à rien.	I wasn't thinking of anything.

D. *ne . . . ni . . . ni* neither . . . nor; *ne . . . aucun(e)* not any. These negative expressions precede the words that they modify. As in all other negative expressions, *ne* precedes the verb. *Aucun* is an adjective. It is used only as an emphatic form. *Cf.* not any, not a single one.

Ni Jean ni Louis ne viendront.	Neither Jean nor Louis will come.
Je ne l'ai ni lu ni vu.	I have neither read it nor seen it.
Il ne lui reste aucun ami.	He doesn't have a single friend left.

40. Negative Infinitive

In the negative infinitive, both negative words come before the infinitive.

Il a dit de ne pas parler.	He said not to speak.
Il a promis de ne rien dire.	He promised not to say anything.

Ne . . . personne is an exception:

Il m'a dit de ne voir personne.   He told me not to see anyone.

41. Negative in Incomplete Sentences

If a statement has no verb, *ne* is dropped from the negative.

Pas de café.	No coffee.
Qui est la? Personne.	Who's there? Nobody.
Qu'est-ce qu'il y a? Rien.	What's wrong? Nothing.
Plus d'étudiants.	No more students.
Que des professeurs.	Only professors.

42. Combinations of Negatives

Negative expressions are often combined in French. Notice English translations of these expressions.

Je n'irai plus jamais là-bas.	I'll never go there again.
Nous n'avons plus que du rosbif.	All we have left is roast beef.
Il n'y a jamais rien de bon ici.	There's never anything good here.

43. Meaningless *ne*

A.   A *ne* which has no meaning is required in a dependent clause following a comparative form.

Paris est plus grand qu'il ne   Paris is bigger than it was before
   l'était avant la guerre.   the war.

B.   This *ne* is also used frequently after certain expressions that take the subjunctive.

Je crains qu'il ne se fasse mal.	I'm afraid he may hurt himself.
Ecrivez-lui avant qu'il ne se fâche.	Write to him before he gets angry.

OBJECT PRONOUNS

44. Outline of Personal Pronouns

Subject	Direct object	Indirect object	Reflexive object	Stressed
je	me (*moi* after verb)	me (*moi* after verb)	me	moi
tu	te (*toi* after verb)	te (*toi* after verb)	te (*toi* after verb)	toi
il	le	lui	se	lui
elle	la	lui	se	elle
on	vous	vous	se	soi
nous	nous	nous	nous	nous
vous	vous	vous	vous	vous
ils, elles	les	leur	se	eux, elles

The use of stressed pronouns is explained under the heading stressed pronouns.

45. Lui and leur

Only in the third person singular and plural is it necessary to distinguish between direct and indirect objects. When English and French follow the same pattern it is easy to make this distinction.

> Je lui parle.   I speak to him.
> Je le vois.   I see him.

But the indirect object pronoun in English is not necessarily preceded by *to,* and furthermore, many verbs which take direct objects in English take indirect objects in French. Therefore mistakes are often made in translating sentences like *I answer him, I promise her, I obey them,* etc. To avoid these mistakes one must learn by frequent drill which verbs take indirect objects. See list, **57B.** Note that *lui* and *leur* refer only to persons. For things use *y.*

> Je lui ai répondu.   I answered him.

46. Y

While *lui* and *leur* replace *à* + a noun referring to a person, *y* replaces *à* + a noun not referring to a person, or *à* + the infinitive. It also replaces prepositions of place (*dans, en, sur,* etc.) + a noun of place.

J'obéis aux règles. J'y obéis.	I obey the rules. I obey them.
Je vais en France. J'y vais.	I'm going to France. I'm going there.
Je me résouds à le faire. Je m'y résouds.	I resolve to do it. I am resolved on it.

47. En

A. *En* replaces *de* + a noun (but usually only when referring to things) and *de* + the infinitive.

Il a besoin de se reposer. Il en a besoin.	He needs to rest. He needs to.
Vous allez au restaurant? Mais non, j'en reviens. (*en* standing for *du restaurant*)	Are you going to the restaurant? No, I just came from there.
Je viens d'écrire un poème. Voulez-vous m'en donner votre opinion? (*en* standing for *du poème*)	I just wrote a poem. Will you give me your opinion of it?
Vous parlez des examens? Oui, nous en parlons.	Are you talking about the exams? Yes, we are talking about them.

B. *En* also replaces the partitive *de, de l', du, de la,* + a noun, and *des* + a noun, referring either to things or to persons.

A-t-il des amis? Oui, il en a.	Does he have friends? Yes, he does.
Y a-t-il encore du pain? Oui, il y en a encore.	Is there any more bread? Yes there is some more.

C. *En* also replaces a noun preceded by a number.

Il a trois livres. Il en a trois.	He has three books. He has three (of them). (*Of them* may be omitted but *en* may not.)

48. Position of Object Pronouns

A. Object pronouns come before the verb. Two exceptions: the positive imperative and certain verbs (see **C, D**). In the case of a double object pronoun the order of object pronouns is:

me					
te		*le*		*lui*	
nous before	*la* before		before *y*	before *en*	before verb
vous		*les*		*leur*	
se					

B. In the positive imperative the object pronoun follows the verb. *me* becomes *moi* and *te* becomes *toi*. Before *en*, however, they are *m'* and *t'*. In the negative imperative, the object pronouns precede the verb.

Parlez-moi.	Talk to me.	*Parlez-m'en.*	Talk to me about it.
Assieds-toi.	Sit down.	*Donne-le-lui.*	Give it to him.
Ne t'assieds pas.	Don't sit down.	*Ne le lui donne pas.*	Don't give it to him.

The order of object pronouns after the positive imperative is:

			moi		
			toi		
	le		*nous*		
verb before	*la* before		*vous*	before *y*	before *en*
	les		*lui*		
			leur		

C. *Aller à, être à, penser à, songer à.* In these verbs, and a few others like them, the indirect object pronoun referring to a person does not precede the verb. It comes after the preposition *à*, and the stressed pronoun form is used.

Je vais à elle.	I go to her.	Il est à moi.	It's mine.
Je pense à eux.	I think about them.	Vous songez à lui?	Are you thinking about him?

D. In reflexive verbs followed by *à* or *de*, the indirect object pronoun referring to a person does not precede the verb. It comes after the preposition *à* or *de*, and the stressed pronoun form is used.

Il s'est adressé à moi.	He talked to me.
Fiez-vous à lui.	Trust in him.
Il s'intéresse à eux.	He's interested in them. (people, not things)
Je me méfie de vous.	I don't trust you.
Il s'est moqué de moi.	He made fun of me.
Qui va s'occuper d'eux?	Who is going to take care of them? (people, not things.)
Il se souvenait de nous.	He remembered us.

Note, however, that one sometimes hears *en* referring to a person (never *y*). The form is probably somewhat less correct.

Et les enfants? Qui va s'en oc-cuper?	How about the children? Who's going to take care of them?

E.   Object pronouns precede the verb of which they are the object.

Je voudrais vous l'offrir.	I would like to give it to you.
Je lui dis de me le lire.	I tell him to read it to me.

ORTHOGRAPHIC CHANGING VERBS

49. Verbs Like *appeler, acheter, espérer,* and *employer*

The stems of these verbs undergo certain changes in spelling and pronunciation whenever they are followed by a mute *e*. The mute *e* may be spelled *e, es,* or *ent.* Thus the stem of the *je, tu, il,* and *ils* forms of the present and of the subjunctive, is distinct in spelling and pronunciation from the stem of the *nous* and *vous* forms.

A.   In some verbs, the consonant is doubled before the mute *e*. The most important of these are:

appeler	*jeter*
j'appelle	je jette
tu appelles	tu jettes
il appelle	il jette
nous appelons	nous jetons
vous appelez	vous jetez
ils appellent	ils jettent

B. In other verbs, the preceding *e* takes an *accent grave*. Some of these are:

acheter	*achever* (to finish)	*lever*	*mener*
j'achète	j'achève	je lève	je mène
tu achètes	tu achèves	tu lèves	tu mènes
il achète	il achève	il lève	il mène
nous achetons	nous achevons	nous levons	nous menons
vous achetez	vous achevez	vous levez	vous menez
ils achètent	ils achèvent	ils lèvent	ils mènent

Verbs conjugated like the above: *élever, soulever, enlever, se promener, amener, emmener.*

C. In verbs like *espérer*, the *accent aigu* changes to an *accent grave* when the stem is followed by a mute *e*. The most important of these are:

céder	*célébrer*	*espérer*	*s' inquiéter*
je cède	je célèbre	j'espère	je m'inquiète
nous cédons	nous célébrons	nous espérons	nous nous inquiétons

préférer	*protéger*	*régner*
je préfère	je protège	je règne
nous préférons	nous protégons	nous régnons

D. In verbs ending in *-yer*, the *y* changes to an *i* when followed by a mute *e*. This change is optional, however, in verbs ending in *-ayer*. Typical *-yer* verbs are:

employer	*essuyer*	*appuyer*	*payer*
j'emploie	j'essuie	j'appuie	je paie *or*
			je paye
nous employons	nous essuyons	nous appuyons	nous payons

E. In all future and conditional forms of *-er* verbs the stem is followed by a mute *e*. Therefore the changes mentioned above (doubling of the consonant, *accent grave* over the preceding *e*, *y* changing to *i*) occur throughout these forms:

appeler	*acheter*	*employer*	*payer*
j'appellerai	j'achèterai	j'emploierai	je paierai *or*
			je payerai

F. Verbs like *espérer* form an exception to the above rule because they retain the *accent aigu* in the future and conditional forms:

| *espérer* | *préférer* | *protéger* | *s'inquiéter* |
| j'espérerai | je préférerai | je protégerai | je m'inquiéterai |

50. Verbs Like *commencer* and *manger*

In verbs ending in *-cer* and *-ger* the *c* and *g* are pronounced the same throughout the various forms and tenses. To retain the pronunciation, *c* is spelled *ç* whenever it is followed by *a* or *u*, and *g* is spelled *ge* whenever it is followed by *a* or *o*.

commencer	*manger*
commençant	mangeant
commençons	mangeons
je commençais	je mangeais
tu commençais	tu mangeais
il commençait	il mangeait
ils commençaient	ils mangeaient

PARTITIVE

51. Use of the Partitive

A. The partitive articles are *du, de la, de l'* and *des*. The partitive idea may be expressed in English by *some* or *any,* but while *some* or *any* may be omitted in English, the partitive can never be omitted in French. It is therefore important to know whether a noun is used in a partitive or in a general sense.

Apportez-moi du vin.   Bring me some wine.

This presents no problem, because the partitive is expressed in English as well as in French.

Voici les amis dont il nous a parlé.   Here are the friends he told us about.

This also presents no problem, because *amis* is used in a specific rather than a partitive sense. Nouns used in the specific sense are preceded by the definite article both in French and in English.

Il a des amis en France.   He has friends in France.

Here the partitive is not expressed in English. One must realize that *friends* is used in a partitive sense in order to express the thought correctly in French.

B. Nouns used in the general sense are preceded by *le, la,* or *les.* In English they take no article. In using a noun in French one must remember to use an article (see **13, 14,** and **52** for when articles are omitted), and also remember whether the noun is used in the partitive or in the general sense.

Il lit des livres.	He reads books. (some books; partitive)
Il étudie la littérature.	He studies literature. (literature in general)
Il tombe de la neige.	Snow is falling. (some snow, not snow in general)
La neige est blanche.	Snow is white. (snow in general)

C. The partitive cannot be stressed in French. Where the word *some* would be stressed in English, use *il y a . . .* or *certains. . . .*

Il y a des étudiants qui aiment ça. *Or:*   *Some* students enjoy it.
  Certains étudiants aiment ça.

52. The Partitive *de*

De alone is used instead of the partitive article in the following cases:

A. After a negative.

Il n'a pas d'amis.	He has no friends.
Il n'y a jamais de neige ici.	There is never any snow here.

Note that *ne . . . que* is not a negative.

  Il n'a que des amis.   He has only friends.

B. After expressions of quantity.

beaucoup de vin	a lot of wine	*un litre d'eau*	a liter of water
assez d'argent	enough money	*combien de temps?*	how much time?

La plupart and *bien* are exceptions to this rule.

bien des Français	many French-men	*la plupart du temps*	most of the time

Note that *tout* meaning *all of* is followed by the definite article, not by *de*.

  tout le vin   all of the wine

C. Before an adjective which precedes a plural noun, whether the noun is expressed or omitted.

Voici d'autres livres.	Here are other books.
En voici d'autres.	Here are others.

It is important to form the habit of using *de* automatically in the above situations. Phrases like *pas de livres, beaucoup de livres, de bons livres,* should become automatic. But one must remember that they are used only in the partitive sense. In the general or specific sense, the definite article is used.

Je ne parle pas des livres que vous voulez.	I'm not talking about the books you want. (The dependent clause makes the books specific.)
J'aime beaucoup les livres.	I like books. (books in general)
Les bons livres coûtent cher.	Good books are expensive. (all good books)

PASSÉ COMPOSÉ

53. Formation and Use

A. Formation. The *passé composé* is formed by the auxiliary verb *avoir* or *être* (see ÊTRE VERBS, **26,** and REFLEXIVE VERBS, **66**) + past participle (see PAST PARTICIPLE, **54**).

B. Use. See IMPARFAIT (**33C**).

PAST PARTICIPLE

54. Formation

A. Formation from regular verbs.

1. **-er** verbs. The past participle has the same sound as the infinitive, but ends in **-é,** rather than **-er:** *parler–parlé.*

2. **-ir** verbs. The past participle ends in **-i:** *finir–fini.*

3. **-re** verbs. The past participle ends in **-u:** *rendre–rendu.*

B.   Formation from irregular verbs. Irregular past participles must be learned by frequent repetition and practice. Note that the past participles of all verbs ending in *-oir*, except *asseoir*, end in *-u*, and that irregular past participles are often one syllable shorter than they would be if they were formed regularly. The most frequently used irregular past participles are listed below. They are listed by endings, and in columns showing similarities of formation. Note, however, that these similarities are not absolute: *suivre–suivi* but *vivre–vécu; rire–ri* but *lire–lu.*

1. Ending in **-u**

avoir–eu	appartenir–appartenu	connaître–connu
boire–bu	courir–couru	paraître–paru
croire–cru	lire–lu	
devoir–dû	souvenir–souvenu	
falloir-fallu	tenir–tenu	plaire–plu
pleuvoir–plu	venir–venu	taire–tu
recevoir–reçu		
savoir–su		
valoir–valu		vivre–vécu
voir–vu		
vouloir–voulu		

2. Ending in **-i, -is, -it** (all pronounced **i** in the masculine)

rire–ri	mettre–mis	apprendre–appris
suffire–suffi	promettre–promis	comprendre–compris
		prendre–pris

conduire–conduit	asseoir–assis	suivre–suivi
dire–dit		
écrire–écrit		
réduire–réduit		

3. Ending in **-é**

être–été	naître–né

4. Ending in **-ert**

couvrir–couvert
découvrir–découvert
offrir–offert
ouvrir–ouvert
souffrir–souffert

5. Ending in **-int**

atteindre–atteint
craindre–craint
éteindre–éteint
feindre–feint
joindre–joint
peindre–peint
plaindre–plaint

6. Others

faire–fait   mourir–mort

PLUPERFECT

55. Formation and Use

A. Formation. The pluperfect is formed by the *imparfait* of the auxiliary verb followed by the past participle.

> *voir*—pluperfect: *j'avais vu; aller*—pluperfect: *j'étais allé*

B. Use. The pluperfect, in French as in English, expresses what had already happened when another event occurred in the past.

Je suis sorti.	I went out (an event in the past)
Je suis sorti quand j'avais fini mon déjeuner.	I went out when I had finished my lunch. (Finishing my lunch is an event that occurred *before* I went out.)

Although the use of the pluperfect is the same in French as in English, it presents a difficulty to the student because in English the pluperfect is not a required form as it is in French. We can express the thought *I went out when I had finished my lunch* by saying *I went out when I finished my lunch*. The pluperfect is more precise, but it is not required. In French it is.

S'il avait insisté, je serais venu.   If he insisted, I would have come.
                                       (strictly speaking: if he *had* in-
                                       sisted)

POSSESSIVE PRONOUNS

56. Table of Possessive Pronouns

le mien	la mienne	les miens	les miennes
le tien	la tienne	les tiens	les tiennes
le sien	la sienne	les siens	les siennes
le nôtre	la nôtre	les nôtres	les nôtres
le vôtre	la vôtre	les vôtres	les vôtres
le leur	la leur	les leurs	les leurs

A possessive pronoun replaces a noun accompanied by a possessive adjective. Instead of *mon livre, le mien,* instead of *ton amie, la tienne.*

Moi, j'ai mon idée et lui, il a la sienne.   I have my idea and he has his.

After the verb *être* the possessive pronoun can be avoided as follows:

A qui est ce livre? Il est à eux?   Whose book is this? Is it theirs?

PREPOSITIONS

57. Use or Omission of Prepositions before Nouns

A.   Many verbs that take a preposition before the noun in English do not take a preposition in French. These verbs must be drilled frequently. The most important ones are:

listen to	I listen to the music.	J'écoute la musique.
wait for	I'm waiting for Louis.	J'attends Louis.
look for	I'm looking for my tie.	Je cherche ma cravate.
ask for	I ask him for an answer.	Je lui demande une réponse.
pay for	What did you pay for your car?	Qu'est-ce que vous avez payé votre voiture?
look at	Look at John!	Regarde Jean!

B. Conversely, many verbs which do not take a preposition before the noun in English, do take one in French. These too must be drilled frequently.

demander à	Je leur demande.	I ask them.
dire à	Que lui dites-vous?	What do you tell him? (or say to him)
donner à	Nous leur donnons.	We give (to) them.
jouer à (games)	Il joue au bridge.	He plays bridge.
obéir à	Vous leur obéissez?	Do you obey them? (people, not things)
pardonner à	Vous lui avez pardonné.	You pardoned him.
permettre à	Il permet aux enfants de jouer.	He allows the children to play.
plaire à	Ça lui plaît.	That pleases him.
promettre à	Il leur promet des bonbons.	He promises them candy.
refuser à	Il leur refuse des bonbons.	He refuses them candy.
répondre à	Je lui ai répondu.	I answered him.
reprocher à	Il leur reproche leurs manières.	He reproaches them for their manners.
jouer de (instruments)	Il joue du piano.	He plays the piano.
s'approcher de	Il s'approche du mur.	He approaches the wall.
se douter de	Il s'en doute.	He suspects it.
entrer dans.	Il entre dans la chambre.	He enters the room.

C. Other verbs take different prepositions before a noun than in English.

acheter à	Il achète un livre à son ami.	He buys a book *from* his friend.
remercier de	Il le remercie du compliment.	He thanks him *for* the compliment.
remplir de	Il remplit sa poche de bonbons.	He fills his pocket *with* candies.
ressembler à	Il ressemble à son frère.	He looks *like* his brother.

58. Use or Omission of Prepositions before Infinitives

A verb may be followed directly by the infinitive, or the infinitive may be preceded by *à* or *de*. (If the infinitive is replaced by a pronoun, *y* replaces *à* + infinitive, *en* replaces *de* + infinitive.) Note that the infinitive may correspond to an English *-ing* form, or even to a dependent clause.

A. Verbs followed directly by the infinitive.

aimer	Il aime parler.	He likes to talk.
aller	Il va partir.	He's going to leave.
croire	Il croit partir.	He thinks he's going to leave.
désirer	Il désire partir.	He wants to leave.
devoir	Il doit partir.	He must leave.
écouter	Il écoute chanter les enfants.	He listens to the children singing.
entendre	Il entend parler les enfants.	He hears the children speaking.
espérer	Il espère partir.	He hopes to leave.
falloir	Il faut partir.	One must leave.
laisser	Il nous laisse partir.	He lets us leave.
oser	Il n'ose pas partir.	He doesn't dare leave.
pouvoir	Il peut partir.	He can leave.
préférer	Il préfère partir.	He prefers to leave.
prétendre	Il prétend partir.	He claims he's going to leave.
savoir	Il sait nager.	He knows how to swim.
sembler	Il semble comprendre.	He seems to understand.
valoir mieux	Il vaut mieux partir.	It is better to leave.
venir	Il vient nous voir.	He's coming to see us.
voir	Il voit danser les enfants.	He sees the children dancing.
vouloir	Il veut partir.	He wants to leave.

B. Verbs followed by *à* + infinitive.

aider à	help		*enseigner à*	teach to
s'amuser à	have fun		*s'habituer à*	get used to
apprendre à	learn to, teach to		*hésiter à*	hesitate to
arriver à	succeed in		*inviter à*	invite to
avoir à	have to		*se mettre à*	start to
chercher à	try to		*parvenir à*	succeed in
commencer à	begin to		*réussir à*	succeed in
consentir à	consent to		*songer à*	think about
continuer à	continue		*tarder à*	delay in

C. Verbs followed by *de* + infinitive. Note that several of these verbs tell, command, or express emotion.

s'arrêter de	stop	*négliger de*	neglect to, forget to
avoir envie de	want to	*ordonner de*	order to
avoir peur de	be afraid of	*oublier de*	forget to
cesser de	stop	*permettre de*	permit to
commander de	order to	*persuader de*	persuade to
craindre de	be afraid to	*prier de*	ask to, beg to
défendre de	forbid to	*promettre de*	promise to
demander de	ask to	*refuser de*	refuse to
se dépêcher de	hurry to	*regretter de*	be sorry to, regret to
dire de	say to	*remercier de*	thank for (+ past
essayer de	try to		infinitive)
finir de	finish	*tenter de*	try to

59. Prepositions before Countries

A. *à* before cities: *à Paris.*

B. *en* before feminine countries and provinces; (all feminine countries end in *-e* except *le Mexique*): *en Asie, en Normandie, en France.*

C. *au* or *aux* before masculine countries and provinces; (countries that do not end in *-e* are masculine): *aux Etats-Unis, au Canada, au Maroc.*

D. *dans* before the name of any country if it is modified: *dans la France du nord.*

60. Some Uses of *à, de, pour,* and *pendant*

A. *à* often indicates the purpose for which a noun serves, or the way in which an adjective or adverb applies.

une salle à manger	a dining room	*bon à manger*	good to eat
un verre à vin	a wine glass	*intéressant à lire*	interesting to read
beaucoup à lire	a lot to read	*assez à manger*	enough to eat

B. *de* often indicates the material of which an object is made, or what is in it.

un verre de vin	a glass of wine
un chapeau de paille	a straw hat

C. *pour* with an infinitive means *in order to*. Remember to use *pour* when *to* means *in order to, with the purpose of.*

> Je lis pour comprendre.   I read to understand.

D. *pendant* means *for* with an expression of time. *Pour* may be used, however, in the present or future to indicate *for a period of.*

> J'y suis resté pendant trois se-   I stayed there for three weeks.
> maines.
> Les livres se prêtent pour deux   Books are loaned for (a period of)
> semaines.   two weeks.

61. Repeating the Preposition

In a series of nouns or phrases, the preposition should usually be repeated before each noun or phrase.

> *pour lire et pour comprendre*   in order to read and understand
> *en France et en Italie*   in France and Italy

PRESENT

62. Formation of the Present

A. Singular forms. In the present tense (as in the conditional, the *imparfait,* and the subjunctive) the *je, tu,* and *il* forms all sound alike.

je parle	je prends	je veux
tu parles	tu prends	tu veux
il parle	il prend	il veut

There are only three exceptions to this rule:

être	*avoir*	*aller*
je suis	j'ai	je vais
tu es	tu as	tu vas
il est	il a	il va

Spelling of the singular forms:

-*er* verbs		all other verbs	
*je*_____-*e*		*je.*_____-*s*	
*tu*_____-*es*		*tu*_____-*s*	
*il*_____-*e*		*il*_____-*t;* but no *t* is	

added if the stem ends in a *t* or a *d:* *il bat, il répond*

There are three exceptional spellings in the singular forms:

je veux	*je vaux*	*je peux*
tu veux	*tu vaux*	*tu peux*

B.   Plural forms.

1. Vous form ends in **-ez**; three exceptions: *vous êtes, vous dites, vous faites.*

2. Nous form ends in **-ons**; one exception: *nous sommes.*

3. Ils form ends in silent **-ent**; four exceptions: *ils sont, ils ont, ils font, ils vont.*

C.   -*er* verbs. (Note that *ouvrir, couvrir, découvrir, offrir, souffrir,* and *cueillir* are conjugated like -*er* verbs in the present.) In -*er* verbs the singular forms and the *ils* form all sound alike. The *nous* and *vous* forms have the same stem as the other forms,[1] but add -*ons* and -*ez* respectively. Therefore to shift from the *nous* or *vous* form to any other form, simply drop the last syllable.

vous parlez	nous oublions	vous ouvrez
je parle	il oublie	ils ouvrent

D.   Verbs not ending in -*er*. In most of these verbs a consonant sound is heard in the plural forms. *This sound is not heard in the singular forms.* (*Mourir* and *courir,* which do not drop the consonant sound in the singular forms, are exceptions.) In the following examples, the consonant sound is italicized.

nous me*tt*ons	nous choisi*ss*ons	ils ser*v*ent	vous répon*d*ez
je mets	je choisis	il sert	tu réponds

Note that the consonant form may appear in the spelling of the singular form, but it is not pronounced. Thus in shifting from a plural to a

[1] Orthographic changing verbs form an exception to this rule. See **49.**

singular form, one must drop the consonant sound. Conversely, to shift from a singular to a plural form, one must know what consonant sound to use. Verbs not ending in *-er* can be classified according to where the plural consonant sound comes from.

1. **-re** verbs. Regular **-re** verbs take the consonant sound of the plural forms from the infinitive, and drop the consonant sound in the singular forms; it appears, however, in the spelling.

rendre	battre	répondre
nous rendons	vous battez	nous répondons
je rends	il bat	je réponds

2. Dormir, mentir, partir, sentir, servir, sortir, like **-re** verbs, take the consonant sound of the plural forms from the infinitive, and drop the consonant sound in the singular forms; it does *not* appear in the spelling.

nous dormons	ils sentent	vous servez
je dors	tu sens	il sert

3. **-ir** verbs. Regular **-ir** verbs take the consonant sound **-ss** in the plural forms. This sound is dropped from the singular forms.

nous finissons	je finis
vous finissez	tu finis
ils finissent	il finit

4. Irregular verbs

a. The infinitives of **-ire, -aire,** and **-aître** verbs do not furnish any consonant sound for the plural forms. The plural forms of these verbs must be memorized. The most important of these verbs are listed below. Note that the plural consonant sound is usually **-s** or **-ss.**

-ire:	*dire*	*lire*	*conduire*	*écrire*
	je dis	je lis	je conduis	j'écris
	nous disons	nous lisons	nous conduisons	nous écrivons
	(*but* vous dites)			

-aire:	*faire*		*plaire*	*se taire*
	je fais		je plais	je me tais
	nous faisons		nous plaisons	nous nous taisons
	(*but* vous faites, ils font)			

-aître: connaître   paraître
   je connais   je parais
   nous connaissons   nous paraissons

b. Some irregular verbs have one stem in the *nous* and *vous* forms and another stem in the remaining forms. All of these verbs, except *prendre* and *boire*, take the consonant sound of the plural forms from the infinitive. Note that the *ils* form has the same stem as the singular forms, but can be distinguished from them because of the plural consonant sound: *il doit–ils doivent*. If the stem is nasal in the singular forms, it is denasalized in the *ils* form because of the consonant sound following it: *il vient–ils viennent, il prend–ils prennent*. The most important of these verbs are:

boire	devoir	mourir
je bois	je dois	je meurs
nous buvons	nous devons	nous mourons
ils boivent	ils doivent	ils meurent

pouvoir	recevoir	vouloir
je peux	je reçois	je veux
nous pouvons	nous recevons	nous voulons
ils peuvent	ils reçoivent	ils veulent

tenir (and appartenir)	venir (and se souvenir)	prendre (and apprendre, comprendre)
je tiens	je viens	je prends
nous tenons	nous venons	nous prenons
ils tiennent	ils viennent	ils prennent

c. Some irregular verbs have one stem in the singular forms, and another throughout the plural forms. The most important of these are:

craindre (and *atteindre, éteindre, feindre, joindre, plaindre, peindre*)
je crains
nous craignons

s'asseoir	savoir	valoir
je m'assieds	je sais	je vaux
nous nous asseyons	nous savons	nous valons

d. *être, avoir, aller, faire, dire*. The irregularities of these verbs are covered in **62A** and **B**.

63. Use of the Present

Generally, the present is used the same way in French as in English, but while it has two distinct forms in English, it has only one in French.

I speak, I am speaking   *je parle*

French, unlike English, uses the present to express an action which began in the past and continues into the present.

Il pleut depuis trois jours.	It has been raining for three days.
Il est ici depuis une semaine.	He has been here for a week.

PRESENT PARTICIPLE

64. Formation of the Present Participle

To the stem derived from the *nous* form of the present add *-ant*.

boire   nous form: *buvons*   stem: *buv-*   present participle: *buvant*
craindre nous form: *craignons* stem: *craign-* present participle: *craignant*

There are three exceptions:

avoir–ayant   *savoir–sachant*   *être–étant*

65. Use of the Present Participle

A. The *-ant* ending of the present participle is the equivalent of *-ing*. But the *-ing* ending in English occurs in many different ways, whereas the present participle is used in French only to express an action simultaneous or nearly simultaneous with the action of the main verb. It is usually preceded by *en,* meaning either *while* or *by.*

Il parle en mangeant.	He speaks while eating.
On apprend en lisant.	One learns by reading.

B. The present participle can also be used as an adjective.

une jeune fille charmante   a charming girl

REFLEXIVE VERBS

66. Formation and Use

In a reflexive verb, the subject and object refer to the same person. Any verb which can take an object can be a reflexive verb.

Non-reflexive		Reflexive	
Je regarde Marie.	I look at Marie.	*Je me regarde.*	I look at myself.
Il a perdu.	He lost.	*Il s'est perdu.*	He lost himself, he got lost.

Me, te, nous, and *vous* are used both with reflexive and non-reflexive verbs, but in the third person singular and plural *se* is the reflexive object. All reflexive verbs are conjugated with *être* in compound tenses. Remember that the reflexive object must correspond to the subject before an infinitive as before any other verb form.

Je me suis mis à me raser.	I started to shave.
Tu es allé te promener?	Did you go for a walk?

RELATIVE PRONOUNS

67. Use of Relative Pronouns

A. The relative pronoun cannot be omitted as it often is in English.

le livre que je lis	the book I'm reading
les choses dont il a besoin	the things he needs
la jeune fille avec qui vous parlez	the girl you're talking with

B. Many words which introduce dependent clauses are followed by *que.* (*Quand* is an exception.) *Après que, avant que, pendant que jusqu'à ce que,* etc. (When these words do not introduce dependent clauses, they are not followed by *que.*)

68. Qui, que, lequel, dont, duquel, ce que, and où

Relative pronouns are used according to their function in the dependent clause.

A. *Qui* for subjects.

C'est un livre qui m'a coûté cinq francs.	It's a book which cost me five francs.

B. *Que* or *qu'* for objects.

C'est un livre que j'ai acheté hier.	It's a book I bought yesterday.

C. *Lequel* after a preposition. (But *qui* may be used if the antecedent is a person.) *Lequel* must agree with its antecedent, and contract with *à* or *de*.

Les principes pour lesquels il est mort.	The principles he died for.
La femme avec qui il parlait: *or* La femme avec laquelle il parlait.	The woman with whom he was talking.
Le pays auquel je pense.	The country I am thinking about.

D. *Dont* replaces *de* + relative pronoun. The word order in the dependent clause following *dont* is always subject + verb + object, if there is an object. Do not let English word order mislead you. (Often, to know when to use *dont,* one must know which verbs are followed by *de: je me souviens de cette ville,* therefore: *c'est une ville dont je me souviens.*)

La personne dont vous parliez.	The person about whom you were talking.
L'homme dont j'ai acheté la voiture.	The man whose car I bought.

E. *Duquel (de laquelle, desquels, desquelles)* is used after prepositional phrases that end in *de.* (*Dont* cannot be used after a preposition.)

La table au-dessous de laquelle il se cache.	The table under which he hides.

F. *Ce que, ce qui,* and preposition + *quoi,* are used when the relative pronoun has no antecedent. (In English we use *what* when there is no antecedent.) *Ce qui* is for subjects, *ce que* for objects, and *quoi* is used after prepositions. *Ce dont,* however, is often used in place of *de quoi.*

Dites-moi ce qui vous intéresse.	Tell me what interests you.
Dites-moi ce que vous faites.	Tell me what you are doing.

Dites-moi de quoi vous avez besoin.	Tell me what you need.
Dites-moi ce dont vous avez besoin.	Tell me what you need.
Dites-moi avec quoi vous écrivez.	Tell me what you are writing with.

G. *Où* after a noun indicating place *or* time. (Do not use *quand* in this position.)

Le pays où vous allez est-il loin?	Is the country you're going to far off?
C'est la ville d'où je viens.	That's the city I come from.
Le jour où cela arrivera. . . .	The day that happens. . . .

STRESSED PRONOUNS

69. Use of Stressed Pronouns

The stressed pronouns listed in **44** are used in all positions where the pronoun is stressed, that is in all cases except when the pronoun is a single subject, or the object of the verb. Some of these cases are:

1. After a preposition

Allez avec eux.	Go with them.

2. Alone

Qui est là? Moi.	Who's there? I (am)

3. After *ce* + *être*

C'est lui.	It is he.

4. Whenever the pronoun is stressed

Moi, je reste.	*I*'m staying.
Vous le comprenez, vous?	Do *you* understand it?

5. In compound subjects or objects

Lui et elle viendront.	He and she will come.
Je les connais, eux et leurs amis.	I know them and their friends.

6. After reflexive verbs that are followed by *à* or *de,* and a few other verbs which cannot be preceded by the object pronoun (see 48C)

Je me souviens de lui.	I remember him.
Il s'adresse à eux.	He talks to them.
Il va à elle.	He goes to her.

SUBJUNCTIVE

70. Formation of the Subjunctive

A. The *nous* and *vous* forms of the subjunctive are identical with the *nous* and *vous* forms of the *imparfait.*

venir—imparfait: *nous venions*   subjunctive: *que nous venions*

B. The *je, tu, il,* and *ils* forms are all identical in sound with the *ils* forms of the present. Spelling: add the endings *-e, -es, -e,* and *-ent* to the stem of the *ils* form. Note that in *-er* verbs these forms are identical in the present and in the subjunctive.

venir—*ils* form of the present: *viennent;* stem: *vienn-*
que je vienne   que tu viennes   qu'il vienne   qu'ils viennent

parler—*ils* form of the present: *parlent;* stem: *parl-*
que je parle   que tu parles   qu'il·parle   qu'ils parlent

C. *Aller, valoir,* and *vouloir* have a special subjunctive stem, used in all forms except the *nous* and *vous* forms, which are regular, that is, identical with the *nous* and *vous* forms of the *imparfait.*

aller	*valoir*	*vouloir*
que j'aille	que je vaille	que je veuille
que tu ailles	que tu vailles	que tu veuilles
qu'il aille	qu'il vaille	qu'il veuille
que nous allions	que nous valions	que nous voulions
que vous alliez	que vous valiez	que vous vouliez
qu'ils aillent	qu'ils vaillent	qu'ils veuillent

D. *Faire, pouvoir,* and *savoir* have special stems for all persons of the subjunctive.

faire	*pouvoir*	*savoir*
que je fasse	que je puisse	que je sache
que tu fasses	que tu puisses	que tu saches
qu'il fasse	qu'il puisse	qu'il sache
que nous fassions	que nous puissions	que nous sachions
que vous fassiez	que vous puissiez	que vous sachiez
qu'ils fassent	qu'ils puissent	qu'ils sachent

E. *Etre* and *avoir* have special stems and also irregular endings in the subjunctive.

être	*avoir*
que je sois	que j'aie
que tu sois	que tu aies
qu'il soit	qu'il ait
que vous soyons	que nous ayons
que vous soyez	que vous ayez
qu'ils soient	qu'ils aient

71. Use of the Subjunctive

A. The subjunctive is a mode of the verb used in dependent clauses following certain expressions. These expressions usually indicate a subjective attitude of the speaker towards the action expressed in the dependent clause. In English, for example, such expressions as *it is important that . . . , it is necessary that . . . , I suggest that . . .* are followed by the subjunctive. Study the contrasts between the indicative and the subjunctive:

indicative	subjunctive
He *studies* his French.	It is important that he *study* his French.
He *is* on time.	I insist that he *be* on time.
He *speaks* French in class.	It is necessary that he *speak* French in class.

Notice that the indicative sentences state facts, while the expressions *it is important that . . . , I insist that . . . ,* etc., indicate a subjective attitude of the speaker towards the action expressed in the dependent clause. *I insist that he be on time* means I, the speaker, want him to be on time; but it does not necessarily mean that he is on time. French use of the subjunctive follows this same pattern, but there are many more expressions in French that require the subjunctive than in English. They may be categorized as follows:

1. Expressions of emotion or personal opinion

je suis heureux que	I am happy that
je suis content que	I am happy that
je suis charmé que	I am charmed that
je suis désolé que	I am very sorry that
je regrette que	I am very sorry that
j'ai peur que	I am afraid that
c'est triste que	it's sad that
c'est dommage que	it's a pity that
il est étonnant que	it's surprising that
il est ridicule que	it's ridiculous that

2. Expressions of desirability, or undesirability

il faut que	it is necessary that
il ne faut pas que	one must not
il vaut mieux que	it is better that
il est important que	it is important that
il est bon que	it is good that
je veux que	I want
je défends que	I forbid
je tiens à ce que [2]	I insist that
je m'oppose à ce que	I am opposed to
je consens à ce que	I consent to
je préfère que	I prefer that

3. Contrary to fact expressions

il n'est pas vrai que	it is not true that
il est impossible que	it is impossible that
il n'y a personne que (*or* qui)	there is no one whom (or who)
il n'y a rien que (*or* qui)	there is nothing which
je ne crois pas que [3]	I don't believe that
je ne pense pas que [3]	I don't think that

[2] Verbs which are normally followed by *à* are followed by *à ce que* when they introduce a dependent clause.

[3] Note that *je pense* and *je crois* are followed by the indicative.

4. Expressions of possibility or hypothesis

il est possible que	it is possible that
il se peut que	it is possible that
serait-il arrivé que	could it have happened that?
croyez-vous que? [3]	do you believe that?
pensez-vous que? [3]	do you think that?
y aurait-il quelqu'un qui . . .[4]	would there be someone who . . .

5. Certain conjunctions (Note that these conjunctions generally express emotion, desirability, contrary to fact condition, or possibility.)

afin que	so that	*où que*	wherever
à moins que	unless	*pour peu que*	if only
avant que	before	*pour que*	so that
bien que	although	*pourvu que*	provided that
ce n'est pas que	it's not that	*quel que*	whatever
de crainte que	for fear of	*qui que*	whomever
de peur que	for fear of	*quoi que*	whatever
en attendant que	until	*quoique*	although
jusqu'à ce que	until	*sans que*	without

6. After a superlative, *le premier, le seul,* and *le dernier,* if the speaker is expressing a subjective attitude, rather than simply stating a fact

| C'est le meilleur acteur que je connaisse. | He's the best actor I know. |
| *But:* le dernier film que j'ai vu | the last film I saw (not subjunctive because it merely states a fact) |

B. The subjunctive is used as the third-person imperative.

> Qu'il vienne.   Let him come.

C. The subjunctive should not be used after expressions which indicate that a *fact* will follow. Also, strangely enough, it is not used after *espérer.*

---

[3] Note that *je pense* and *je crois* are followed by the indicative.

[4] Such expressions are followed by the subjunctive only when they express possibility or hypothesis. Example:

Subjunctive: *Y aurait-il quelqu'un qui puisse le réparer?* Would there by anyone who can fix it?

Indicative: *Oui, il y a quelqu'un qui peut le faire.* Yes, there is someone who can do it.

Il est certain qu'il a raison.	It is certain that he is right.
Je pense que vous avez tort.	I think you are wrong.
J'espère que vous viendrez.	I hope you will come.

D. Sequence of tenses in the subjunctive.

1. In spoken French the so-called present subjunctive is used whenever the action is simultaneous with the main verb, or future in relation to the main clause. Note that there is no future of the subjunctive.

Je doute qu'il vienne.	I doubt that he will come.
Je doutais qu'il vienne.	I doubted that he would come.

2. The past subjunctive is used when the action occurred before the action of the main verb.

Je regrette que vous ne soyez pas venu.	I'm sorry that you didn't come.

VERB TABLES

72. Table of the Formation of Tenses

The various forms and tenses of most French verbs can easily be derived from the infinitive, the past participle, and the *je, nous,* and *ils* forms of the present. The way in which the other forms and tenses derive from these is summarized here.

A. The infinitive. One can derive from it:

1. The future. Add the endings **-ai, -as, -a, -ons, -ez,** and **-ont** to the infinitive. If the infinitive ends in **-re** drop the **e.** (Note, however, that some verbs have irregular future stems.)

2. The conditional. Add the imperfect endings to the infinitive (or to the irregular future stem).

B. The past participle. One can derive from it:

1. All compound tenses. Add the past participle to the appropriate form of the auxiliary.

C. The *je* form of the present. One can derive from it:

1. The *tu* and *il* forms: same sound. For spelling differences see **62A.**

2. The *tu* form of the imperative: same sound. For spelling differences see **34C.**

D. The *nous* form of the present. One can derive from it:

1. The *vous* form: **-ez** ending instead of **-ons**

2. The *nous* and *vous* forms of the imperative: identical with the *nous* and *vous* forms of the present

3. The present participle: **-ant** ending instead of **-ons**

4. The *imparfait:* drop the **-ons** and add the endings **-ais, -ais, -ait, -ions, -iez, -aient**

5. The *nous* and *vous* forms of the subjunctive: identical with the *nous* and *vous* forms of the imperfect

E. The *ils* form of the present. One can derive from it:

1. The *je, tu, il,* and *ils* forms of the subjunctive: drop the **-ent** and add the endings **-e, -es, -e, -ent**

73. Table of Regular Verbs

	Infinitive	Passé Composé	je Form	nous Form
-er verbs	parler	j'ai parlé	je parle	nous parlons
-ir verbs	finir	j'ai fini	je finis	nous finissons
-re verbs	répondre	j'ai répondu	je réponds	nous répondons

74. Table of Irregular Verbs

Forms and tenses not given are regular, and can be derived from the table of formation of tenses (72)

Infinitive	Passé Composé	je Form	nous Form	ils Form	Future	Subjunctive	Other Forms
admettre	j'ai admis	j'admets	nous admettons				
aller	je suis allé	(Irregular Present) je vais, tu vas, il va	(Irregular Present) nous allons, vous allez, ils vont		j'irai	que j'aille, que tu ailles, qu'il aille, que nous allions, que vous alliez, qu'ils aillent	
appartenir	j'ai appartenu	j'appartiens	nous appartenons	ils appartiennent	j'appartiendrai		
avoir	j'ai eu	(Irregular Present) j'ai, tu as, il a	(Irregular Present) nous avons, vous avez, ils ont		j'aurai	que j'aie, que tu aies, qu'il ait, que nous ayons, que vous ayez, qu'ils aient	(Present participle) ayant (Imperative) aie, ayons, ayez
apprendre	j'ai appris	j'apprends	nous apprenons	ils apprennent			
s'apercevoir	je me suis aperçu	je m'aperçois	nous nous apercevons	ils s'aperçoivent	je m'apercevrai		

74. Table of Irregular Verbs (*cont'd*)

Infinitive	Passé Composé	*je* Form	*nous* Form	*ils* Form	Future	Subjunctive	Other Forms
atteindre	j'ai atteint	j'atteins	nous atteignons				
s'asseoir	je me suis assis	je m'assieds *or* je m'assois	nous nous asseyons *or* nous nous assoyons		je m'assiérai		
boire	j'ai bu	je bois	nous buvons	ils boivent			
comprendre	j'ai compris	je comprends	nous comprenons	ils comprennent			
conduire	j'ai conduit	je conduis	nous conduisons				
connaître	j'ai connu	je connais {tu connais / il connaît}	nous connaissons				
coudre	j'ai cousu	je couds	nous cousons				
courir	j'ai couru	je cours	nous courons		je courrai		
couvrir	j'ai couvert	je couvre	nous couvrons				
croire	j'ai cru	je crois	nous croyons	ils croient			
cueillir	j'ai cueilli	je cueille	nous cueillons				
devoir	j'ai dû	je dois	nous devons	ils doivent	je devrai		
dire	j'ai dit	je dis	nous disons (vous dites)				
dormir	j'ai dormi	je dors	nous dormons				
écrire	j'ai écrit	j'écris	nous écrivons				
envoyer	j'ai envoyé	j'envoie	nous envoyons	ils envoient	j'enverrai		

		(Irregular Present)					(Present participle) étant
être	j'ai été	je suis tu es il est	nous sommes vous etes ils sont		je serai	que je sois que tu sois qu'il soit que nous soyons que vous soyez qu'ils soient	(Imparfait) j'étais tu étais il était nous étions vous étiez ils étaient (Imperative) sois soyons soyez
		(Irregular Present)					
faire	j'ai fait	je fais tu fais il fait	nous faisons vous faites ils font		je ferai	que je fasse que tu fasses qu'il fasse que nous fassions que vous fassiez qu'ils fassent	
falloir	il a fallu	(il faut)			il faudra	qu'il faille	
feindre	j'ai feint	je feins	nous feignons				
joindre	j'ai joint	je joins	nous joignons				
lire	j'ai lu	je lis	nous lisons				
mentir	j'ai menti	je mens	nous mentons				
mettre	j'ai mis	je mets -	nous mettons				
mourir	je suis mort	je meurs	nous mourons	ils meurent	il mourra		
naître	je suis né	je nais { tu nais il naît }	nous naissons				
offrir	j'ai offert	j'offre	nous offrons				
ouvrir	j'ai ouvert	j'ouvre	nous ouvrons				

299

74. Table of Irregular Verbs (*cont'd*)

Infinitive	Passé Composé	*je* Form	*nous* Form	*ils* Form	Future	Subjunctive	Other Forms
paraître	j'ai paru	je parais tu parais il paraît	nous paraissons				
parcourir see *courir*							
parvenir see *venir*							
partir	je suis parti	je pars	nous partons				
peindre	j'ai peint	je peins	nous peignons				
plaire	j'ai plu	je plais tu plais il plaît	nous plaisons				
plaindre	j'ai plaint	je plains	nous plaignons				
pleuvoir	il a plu	(il pleut)			il pleuvra	qu'il pleuve	(Present participle) pleuvant (Imparfait) il pleuvait
pouvoir	j'ai pu	(Irregular Present) je peux [5] tu peux il peut	nous pouvons vous pouvez ils peuvent		je pourrai	que je puisse que tu puisses qu'il puisse que nous puissions que vous puissiez qu'ils puissent	
prendre	j'ai pris	je prends	nous prenons	ils prennent			
promettre see *mettre*							
recevoir	j'ai reçu	je reçois	nous recevons	ils reçoivent	je recevrai		

Infinitive	Passé composé	Present	Present (nous)		
se repentir	je me suis repenti	je me repens	nous nous repentons		
résoudre	j'ai résolu	je résouds	nous résolvons		
rire	j'ai ri	je ris	nous rions		
satisfaire see *faire*					
savoir	j'ai su	je sais	nous savons		que je sache (Present participle) sachant
					que tu saches (Imperative)
					qu'il sache sache
					que nous sachions sachons
					que vous sachiez sachez
					qu'ils sachent
sentir	j'ai senti	je sens	nous sentons		
servir	j'ai servi	je sers	nous servons		
sortir	je suis sorti	je sors	nous sortons		
souffrir	j'ai souffert	je souffre	nous souffrons		
se souvenir see *venir*					
sourire see *rire*					
suivre	j'ai suivi	je suis	nous suivons		
suffire	j'ai suffi	je suffis	nous suffisons		
se taire	je me suis tu	je me tais	nous nous taisons		
tenir	j'ai tenu	je tiens	nous tenons	ils tiennent je tiendrai	
traduire	j'ai traduit	je traduis	nous traduisons		
valoir	j'ai valu	je vaux {tu vaux / il vaut}	nous valons		que je vaille
					que tu vailles
					qu'il vaille
					que nous valions
					que vous valiez
					qu'ils vaillent

301

---

[5] Interrogative: puis-je?

74. Table of Irregular Verbs (*cont'd*)

Infinitive	Passé Composé	*je* Form	*nous* Form	*ils* Form	Future	Subjunctive	Other Forms
venir	**je suis venu**	je viens	nous venons	ils viennent	je viendrai		
vivre	**j'ai vécu**	je vis	nous vivons				
voir	**j'ai vu**	je vois	nous voyons	ils voient	je verrai		
vouloir	**j'ai voulu**	(Irregular Present) je veux, tu veux, il veut, nous voulons, vous voulez, ils veulent				que je veuille, que tu veuilles, qu'il veuille, que nous voulions, que vous vouliez, qu'ils veuillent	(Imperative) veuillez

Vocabulary

à to, with, in, by, against, from
abandonner to abandon, give up
aboiement *m* barking
d'abord first, at first
aboyer to bark
abri *m* shelter
absolument absolutely
absorber to absorb, engross
absurdité *f* absurdity
abuser to abuse, take advantage of
académicien *m* member of one of the Académies, esp. the Académie française
accepter to accept
accès *m* access, attack, fit
accompagner to accompany, go with
accompli, le fait accomplished fact, thing done and therefore beyond argument
d'accord agreed, in agreement
accourir to hasten, run up
accoutumer to accustom, grow used to
s'accrocher à to cling to, hook on to
accueillir to greet, receive
accuser to accuse
acheter to buy
achever to finish, end, complete
acte *m* act, deed
acteur *m* actor
activement actively
activité *f* activity
actuel present-day, current
addition *f* bill, addition
adieu *m* farewell, goodbye
admettre to admit
admirer to admire
adopter to adopt
adoptif adopted, by adoption
adresse *f* address
s'adresser à to apply to, speak to
aérer to air out, ventilate
aérolithe *m* meteorite, aerolite
affaiblir to weaken

affaire *f* business, job, affair
    avoir affaire à to be dealing with
affirmer to state, affirm
affliger to sadden, afflict
affolé panic-stricken, crazy
affoler to panic
affreux frightful
agacer to irritate, annoy
âge *m* age
agence *f* agency
agent de police *m* policeman
agir to act, work
s'agir de to be a question of, to be about
agité excited, upset
agneau *m* lamb
agréable pleasant, agreeable
aide *f* help, assistance, aid
aider to help, aid
aïe ouch
d'ailleurs moreover, besides
aimable pleasant, kind
aimer to love, like
ainsi thus, so, in a like manner
air *m* manner, look, air
    avoir l'air de to seem
aise *f* ease, comfort
aisément easily
ajouter to add
alcool *m* alcohol, strong drink
allègre cheerful, lively
allemand German
aller to go, to suit
s'en aller to go away
allonger to reach out, stretch out, lengthen
allumer to light
amande *f* almond
amant *m* lover
amateur *m* customer, amateur
âme *f* soul, mind
américain American
ami *m* friend
amicalement in a friendly manner

m masculine
f feminine
* aspirate h

amiral *m* admiral
amour *m* love
amoureux de in love with
amusant funny
s'amuser to enjoy oneself, have a good time
an *m,* **année** *f* year
anglais English
Angleterre *f* England
angoissant agonizing, painful
animal (animaux) *m* animal
annonce *f* announcement, notice
annoncer to announce
s'apercevoir to discover, be aware of
Apollon Apollo
apparaître to appear
appartenir à to belong to
appeler to call
s'appeler to be called, be named
applaudir to applaud
apporter to bring
appréciation *f* evaluation
apprendre (à) to learn (to), to teach, to tell
apprenti *m* apprentice
s'apprêter à to prepare to
s'approcher to approach, draw near
appuyer to lean, press
après after
    et après? so what?
d'après according to
après-midi *m* afternoon
argent *m* money, silver
arme *f* arm, weapon
armoire *f* closet
armure *f* armour, suit of armour
arracher to pull out or away, draw
arranger to arrange, suit
arrestation *f* arrest
arrêt *m* stop
    sans arrêt without stopping
arrêter to stop, halt
s'arrêter to stop, come to a stop
arrière (en—) backwards
arriver to arrive, to happen
arroser to water, sprinkle
asperge *f* asparagus
assassin *m* assassin, murderer
s'asseoir to sit down
assez enough, rather
assiette *f* plate, dish
assister à to attend, be present at

associé *m* business partner
assorti varied, assorted, matched
assurance *f* confidence, assurance, insurance
attaque *f* attack
attaquer to attack
atteindre to reach, attain
attendre to wait for
s'attendre à to expect
attendrir to soften, pity
attendrissant moving, sweet
attente *f* wait, waiting
atterrissage *m* landing, grounding
attraper to catch, seize
attristé saddened
au revoir goodbye
aucun any
    ne . . . aucun not any, no, none
audace *f* boldness, audacity, impudence
au-dessous (de) underneath
au-dessus (de) above
aujourd'hui today
auparavant before, previously
auquel, auxquels, auxquelles to which
aussi also, too, therefore
aussi . . . que as . . . as
autant as much
d'autant plus que the more so since
auteur *m* author
autochtone *m* native
autour (de) around
autre other, another
autrefois formerly
avaler to swallow
d'avance in advance
avancé, être bien to have made fine progress (used ironically)
avancer to gain, advance
avant before
avant-guerre prewar
avantage *m* advantage
avantageux advantageous
avec with
aventure *f* adventure, chance
avertir to warn, inform
aveugle blind
aveugle *m* a blind man
avion *m* airplane
avis *m* opinion
    changer d'avis to change one's opinion
aviser to perceive, to catch a glimpse of

avoir to have
avoir beau . . . to . . . in vain
avouer to confess, swear, avow

badin joyful, joking
bafouiller to stammer, hesitate
bagages *m pl* luggage
    grands bagages heavy luggage
bague *f* ring
baie *f* bay
bain *m* bath
    salle de bains *f* bathroom
baiser *m* kiss
baisser to lower
bal *m* ball, dance
balancer to balance, to swing
    balancer la tête to nod
balcon *m* balcony
balle *f* ball, bullet
ballerine *f* ballet dancer
bambin *m* little child, urchin
banc *m* bench
banque *f* bank
barque *f* boat
bas low
    en bas below
basse-cour *f* farmyard
bassin *m* basin, bowl, pool
bâtard *m* bastard, illegitimate son
bâtiment *m* building, structure
battre to beat
se battre avec to fight with
bavarder to chat, gossip
beau, bel, belle handsome, beautiful
beaucoup much, very much, many
beau-père *m* father-in-law
beauté *f* beauty
belle-mère *f* mother-in-law
benêt *m* simpleton, boob
besoin *m* need
    avoir besoin de to need
bête *f* beast, animal
bête stupid
bêtise *f* stupid thing, blunder
beurre *m* butter
bien well, very well, fine, good-looking
bien du, de la, des much, many
bientôt soon
bienvenu *m* welcome person
bigrement very, extremely, terribly (colloquial)
bijou *m* jewel

bille *f* ball
    stylo à bille *m* ball-point pen
billet *m* ticket
bizarre peculiar, odd, strange
blanc, blanche white
blesser to wound
bleu blue
bœuf *m* beef, ox
boire to drink
bois *m* wood, woods
boisson *f* drink, beverage
bon, bonne good, O.K., fine
bonbon *m* candy
bonheur *m* happiness, good luck
bonhomme *m* fellow, chap
bond *m* leap, bound
bonjour *m* good day, good morning
bonne *f* maid
bord *m* edge, border
borné stupid, limited
bouche *f* mouth
boucher to stop up, plug up
boucher *m* butcher
boucherie *f* butcher shop
bouchon *m* stopper, cork
bouder to sulk
bouger to budge, stir
bougre de galopin *m* young scamp (a term of abuse)
bouillir to boil
bouleverser to upset, overturn
boulot *m* work (colloquial)
bouquin *m* book (colloquial)
bousculer to knock things over, upset, shove, push around
bout *m* end, bit
    à bout portant point blank
bouteille *f* bottle
boxeur *m* boxer, prize fighter
braquer (sur) to aim, point at
bras *m* arm
brave *m* courageous man, good man
bredouiller to jabber, mumble
briller to shine
brimborion *m* trifle, bauble
brin *m* shoot (of a tree)
brin de causette bit of a chat
briser to break, smash, shatter
britannique British
brouillé angry at each other, mixed up
bruit *m* noise, rumor
brun *m*, **brune** *f* person with brown hair

brusque abrupt, blunt
brusquement abruptly, suddenly
bureau *m* office, desk
buvard *m* blotter

ça that
cabane *f* shed, hut
cacher to hide
    se cacher to hide oneself
cadeau *m* gift
café *m* coffee
    café au lait coffee with milk
caisse *f* box, chest, cash box
calmement calmly
cambriolage *m* housebreaking, burgling
cambrioler to break into, burgle
campagne *f* (open) countryside
canapé *m* sofa, couch
canard *m* duck
cancre *m* dunce, poor student
capitaine *m* captain
capoter to overturn, crash
caractère *m* character, nature
carafe *f* carafe, water bottle
caresse *f* caress
carnet *m* notebook
carte *f* menu, card
    carte postale postcard
cas *m* case
casser to break
catéchisme *m* catechism
cause *f* cause
    à cause de because of
causer to talk, chat, to cause
causette *f* chat
cave *f* cellar
ce, cet, cette, ces this, that, these, those
ce qui, ce que what
céder to give, give way
célèbre famous
célébrer to celebrate
cela, ceci that, this
celui, ceux, celle, celles the one, this one, that one, those, these
celle-ci, celle-là, celui-là, celui-ci the former, the latter
cendre *f* ash
cendrier *m* ashtray
censé supposed
cent one hundred
centimètre *m* centimeter
cercueil *m* coffin, casket

cérémonie *f* ceremony
cerf *m* stag, deer
certifier to certify, attest
cesser to cease, stop
cet, ce, cette, ces this, that, these, those
ceux, celui, celle, celles those, these
chacun each, each one
chair *f* flesh
    chair de poule goose pimples
chaisière *f* lady who rents chairs
chagrin *m* grief, sorrow
chagriner to grieve, distress
chaleur *f* heat
chambre *f* bedroom
champ *m* field
chance *f* luck, chance
changement *m* change
changer to change
chanson *f* song
chant *m* song, singing
chanter to sing
chapeau *m* hat
chaperon *m* riding hood
chapitre *m* chapter
charge *f* load, responsibility
charger (de) to load (with), to be responsible for
se charger de to undertake, to be responsible for
charme *m* charm, spell
charmant charming
charrette *f* cart
chasse *f* hunt, chase
chasser to hunt, chase
chat *m* cat
chat perché *m* a children's game
chaud hot
chauffeur *m* driver
chemin *m* way, path, road
cheminée *f* chimney, fireplace, mantelpicce
cher, chère dear (beloved), expensive
chéri dearest, darling
chercher to seek, look for, get
cheval *m* horse
chevalerie *f* knighthood, chivalry
chevalier *m* knight
chevaline of, or pertaining to horses
cheveux *m pl* hair
chez with, at (to) the home of, in the case of
chien *m* dog

chiffre *m* figure, number
choisir to choose
choix *m* choice
choqué shocked
choquer to strike, shock
chose *f* thing
ciel *m* sky
cinéma *m* movies, movie theatre
cinq five
circonstance *f* circumstance
cirage *m* wax, waxing, polishing
cirer to wax, polish
cirque *m* circus
citation *f* quotation, citation
citer to quote
citoyen *m* citizen
civilisé civilized
clair clear
clarinettiste *m* clarinet player
clé *or* **clef** *f* key
client *m* client, customer
cloche *f* bell
clos closed
cochon *m* pig
cœur *m* heart
coffre *m* box, coffer
coin *m* corner
col *m* collar, neck
colère *f* anger
    en colère angry
se coller to get stuck, to lose (a game)
collier *m* collar, necklace
colonne *f* column, pillar
combat *m* combat, fight
combien how much, how many
comble *m* the limit, the last straw, heaping
    measure
comble crowded
comédie *f* comedy
comité *m* committee, board
comique comic, funny
commandant *m* major, commanding officer
commander to order
comme as, like, since, because, how
commencer à to begin to
comment how, what
commissaire de police *m* police superintendent
commission *f* message, errand
commode easy to get along with, convenient, easy

compagnie *f* company
compagnon *m* companion, pal
comparaison *f* comparison
comparer à to compare to (with)
compartiment *m* compartment
complément *m* object
compléter to finish
complice *m* accomplice
compliment *m* compliment
se compliquer to become complicated
se comporter to behave
comportement *m* behavior
comprendre to understand
compter to count, count on, plan
comte *m* count, lord
concierge *m & f* house porter, caretaker
conditions *f pl* conditions, cost
conduire to lead, conduct
se conduire to conduct oneself, behave
conduite *f* behavior
confesser to confess
confiance *f* confidence
confident *m* person in whom one confides
confondre to mistake, confuse
conformisme *m* conformity
confus embarrassed, ashamed
conjuguer to conjugate
connaissance *f* acquaintance, knowledge,
    consciousness
connaître to know, be acquainted with
consacrer to consecrate, dedicate
conseil *m* advice
conseiller to advise
consentir to consent, agree to
conséquence *f* consequence
conserver to save
considérer to consider, look at
consoler to console
consonne *f* consonant
constamment constantly
constant constant
consterné dismayed, amazed
constituer to constitute, make, form
construire to build
consulter to refer to, consult
conte *m* tale, story
contempler to contemplate, look at
contentement *m* contentment, satisfaction
se contenter de to be satisfied with
continuer to continue
contradictoire contradictory
contrainte *f* constraint, lack of freedom

contraire *m* opposite, contrary
contrariété *f* vexation, hitch
contre against
se **contredire** to contradict oneself
contribuable *m* taxpayer
convenir to be suitable, to agree
convulsif convulsive
copier to copy, transcribe
coq *m* rooster
coquin *m* rascal, scamp
corne *f* horn
corps *m* body
côté *m* side
    à côté de   beside
    de ce côté in that respect
    du côté de in the direction of
    d'un autre côté on the other hand
cou *m* neck
se **coucher** to go to bed
coudre to sew
couler to run, flow
couleur *f* color
coup *m* blow, knock, shot, trick
    coup de sonnette ring at the door
coup d'œil *m* glance
coupable *m* guilty person
couper to cut, interrupt
cour *f* court, courtyard
    faire la cour to court
cuiller or **cuillère** *f* spoon
cuire to cook, to burn
cuisine *f* kitchen, cooking
culte *m* cult, creed
curé *m* parish priest
cure-dent *m* toothpick
curieux curious, interesting
cuvette *f* wash basin, dish
cylindrique cylindrical

dame *f* lady
dangereux dangerous
dans in, into, inside, on
date *f* date
davantage more
de of, with, about, for, from
se **débarrasser de** to get rid of
débiter to turn out, utter, yield
debout standing
début *m* beginning
décevoir to disappoint
déchirant piercing
déchirer to tear (up)

décidément definitely
décider (de) to decide (to)
décimètre *m* decimeter
déconcerter to disconcert
décourager to discourage
découverte *f* discovery
découvrir to discover
décrire to describe
défaillant failing, swooning
défendre to defend
défier to defy, challenge
définir to define
dégager to redeem, release, free, bring out
dégoûtant disgusting, loathsome
déguisement *m* disguise
déguiser (en) to disguise (as)
dehors out, outside
déjà already
déjeuner *m* lunch
déjeuner to have lunch
délaisser to forsake, desert, abandon
délicat delicate, refined
délicieux delicious
demain tomorrow
demande *f* request
demander to ask (for)
se **demander** to wonder
déménager to move house, change one's
    abode, move out
demeurer to remain, live, dwell
demi half
démonté upset, flustered (colloquial)
dent *f* tooth
dénicher to find, discover (colloquial)
départ *m* departure
dépasser to go beyond
se **dépêcher** to hurry
dépeindre to depict
dépense *f* expense
dépit *m* spite
    en dépit de in spite of
déplaire to displease
déposer une plainte to prefer a charge, to
    lodge a complaint
depuis since, for, from
se **déranger** to bother, move
dernier last
se **dérober** to escape, give way
derrière behind
dès que as soon as
désagréable disagreeable
descendre to descend, go down

désert *m* desert, wasteland
désespoir *m* despair
déshonoré disgraced, dishonored
désintéressé not involved, disinterested
désirer to desire, want
désobligeant unkind, disagreeable
désolé grieved, very sorry
désordre *m* disorder, confusion
désormais henceforth, from now on
dessert *m* dessert
dessin *m* design, drawing, plan
dessiner to draw, sketch
dessous under, beneath
    au dessous de below, under
dessus above, over
    au dessus de above
destin *m* fate, destiny
détester to detest
se détourner to turn aside
détruire to destroy
dette *f* debt
deuil *m* grief, sorrow, mourning
    faire le deuil de to mourn for, to be
        resigned to the loss of
deux two
deuxième second
dévaliser to rob
devant in front of, before
devenir to become
deviner to guess, suppose
se deviner to be obvious
devinette *f* riddle
devoir *m* duty, assignment
devoir (devrais) to have to, to owe (ought
    to)
dévorer to devour
diable *m* devil
diagnostic *m* diagnosis
diamant *m* diamond
Dieu *m* God
différer to differ, defer
difficile difficult
digne dignified, worthy
dignement with dignity
dignité *f* dignity
dimanche *m* Sunday
diplôme *m* diploma
dire to say, tell, tell about
    se dire to call oneself
    autant dire that is to say, in other
        words
diriger to plan, direct

se diriger (vers) to head (towards)
discerner to distinguish
discours *m* speech
discrètement discreetly, cautiously
discuter to discuss
disparaître to disappear
disposer to dispose, display
se disputer to wrangle, argue
disque *m* phonograph record
distingué distinguished, refined
distraitement distractedly, absent-mind-
    edly
divorcer to divorce, to get a divorce
dix ten
dix-huit eighteen
domestique *m* servant
domicile *m* residence
dommage a pity
    c'est dommage it's a pity
don *m* gift
donc thus, then, so
donner to give, produce
dont of which, whose
dormir to sleep
dos *m* back
dot *f* dowry
doucement softly, gently
doute *m* doubt
douter (de) to doubt
se douter de to suspect
doux sweet, gentle
douzaine *f* dozen
douze twelve
dramatique dramatic
droit *m* right, law
droite *f* right
drôle funny
drôlement queerly, strangely
duquel, desquels, desquelles of which
duc *m* duke
duchesse *f* duchess
dur hard
durer to last

eau *f* water
ébouriffé rumpled, dishevelled
échanger to exchange
échapper to escape
échouer to fail
éclairer to light, enlighten
s'éclairer to light up
éclater to burst (out)

écœurant disgusting
école *f* school
économiser to economize
écouler to pass by, flow by
écouter to listen (to)
s'écrier to cry out
écrire to write
écriteau *m* placard, sign, notice
s'écrouler to drop, collapse
effacer to efface, erase
effet *m* effect, result
　　en effet in fact, that's right
effrayant frightful, frightening
effrayer to frighten
effronté shameless, bold
également likewise
égard regard
　　à l'égard de with regard to
égoïste selfish
électricité *f* electricity
élégamment elegantly
élève *m & f* pupil
élever to lift, raise, bring up
elle, elles she, it, they
éloge *f* eulogy, praise
s'éloigner to go away, withdraw
embarrassé embarrassed, bothered
embrasser to embrace, kiss
s'embrouiller to tangle, get confused
emménager to move into a new house
emmener to take along (someone)
émotion *f* emotion
empêcher to prevent
employé *m* employee, clerk
employer to use
empoisonner to poison
emporter to carry off (something)
en of it, of them, some, any
en in, at, while, as
encombré encumbered, congested, full
encontre *f* opposite direction
　　à l'encontre de unlike, contrary to
encore still, yet, again
s'endormir to go to sleep
endroit *m* spot, place
énergie *f* energy
enfant *m & f* child
enfin finally
engager (à) to make a commitment, to
　　involve
enlever to abduct, take away, take off
ennemi *m* enemy

ennui *m* boredom, bother
s'ennuyer to be annoyed, bothered, bored
　　s'ennuyer à périr to be bored to
　　tears
ennuyeux boring, tiresome
énorme enormous
s'enquérir (de) to inquire (after)
enquête *f* inquiry
enseigner to teach, show
ensemble together
ensuite afterwards, then
s'ensuivre to follow, ensue
entendre to hear, to understand, to intend
s'entendre to understand one another, to
　　get along
entendu understood
　　bien entendu of course
enterrement *m* burial
s'entêter to be stubborn
enthousiasme *m* enthusiasm
entier entire, whole
entourer to surround
entraîner to carry along, lead
entre between, among
entrer to enter, go in
envelopper to envelop, wrap up
envers to, toward
envie *f* desire
　　avoir envie de to want
envier to envy
environner to surround
envoler to take flight, fly way
envoyer to send
épaule *f* shoulder
épée *f* sword
s'éponger to mop, wipe, sponge
époque *f* period, epoch
épouser to marry
erreur *f* error, mistake
escalier *m* staircase
　　escalier de service backstairs, service
　　stairs
escorter to escort
espagnol Spanish
espèce *f* kind, sort, species
espérance *f* hope
espérer to hope
essayer (de) to try, attempt
essoufflé out of breath
essuyer to wipe, wipe up, dry
estime *f* esteem
estivant *m* summer visitor

étable *f* stable, cow shed
établir to establish
s'établir to settle down
état *m* state, estate, condition
état-major *m* general staff
été *m* summer
éteindre to extinguish
éteint extinguished, toneless
étendre to spread, stretch out
étonnement *m* astonishment
étonner to stun, astonish
étrange strange, odd
être to be
être *m* being, existence, person
étude *f* study
étudiant *m* student
étudier to study
étymologie *f* etymology
eux them
évanouir to disappear, faint
évidemment evidently
éviter to avoid
examen *m* examination
examiner to examine
exaspérer to aggravate
excentrique eccentric
exceptionnellement exceptionally
excessivement excessively
s'excuser to excuse oneself
exemple *m* example
par exemple! my word! the idea!
exercé experienced, practiced
exercer to exert, practice
exercice *m* exercise
exister to exist
expliquer to explain
exprès on purpose
exprimer to express
extérieur exterior, outer

face *f* face
    en face de opposite
se fâcher to get angry
facile easy
facilement easily
façon *f* manner, mode
faible feeble, weak
faible *m* weakness
faiblesse *f* feebleness, weakness
faillir to fail, to come close to
faim *f* hunger
    avoir faim to be hungry

faire to do, make, say, have
    faire part to inform
faire l'affaire to do the trick, to suit
faire mal to harm, hurt
faire semblant to pretend
se faire to develop, to get used to
faire-part *m* announcement
fait *m* fact, deed
fait accompli accomplished fact, thing done and therefore beyond argument
falloir to be necessary
familier familiar, colloquial
famille *f* family
fantaisie *f* fantasy
fantastique fantastic, full of fantasy
faribole *f* stuff and nonsense
fatiguer to tire
se fatiguer to grow tired
fauteuil *m* armchair
faux, fausse false
faveur *f* favor
favori, favorite favorite
fébrilement feverishly, deliriously
feindre to feign, pretend
féminin feminine
femme *f* woman, wife
fenêtre *f* window
ferme *f* farm
fermer to close
fessée *f* spanking
fiancée *f* fiancée
ficher to do (colloquial)
    se ficher de not to care about, to make fun of
fier proud
se fier to trust
fièvre *f* fever
figurer to represent
se figurer to imagine
file *f* file, line
filer to run, hurry along (colloquial)
filet *m* fillet, steak
fille *f* daughter, girl
    jeune fille girl
filou *m* thief
fils *m* son
    fils naturel illegitimate son
filtre *m* filter
    café filtre a cup of coffee with its own filter
fin *f* end
finir (de) to finish

fiston *m* son, youngster (colloquial)
flacon *m* bottle, flask
flair *m* flair, scent, sense of smell
flatter to flatter, please
flatteur *m* flatterer
fleur *f* flower
fleuve *m* river
flot *m* wave
    remettre à flot restore to one's fortunes
foi *f* faith
    ma foi indeed, upon my word
foie *m* liver
foin *m* hay
fois *f* time
    à la fois both, together
folle *f* madwoman
follement madly, foolishly
fonction *f* function, office
fonctionnaire *m* official, civil servant
fond *m* bottom
    dans le fond after all
forcé forced
forêt *f* forest
former to form
fort strong, loud, very
fou mad, insane
fou *m* madman, lunatic
foudroyant striking, overwhelming
fouiller to search
se fouiller to search in one's pockets
foule *f* crowd
fournir to furnish
fox *m* fox-terrier
frais, fraîche fresh
franc *m* franc
français French
frapper to hit, beat, strike, knock
frelater to adulterate (food)
fréquentation *f* frequentation, close acquaintance with
frère *m* brother
fripouille *f* rascal, cad
frisson *m* shiver
frissonner to shiver
frivole frivolous
froid cold
fromage *m* cheese
front *m* forehead, front
frotter to rub
fuir to flee
fumée *f* smoke

funèbre dismal, gloomy, funeral
funérailles *f pl* funeral
fureur *f* fury, rage
    en fureur in a rage
furieux furious
furtivement furtively, slyly
futilité *f* futility

gagner to earn, reach, win
gai gay, merry
galant gallant, attentive to women
galopin *m* scamp
garantie *f* guarantee
garantir to warrant, guarantee
garçon *m* boy, waiter
garde *f* guard
    prendre garde to beware, take care
garder to keep, guard
gardien *m* guardian, caretaker
gardien de la paix policeman
gare *f* railway station
gare à beware of
gascon of, or pertaining to Gascony
gâter to ruin, spoil
gauche left, clumsy
gaz *m* (heating) gas
géant *m* giant
gémir to groan, moan
gêne *f* discomfort
    sans gêne inconsiderate, free and easy
gêné embarrassed
généreux generous
génie *m* genius
genou *m* knee
gens *m pl* people
gentil nice
gentillesse *f* graciousness
géographie *f* geography
germanique Germanic
geste *m* gesture, motion
gesticuler to gesticulate
gibier *m* game, quarry
gigot *m* leg of mutton
glacé iced
goguenard mocking, jeering
gorge *f* throat
goût *m* taste
gouverner to govern, rule
gracieux graceful, gracious
grand large, big, great
grandir to grow tall, grow up
grand'mère *f* grandmother

grange *f* barn
gras fat
    en être plus gras to be better off for it
grippe *f* flu
grippé suffering from flu
grogner to grunt
gronder to growl, scold
gros big
guère (ne ...) scarcely
guérir to cure, heal
guerre *f* war
gueule *f* mouth (of an animal); face, mug
    (colloquial)
guillotiner to guillotine

habile clever
s'habiller to dress
habit *m* suit of clothes
habitant *m* inhabitant
habiter to live, dwell
habitude *f* habit, custom
s'habituer à to get used to, grow accustomed to
*haie *f* hedge
*haïr to hate
*halte *f* stop, halt
    faire halte to make a stop
*haricot *m* bean
*hasard *m* chance, luck
    par hasard by chance
se hâter to hasten
*hausser to raise, lift, shrug
*haut high, aloud
    du haut de from the top of
*hauteur *f* height
*hein? eh?
hélas alas
hésiter to hesitate
heure *f* hour
    de bonne heure early
    à l'heure on time
heureusement happily, luckily
    heureusement que it's a good thing
    that
heureux happy
hier yesterday
histoire *f* story, history
homme *m* man
homme d'état *m* statesman
honnête honest
honneur *m* honor
*honte *f* shame

horloge *f* clock
horreur *f* horror
*hors-d'œuvre *m* hors d'oeuvre, sidedishes
    served as first course
hôte *m* host, guest
hue giddap
huées *f pl* jeers, booing
huit eight
huître *f* oyster
humeur *f* mood, humor, bad humor
humilité *f* humility
humoriste *m* humorist
hurler to howl, bawl
hurluberlu *m* scatter-brain
*hutte *f* hut, shed
hypocrite hypocritical

ici here
idée *f* idea
s'identifier to identify oneself
ignorer to be ignorant of, not to know
il, ils he, it, there, they
il y a there is, there are, ago
illogique illogical
imaginer to imagine
imbécile imbecile, foolish
imiter to imitate
immobile motionless, still
imparfait unfinished, imperfect
s'impatienter to grow impatient
impératif imperative, imperious
imperméable *m* raincoat
impétueusement impetuously
impoli impolite
importer to be of importance, to matter
n'importe it doesn't matter
imposteur *m* impostor
imposture *f* imposture, deception
impôt *m* tax
imprévu *m* unforeseen event, the unpredictable
à l'improviste unexpectedly
    pris à l'improviste taken unaware
inadmissible inadmissible, unheard of
inanimé inanimate, lifeless
inaperçu unseen, unnoticed
inattendu unexpected
s'incliner to bow
incohérent incoherent
inconcevable inconceivable, unthinkable
inconvénient *m* disadvantage, drawback
incroyable incredible, unbelievable

indécis unsettled, undecided
indépendamment independently
les Indes *f pl* India
indicateur *m* timetable
indiquer to indicate, point
inespéré unhoped for, unexpected
inextinguible inextinguishable, irrepressible
infaillible certain, unfailing
inférieur inferior, below
infini infinite, endless
infinitif *m* infinitive
influencer to influence
informer to inform, inquire
ingénu ingenuous, naive
initiative *f* initiative
injure *f* insult
innocemment innocently
inquiet restless, fidgety, worried
inquiétant disturbing, upsetting
s'inquiéter to become anxious, trouble oneself
insensé mad, insane
insensiblement imperceptibly
insister to insist, go on trying
insolemment impudently
inspirer to inspire
s'installer to settle down
instant *m* instant
    à l'instant a moment ago
instruire to inform, teach
insulte *f* insult
insupportable unbearable
intelligemment intelligently
intéresser to interest
    s'intéresser à to become interested in
intérêt *m* interest
interlocuteur *m* speaker (engaged in conversation)
interrompre to interrupt
interpréter to interpret
intervenir to intervene
intimité *f* intimacy, closeness
intitulé entitled
intrigue *f* plot, intrigue
introduire to introduce, to show in
inutile useless
inventaire *m* inventory
inventer to invent, find out
invité *m* guest
inviter to invite
ironique ironic, ironical

irrémédiable irreparable
isolé isolated, lonely
ivre drunk

jamais ever, never
    ne ... jamais never
jambe *f* leg
jardin *m* garden
jargonner to talk jargon
jasmin *m* jasmine
jaune yellow
je I
jeter to throw
jeu *m* game
jeu de mots *m* play on words, pun
jeune young
jeunesse *f* youth
joie *f* joy, pleasure
joindre to join
joli pretty
jouer to play
jour *m* daylight
jour *m*, **journée** *f* day
journal (journaux) *m* newspaper
joyeux joyful, happy
juge *m* judge
juger to judge
jurer to swear
jusqu'à (ce que) until
juste right, just
justement justly, rightly, just so
justifier to justify

képi *m* military cap
kiosque *m* newsstand
    kiosque à musique bandstand

la the, her, it
là there, here
là-bas over there
labour *m* tillage, ploughing
lac *m* lake
lâche *m* coward
laid ugly
laisser to let, leave
lait *m* milk
laitier *m* milkman, diaryman
se lamenter (de) to lament, wail (over)
langage *m* language
langoureux languid
langue *f* language, tongue
languir to languish

large wide
largeur *f* width
lascar *m* scoundrel
laver to wash
le the, him, it
lécher to lick
leçon *f* lesson
légende *f* legend
Légion d'honneur *f* the Legion of Honor
légume *m* vegetable
lent slow
lentement slowly
lenteur *f* slowness
lequel, lesquels, laquelle, lesquelles which, who, whom
les the, them
lettre *f* letter
leur their, to them
le leur, la leur, les leurs theirs
lever *m* rise
se lever to get up
liberté *f* liberty
libre free
lier to tie
lieu *m* place
    au lieu de in place of, instead of
    avoir lieu to take place
se limiter to limit oneself, restrict oneself
lire to read
lisière *f* edge, border (of woods, fields)
lit *m* bed
litre *m* liter
littérature *f* literature
livre *m* book
se livrer à to engage in
locataire *m & f* tenant, occupant
logique logical
loin far
lointain distant, remote
long long
    de long in length
    le long de along
longtemps long, long time
longueur *f* length
lorsque when
louer to rent
loufoque loony, eccentric (colloquial)
loup *m* wolf
loupe *f* (**de bijoutier**) jeweler's glass
lourd heavy
lubie *f* whim, fad
lui him, to him, to her

lumière *f* light
lune *f* moon

ma, mon, mes my
magnifique magnificent, grand
main *f* hand
    haut les mains! stick 'em up!
maintenant now
maire *m* mayor
mais but
maison *f* house, home
maître *m* master, teacher
maître d'hôtel headwaiter
maîtresse *f* mistress
majeur of age, over twenty-one
mal badly
mal *m* evil, difficulty, pain
maladie *f* illness, sickness
malentendu *m* misunderstanding
malgré in spite of
malheur *m* misfortune, bad luck
malheureusement unfortunately
malin sly, clever
maman *f* mama
manger to eat
manière *f* manner, way, mannerism
manquer (à) to miss, to fail to
manteau *m* coat
    manteau de pluie raincoat
marchand *m* merchant, shopkeeper
    marchand de quatre saisons street vendor, hawker
marche *f* march
marché *m* market
marcher to walk
marguerite *f* daisy
mari *m* husband
mariage *m* marriage
marié married
se marier to get married
marin *m* sailor
marmonner to mumble, mutter
marque *f* mark, brand
marquer to mark, stand out
masqué masked
masquer to mask, cover
massif *m* solid mass, mountain range
match *m* game, match
mathématique *f* mathematics
matin *m* morning
mauvais bad
maxime *f* maxim

me me, to me
méchant bad, mean
mécontent discontent, unhappy
médecin *m* doctor
médecine *f* medicine
médiocrement moderately, indifferently
méfiant suspicious
se méfier de to distrust
meilleur better
   le meilleur best
même same, even, self
   tout de même all the same
mémoire *f* memory
menace *f* threat, menace
menacer to threaten
ménage *m* housework, married couple
ménagère *f* housewife, housekeeper
mener to lead
mentalement mentally
mentionner to mention
mensonge *m* lie
mentir to lie
se méprendre to be mistaken
mépriser to scorn
merci thank you
mère *f* mother
mérite *m* merit
merveille *f* marvel, wonder
merveilleux marvelous, wonderful
messieurs *m pl* gentlemen
mesurer to measure, calculate
méthode *f* method
métier *m* trade, profession, craft
mètre *m* meter
mettre to put, put on
se mettre à to begin
meublé furnished
meute *f* pack, mob
midi *m* noon
le mien, les miens, la mienne, les miennes
   mine
mieux better, best, better looking
migraine *f* migraine headache
milieu *m* center, middle
militaire *m* soldier
mille thousand
milligramme *m* milligram
mimer to mime, ape, mimic
mimique *f* mimic, mimicry
minable shabby, pitiable
mi-semestre *m* mid-semester
mode *m* manner

modèle *m* model, pattern
modifier to alter, change
moi me, I
moindre least
moins less
   du moins at least
   de moins less
mois *m* month
moitié *f* half
monde *m* world
   tout le monde everyone
monologue *m* monologue
monsieur *m* (**messieurs**) mister, sir,
   gentleman
montagne *f* mountain
monter to climb, raise
montre *f* (wrist) watch
montrer to show
se moquer de to make fun of
moqueur mocking
morale *f* moral
morceau *m* piece
mort *m* a dead person
mort *f* death
mot *m* word
mouiller to wet, moisten
mourir to die
moustache *f* moustache
mouvement *m* movement, change
moyen *m* means, way
multiplier to multiply
mur *m* wall
mûr mature, ripe
murmurer to murmur
museau *m* muzzle, snout (of animal)
musicien *m* musician
musique *f* music

nager to swim
naissance *f* birth
naître to be born
naturel *m* naturalness, poise
nausée *f* nausea
nécessaire necessary
négatif negative
négliger to neglect, disregard
neige *f* snow
nerf *m* nerve
nerveusement energetically, impatiently
net clean, clear
neuf new
neveu *m* nephew

névrite *f* neuritis
ni ... ni neither ... nor
nièce *f* niece
nier to deny
niveau *m* level
noblement nobly
noir black
nom *m* name
nombre *m* number
nombreux numerous
non (— plus) no, (neither)
nos, notre our
notaire *m* notary
notamment especially
note *f* note
noter to note, write
notre, nos our
le nôtre, la nôtre, les nôtres ours
nous we, us, to us
nourriture *f* food
nouveau new, another
    de nouveau again
nouvelle *f* news
    prendre des nouvelles de inquire
      about
noyer to drown
noyé *m* a drowned or nearly drowned
    person
nuage *m* cloud
nuit *f* night
numéro *m* issue of newspaper, number,
    turn (in circus, vaudeville)

obéir à to obey
objet *m* object
obligé obliged
    être obligé de to be obliged to, to
      have to
observer to observe, see
obtenir to obtain, get
occasion *f* opportunity
s'occuper de to keep oneself busy with,
    to be concerned with, take care of
odeur *f* odor, smell
œil *m* eye
œuf *m* egg
œuvre *f* work
officier *m* officer
offrir to offer
oie *f* goose
oiseau *m* bird
on, l'on you, one, they, we

oncle *m* uncle
ondine *f* water nymph, undine
opposer to oppose
opposé opposite
or now, now then, now it so happens that
orage *m* storm
orchestre *m* orchestra
d'ordinaire ordinarily
ordonner to order
ordre *m* order
oreille *f* ear
organiser to organize
originalité *f* originality
orphelin *m* orphan
oser to dare, venture
ôter to remove, take away
ou or
ou ... ou either ... or
où where
oublier to forget
ouest *m* west
oui yes
ouvrage *m* work
ouvert open
ouvrir to open

paille *f* straw
pain *m* bread
paire *f* pair
paix *f* peace
panache *m* tailfeathers, a dazzling manner
panthère *f* panther
paon *m* peacock
papier *m* paper
paquet *m* package, parcel
par by, through
paraître to appear, seem
parapluie *m* umbrella
paravent *m* screen
parc *m* park
parce que because
parcourir to travel through, examine
pardon *m* pardon, forgiveness
pardonner to pardon, forgive
pareil (à) like, alike, such
parfait perfect
parfois sometimes
parler to speak, talk
parmi among, between
paroissial parochial, of the parish
parole *f* word
part *f* part, share

à part aside
participer to take part in
particulier private
particulièrement particularly
partir to depart, leave, go off
partout everywhere
parvenir (à) to succeed (in), to arrive
pas *m* step
passage *m* passage
 au passage while passing by
passager *m* passenger
passeport *m* passport
passer to pass, take (an exam), spend (time)
 se passer happen
 se passer de to do without
passionné passionate, impassioned
patiemment patiently
pâtisserie *f* pastry, pastry shop
patte *f* paw, foot (of animal or bird)
paupière *f* eyelid
pauvre poor, unfortunate
payer to pay
pays *m* country, district
péché *m* sin
pêcheur *m* fisherman
peindre to paint, depict
peine *f* sorrow, trouble
 à peine hardly
 ce n'est pas la peine don't bother
peinture *f* painting
se pencher to bend, lean over
pendant while, during, for
pendule *f* clock
pénétrer to enter, comprehend, penetrate
pénible hard, painful, distressing
penser (à), (de) to think (of), (about)
percepteur *m* tax collector
perceptiblement noticeably
percevoir to collect
percher to perch
perdre to lose
père *m* father
périr to perish
perle *f* pearl
se permettre de to allow onself to
perplexe perplexed, puzzled
perruque *f* wig
personnage *m* character (in play, novel)
personne *f* person, nobody
 ne ... personne no one
personnel personal

persuader to persuade
petit little, small
petit *m,* **petite** *f* little child
petitesse *f* smallness, pettiness
pétrin *m* kneading-bowl
 dans le pétrin in a fix, in the soup
pétrole *m* kerosene
peu little, few
peu s'en faut nearly
peur *f* fear
peut-être perhaps
pharmacie *f* pharmacy, drugstore
philosophie *f* philosophy
photographie *f* photograph
phrase *f* sentence
pièce *f* play, room
pied *m* foot
 de pied ferme resolutely
piège *m* trap, snare
pigeon vole *m* children's game
pincer to pinch
piquer to go down, to sting
piquet *m* piquet (card game)
piquette *f* cheap, sour wine
piqûre *f* injection, puncture
pire worse, worst
piscine *f* swimming pool
piste *f* track, trail
pistolet *m* pistol
pitié *f* pity
pittoresque picturesque, vivid
place *f* square, place
 sur place on the spot
placement *m* investment
plaie *f* wound, sore
se plaindre de to complain about
plaine *f* plain, open country
plainte *f* groan, complaint
plaire to please, delight
se plaire (à) to delight (in), to enjoy
plaisant funny, pleasing
plaisanter to joke
plaisanterie *f* joke
plaisir *m* pleasure
plan *m* plan, drawing
 au premier plan in the foreground
plat *m* dish
plein full
pleurer to cry
pleuvoir to rain
plongeoir *m* diving board
pluie *f* rain

plume *f* feather, pen
plupart *f sing.* the most, greatest part
plus more
    ne . . . plus no more, no longer
de plus in addition
plus-que-parfait pluperfect
plusieurs several, many
plutôt rather, sooner
poche *f* pocket
poème *m* poem
poésie *f* poetry
point *m* point, period
    à ce point to such an extent
pois *m* pea
    petits pois green peas
poisson *m* fish
poli polite, refined
politesse *f* politeness
politique *f* policy, politics
polluer to pollute
pompier *m* fireman
ponctualité *f* punctuality
ponctuation *f* punctuation
pont *m* bridge
portail *m* portal, door
porte *f* door, gate
porter to carry
se porter bien to be in good health
poser to pose
    poser une question to ask a question
potiche *f* (China) vase
poule *f* hen
    chair de poule goose flesh
pour for, to in order to
pourboire *m* tip
pourquoi why
poursuite *f* pursuit, chase
poursuivre to pursue
pourtant nevertheless, still, yet
pourvu que provided that
pousser to push
    pousser un cri utter a cry
poussin *m* chick
pouvoir to be able to
précaution *f* precaution, caution
précéder to precede, have precedence
précipitamment headlong, suddenly, hurriedly
se précipiter to dash, rush headlong
précis exact, precise
précisément precisely

préférer to prefer
préjugé *m* prejudice
premier, première first
prendre to take
    prendre de court to surprise, take aback
    prendre ses aises to make oneself comfortable
s'y prendre to go about it, to manage
prénom *m* first name, Christian name
préoccuper to preoccupy, engross
préparatifs *m pl* preparations
préparer to prepare
près de near, close to
    à peu près nearly
présent present, here
se présenter to present oneself
presque nearly, almost
pressé hurried
se presser to crowd, hurry
prêt ready, all ready
prétendre to allege, claim
prêter to lend
    se prêter à to consent to, engage in
prêtre *m* priest
preuve *f* proof, evidence
prévenir to warn
prier to pray, invite
primaire primary
priver de to deprive of
prix *m* price
probablement probably
problème *m* problem
prochain next
proches *m pl* relatives
prodige *m* prodigy, wonder
produire to produce
professor *m* professor, teacher
profiter de to take advantage of
profondément profoundly, deeply
profondeur *f* depth
programme *m* program
progrès *m* progress
projet *m* plan, design
promenade *f* walk
se promener to stroll, take a walk
promesse *f* promise
promettre to promise
pronom *m* pronoun
    pronom complément object pronoun
    pronom absolu stressed pronoun

prononcer to pronounce, speak
  se prononcer to declare, to pronounce (an opinion)
propos *m* words, remark
  à propos de regarding
  à propos by the way
se proposer to offer oneself
propre own, clean
propriétaire *m* proprietor, owner
protéger to protect
protestation *f* protest
protester to protest
prouver to prove
provoquer to provoke
  provoquer une réponse elicit an answer
prudemment prudently, discreetly
public, publique public
puce *f* flea
puis then, next
puisque since
puits *m* well, pit
punir to punish

quai *m* platform, embankment, dock
qualité *f* quality
quand when
  quand même anyhow, even if
quant à as for
quantité *f* quantity
quarante forty
quart *m* fourth, quarter
quartier libre military pass, liberty
quasi almost
quatre four
que what, that, which, whom, as, only
quelque chose something
quelquefois sometimes
quelqu'un someone
querelle *f* quarrel
qu'est-ce qui what
qu'est-ce que c'est que what is
questionner to question
qui who, whom, which, that
quiconque whoever
quinze fifteen
quitter to leave
quoi what
quoi que whatever
quoique although

raccrocher to hang up, hook up

raconter to tell, relate
raffoler de to be crazy about
se rafraîchir to refresh oneself
rageur passionate, furious
railleur scoffing
raisin grapes
  raisin noir red grapes
raison *f* reason, common sense
  avoir raison to be right
raisonnable reasonable, sensible
ranger to arrange, to put away
rangée *f* row
rapide *m* express train
rapidement rapidly
se rappeler to recall, remember
rapprocher to draw near
rare rare
se raser to shave
rassurer to reassure, cheer up
râtelier *m* manger, stall
rationnel rational
rattraper to recapture, grab, catch up with
ravi delighted
ravissant ravishing, entrancing
réalisme *m* realism
récemment recently
recette *f* formula, recipe, trick
recevoir to receive, entertain
recherche *f* search, quest
récipient *m* container, receiver
recommander to recommend
réconcilié reconciled
reconnaître to recognize
recouvrir to cover, cap
reculer to move back, withdraw
redescendre to go down again
redire to say again
se redresser to draw oneself up
réduire to reduce
réel real, actual
refaire to remake, do again
réfléchir to reflect, think over
réflexion *f* reflection
  à la réflexion on thinking it over
refus *m* refusal
  pas de refus not to be refused
se refuser à to object, to refuse
regard *m* look
régime *m* diet, system, rule
règle *f* rule
régner to reign, rule

regret *m* regret
regretter to regret, to miss
rejoindre to rejoin, reunite
se réjouir to rejoice
relativement (à) relatively (with reference to)
relever to raise again, release
relire to reread
remarque *f* remark
remarquer to notice, to remark
rembourser to repay
remercier to thank
remettre to put back, deliver, remit
remords *m* remorse
remplacer to take the place of, to replace
remplir to fill
remuer to move, stir
rencontre *f* meeting
rencontrer to meet
rendez-vous *m* date, meeting
rendre to give back, render, make
   se rendre à to go to, to surrender
se rendre compte de to realize, find out
renoncer to renounce
rentrée *f* return
rentrer to go back, to put away
reparaître to reappear
réparer to repair
repartir to start again, leave again
repas *m* meal
repêcher to fish out
se repentir to repent
répéter to repeat
répondre to answer
réponse *f* answer
reposer to rest, to put back or down
   se reposer to rest (oneself)
reprendre to take again, to take up again, go on
représenter to represent
réprimande *f* reprimand
reprise *f* repetition
   à plusieurs reprises several times, repeatedly
reproche *m* reproach
reprocher to reproach
réserver to reserve, save for
résolu resolute
se résoudre (à) to resolve (to)
respecter to respect
respirer to breathe
ressemblance *f* resemblance

ressembler à to resemble
ressentir to feel, resent
resserre *f* store-room
ressortir to go out again
reste *m* remainder, remnant
   du reste anyhow
rester to remain
rétablir to re-establish, restore
retard *m* delay
   en retard late
retenir to hold back, remember, detain
retirer to withdraw, pull back
   se retirer to retire
retour (de—) back
se retourner to turn around
retraite *f* retirement
retrouver to find again, to join
réussir (à) to succeed (in)
revanche *f* revenge
   en revanche on the other hand
rêve *m* dream
réveiller to awaken
revenir to come back
rêver to dream
revers *m* reverse
   revers du manteau, du veston lapel of a coat, of a jacket
révision *f* revision, review
revoir to see again
ricaner to laugh sneeringly
riche rich
rideau *m* screen, curtain
ridicule ridiculous
rien nothing
rigoler to laugh, to enjoy oneself (colloquial)
rire *m* laughter
   le fou rire helpless laughter
rire to laugh
risquer to risk
ritournelle *f* ritornelle, little tune
rituel ritual
rivière *f* river, stream
roi *m* king
robinet *m* tap, faucet
rôle *m* rôle
roman *m* novel
rompre to break
rond round
rond *m* ring, circle
rond de serviette *m* napkin ring
ronronner to purr

rosbif *m* roast beef
rouge red
rougir to grow red, blush
route *f* route, road
    en route on the way
roux *m*, **rousse** *f* redhead
rudement rudely, roughly
rue *f* street
rugir to roar
ruisseler to stream, trickle
rupture *f* breaking open, breaking off of a
    friendship

sa, son, ses his, hers, its
sagesse *f* wisdom
saisir to seize
sale dirty
salle (de bains) *f* (bath)room
salon *m* living room
saluer to salute, greet
samedi *m* Saturday
sanglier *m* wild boar
sans without
sang-froid *m* courage, nerve
santé *f* health
sarcasme *m* sarcasm
satirique satirical
satisfaire to satisfy
sauce *f* sauce
sauf except
sauter to jump
sauver to save, rescue
    se sauver to escape, run away
savoir to know
    n'en rien savoir to have no idea
scandaliser to scandalize
scène *f* stage, scene
sciatique *f* sciatica
se himself, herself, oneself, itself, them-
    selves
seau *m* bucket
sébile *f* wooden bowl, beggar's bowl
sec, sèche dry
se sécher to dry (oneself)
secouer to shake
secours *m* help
secrétaire *m* & *f* secretary
secrètement secretly
séduction *f* charm
séduire to seduce, charm
seigneur *m* lord
selon according to

semaine *f* week
semblant (faire —) to pretend
sembler to seem
sens *m* meaning, sense
sensible sensitive
sentir to feel, smell
se séparer to separate, part
sergent *m* sergeant
    sergent de ville policeman
série *f* series
sérieusement seriously
sérieux serious
sérieux *m* seriousness
servant *m* gentleman-in-waiting
service *m* service, duty, favor
serviette *f* napkin
servir to serve
    servir à to serve as, to be used as
ses his, her, its
seuil *m* threshold, doorstep
seul alone, only
seulement only, even
sévère severe, hard
si if, yes, so, as
le sien, la sienne, les siennes his, hers
signe *m* sign, symbol, mark
signification *f* meaning
signifier to mean
sillon *m* furrow, track
simplement simply
sincère sincere, frank
singe *m* monkey
situation *f* situation, job
sœur *f* sister
soi oneself, himself, herself, itself
soif *f* thirst
    avoir soif to be thirsty
soigner to look after, take care of
soigneux careful
soin care
    être aux petits soins to take tender
    care of
soir *m*, **soirée** *f* evening
soldat *m* soldier
soleil *m* sun
solide solid
sombre dark, gloomy
somme *f* sum
    en somme in short
sommer to summon
son his, her, its
songer to dream, think, consider

sonner to sound, ring
sonnette *f* bell, doorbell
sort *m* fate
sorte *f* sort
    de sorte que so that
sortie *f* exit, departure
sortir to go out, leave, take out
sot *m* fool
sottise *f* stupidity, silly thing, silliness
sou *m* 5 centimes; $\frac{1}{20}$ of a franc
se soucier de to care about
soudain sudden, all of a sudden
souffrir to suffer
soulager to relieve, lighten, help
soulier *m* shoe
soupçon *m* suspicion
soupçonner to suspect
soupirer to sigh
sourire *m* smile
sourire to smile
sous under
soutirer to draw off
souvenir *m* remembrance, memory
se souvenir de to remember, recall
spécifier to specify, insist
spectateur *m* spectator, witness
spirituel witty
stylo *m* pen
    stylo à bille ballpoint pen
sucre *m* sugar
succès *m* success
succulent succulent, delicious
sud *m* south
suffire to suffice, to be sufficient
suffisant sufficient, enough
suggérer to suggest
se suicider to commit suicide
suite *f* continuation
    tout de suite at once, immediately
suivre to follow
sujet *m* subject
    au sujet de concerning, relating to
superbe superb, proud
supérieur superior, upper
supplice *m* punishment, agony
supplier to plead, beg
sur on, upon
sûr sure, certain, safe
sûrement surely, certainly
surprendre to surprise
sursauter to startle, give a start
surtout especially, above all

survivant survivor
symboliser to symbolize
sympathique likable, congenial

ta, ton, tes your
tableau *m* blackboard, picture
tâcher to try
taire to say nothing about
se taire to be silent, to shut up
tandis que while
tant so much, so many
tant mieux so much the better
tant pis too bad
tante *f* aunt
tas *m* heap, pile
tasse *f* cup
taureau *m* bull
te you, to you
tel, telle (—que) such (as)
télégraphier to telegraph, cable
tellement in such a manner, so
témoin *m* witness
temps *m* time
    de temps en temps from time to time
tendre tender, delicate
tendre to extend, give
tenir to hold
se tenir to remain, stand, behave
tenir à to insist on, to be attached to
tentant tempting, alluring
tenter to tempt, attempt
tenue *f* behavior, good behavior
terminaison *f* termination, ending
se terminer to end, terminate
terrasse *f* terrace, pavement in front of a
    café
terre *f* ground, earth
    par terre on the ground
terrorisé badly frightened
tes, ton, ta your
tête *f* head, face
texte *m* text, textbook
théâtre *m* theatre, dramatic art
thème *m* theme, subject
le tien, la tienne, les tiennes yours
timide shy, timid
timidité *f* shyness, bashfulness
tirer to draw, pull, shoot
    s'en tirer to manage, get by
tiroir *m* drawer
titre *m* title
    à titre gracieux as a favor, free

titubant staggering
toc *m* faked stuff (colloquial)
    du toc imitation jewelry
toi you
tomber to occur, to fall
    tomber bien to occur at the right moment
    tomber mal to occur at the wrong moment
ton, ta, tes your
ton *m* tone
torchon *m* dishrag, rag
se tordre to twist, to laugh uproariously
tort *m* wrong
    avoir tort to be wrong
toucher to touch, touch upon, cash
toujours always, still
tour *m* tour, trick, turn
tour du monde *m* journey around the world
tourner to turn, stir
    se tourner to turn around
tousser to cough
tout, tous all, completely, very, everything
    tout ce qui everything that
tout à coup suddenly
tout à fait completely
tout à l'heure a little while ago, in a little while
tout de même after all
tout le monde everyone, everybody
tracas *m* worry, trouble
trace *f* track, trace
traduire to translate
tragiquement tragically
trahir to betray
train *m* train
    en train de in the act of, engaged in
tramer to weave (a plot)
tranquilliser to soothe, reassure
tranquille calm, still, unworried
transporter to transport, convey
travail (travaux) *m* work
travailler to work
travailleur hardworking
traverser to cross
trépas *m* decease, death
très very
triste sad
tristesse *f* sadness
trois three

se tromper to be mistaken, be wrong
trop too much, too many
trou *m* hole
troubler to bother, trouble
trouver to find, to think
    se trouver to be, to be located, to exist
truite *f* trout
tu you
tuer to kill
tuteur *m* guardian
tutoyer to address someone as *tu* or *toi*
type *m* type
    ce type-là that guy (colloquial)
typique typical

ultime last
l'un l'autre each other
uni joined, united
uniforme uniform, unvarying
usage *m* experience, custom, breeding
    d'usage customary
utiliser to make use of
utilisation *f* use

vacances *f pl* vacation
vache *f* cow
vaincre to conquer, defeat
vain vain, useless
valise *f* suitcase
valoir to be worth, to be as good as
    valoir mieux to be better
vanité *f* vanity
vaniteux vain, conceited
vanter to praise
se vanter to boast
veau *m* calf
vendre to sell
venir to come
    en venir to get at
venir de to have just
vent *m* wind
vente *f* sale
véritable true, real
vérité *f* truth
verre *m* glass
vers to, towards
vers *m* line of verse
vert green
vertu *f* virtue
veston *m* jacket

viande *f* meat, food
vide empty
vie *f* life
    en vie alive
vieil, vieille, vieux old
vieillesse *f* old age
(mon) vieux old man, pal
vilain nasty, bad, ugly
villa *f* villa
ville *f* city
ville d'eaux spa, resort
vin *m* wine
vingt twenty
vingt-cinq twenty-five
visage *m* face
visiter to visit, go through
visiteur *m* visitor
vite fast, quickly
vivant living
vivement sharply, keenly, quickly
vivre to live
voici here is, here are
voilà there is, there are, ago
voir to see
voire even

voiture *f* carriage, car
    en voiture! all aboard!
voix *f* voice
    voix blanche toneless voice
volant *m* steering wheel
voler to steal
voleur *m* thief
volontairement voluntarily, willingly
volontiers willingly, gladly
volupté *f* pleasure, delight
votre, vos your
le vôtre, la vôtre, les vôtres yours
vouloir to want, to expect
vouloir bien to be willing
vouloir dire to mean
vouloir rire to be joking
en vouloir à to be angry with
vous you, to you
voyager to travel
vrai true
vraiment truly, really
vue *f* view, sight

y there, to it, to them
yeux *m pl* eyes